エリア・スタディーズ 6

現代韓国を知るための61章【第3版】

石坂浩一
福島みのり（編著）

明石書店

元山
（ウォンサン）
平壌
（ピョンヤン）
南浦
（ナムポ）
朝鮮民主主義人民共和国
黄海北道
黄海南道
江原道
開城
（ケソン）
京畿道
春川
（チュンチョン）
ソウル
仁川（インチョン）
大韓民国
水原
（スウォン）
忠清北道
清州
（チョンジュ）
忠清南道
慶尚北道
大田
（テジョン）
全州
（チョンジュ）
大邱
（テグ）
全羅北道
慶尚南道
釜山
（プサン）
光州
（クァンジュ）
全羅南道
済州島
済州
（チェジュ）
0
100
200
km
日本

大韓民国主要部

はじめに

ユン・ソンニョル（尹錫悦）政権成立以降、日韓関係は改善されたことになっている。しばらく前までは、「国交正常化以降、最悪の日韓関係」といわれていたにもかかわらず、である。日韓ともにいろいろな考えがあるはずだが、首脳が変わると関係も一変してしまうのだろうか。首脳が決めてくれなくても、また新型コロナウイルスの流行があっても、市民は交流を絶やさず、よい関係をめざしてきたのではないだろうか。

「日韓関係「悪化」の要因の一つはいわゆる徴用工問題であった。韓国の裁判所は日本企業が賠償に応じるべきだと判断したが、日本政府が日韓条約と関連した協定で解決済みだと司法判断を受け入れず、企業にもそのように求めた。政権交代後の韓国政府は２０２３年に政府傘下の財団が賠償を肩代わりする「解決案」を示し、日本政府が了承した。だが、受け取りを拒否した人びとへの金銭を、財団が裁判所に供託しようとしたところ、２０２３年12月現在、裁判所はこれを受け入れていない。原告らが受け取りを拒否していることが理由として大きいが、そもそも裁判の被告が日本の企業なのに、財団が支払うという解決策に矛盾があるからであろう。２０１８年に韓国の大法院（最高裁）が原告の訴えを認めたとき、支払いの責任を負うのは第二次世界大戦中に朝鮮半島出身の労働者を酷使した日本企業であった。それをいつの間にか韓国の財団が支払うことにして、原告の納得がいくだろうか。

その一方で、ソウルでは２０２３年６月以降、日本大使館前にある「平和の少女像」が鉄柵で囲い込まれてしまった。本書の表紙写真にあるとおりだ。ソウルの鍾路《チョンノ》区庁は少女像を毀損しようとした者がいたことから、保護のためとしてこのような囲いを設けたのである。いまや日本大使館を見つめる少女像は「囚われの少女像」となった。これを見て皆さんは、喜ぶだろうか、あるいはほっとするだろうか。逆に憤るだろうか、悲しむだろうか。この少女像は２０１１年12月14日にこの場所に置かれた。少女像の脇には空いている椅子があり、そこに座って空間を共有し、平和や歴史について思いをいたす人をいざなっている。実際にそこを訪れて椅子に座った人は、韓国のみならず、日本を含めた世界中の人びとであり、数えきれないほど多い。置かれたブロンズ像は恨みを放つものではないし、まして誰かを傷つけるものでもない。「囚われの少女像」は、今の日韓関係を象徴するように思われてならない。人びとの目に入るものを覆い隠して、関係改善が語れるのだろうか。

おりしも、本書の校正が最終段階にさしかかっていた２０２３年12月27日、日本の衆議院は河野洋平元衆議院議長から議会政治史に関する聞き取りを行ない公開した。河野元議長はその中で、「慰安婦」をめぐる河野官房長官談話が韓国に対するものだと誤解する人がいるが、日本軍が関わったオランダ、フィリピン、台湾、インドネシアなどの国々、人びとに関連するものであり、オランダ政府は女性に対する強制的動員があったことを確認していると述べ、「慰安婦」問題は韓国だけに対するものではないことを明言した。そして、元「慰安婦」の人びとの証言は記憶があいまいな部分はあるが「心証として明らかに強制的にさせられたというふうに宮沢総理も思われ」たと証言している。１９９３年8月4日の河野官房長官談話は日本がみずからの歴史に対する姿勢を示す出発点になるはずのものであった。しかし、21世紀に入ると河野談話をないがしろにする人びとが日本で大手を振るようになり、それが韓国をはじめとする世界の人びとに対して不信感を高めたのではないだろうか。世界では日本軍「慰安婦」問題は世界的人権の問題として認識されているのである。もう一つ忘れるべきではないことがある。日本人にとって韓国は外国のうちの一つに過ぎないかもしれない。だが、南北朝鮮にとって1910年から1945年には韓国史／朝鮮史は存在しえなかったのである。その時代を考え語ることは、日本を考え語ることと切り離せない。そのような歴史を作ったのはほかならぬ日本なのである。

韓国では民主化の過程が始まって以降、人びとが率直な発言をし、自由な発想で文化を発展させ、人権と平和を定着させてきた。日本との関係も民主化以降の社会的変化があってこそ、根本から考え向き合っていこうとするようになってきた。日本社会でもそれに応えようとする人びとは少なくなかったし、文化面では相互のリスペクトが進んだ。しかし、日韓の社会にはそれをよしとする人ばかりではないようだ。とりわけ、日本の政治家たちの言動には疑問に感じられることが多い。

私たちは、私たち自身が深く考え、相手を尊重し、何かに囚われた発想から自由になりたいと思う。そうして、自分が囚われた存在であることから抜け出そうとするならば、「平和の少女像」も「囚われ」の境地を脱却し、開かれた存在になるのがふさわしいのではないだろうか。

本書は読者のみなさんのおかげで第3版を発行するに至った。版を重ねるごとに10年ほどの時がたったが、それぞれ異なる状況を私たちは目にしている。2020年代前半が私たちに問いかけているものを考えるうえで本書が一助となれば幸いである。

2023年12月

編者　石坂浩一

凡例

・人名表記は姓と名を分けた上で発音に従うことを原則とし、初出で漢字を示した。ただし、ユン・ソンニョル大統領のように現在の標準的な韓国語発音指針とは異なる呼び方を本人が希望している場合は、本人の希望を優先している。

・地名は混同を避けるため漢字表記としカタカナでルビを付けた。

・本文中、とくに出所の記載のない写真については、原則として執筆者の撮影・提供による。

現代韓国を知るための61章【第3版】

目次

I　政　治

II 社　会

III　経　済

Ⅳ　文化

I

政　治

Ⅰ 政治

1

国土と人口

★国土は日本の4分の1で人口は半分弱★

朝鮮半島はユーラシア大陸のもっとも東側に位置し、南北約1100キロにわたって国土が広がっている。朝鮮の1里は日本の10分の1の約400メートルにあたるため、これが「三千里」とされ、三千里は朝鮮をさす呼称としても語られてきた。朝鮮史研究者の武田幸男は、高句麗や渤海に象徴される北方系列、百済や新羅に象徴される南方系列、そして中国からの影響である文化体系としての西方系列が認められるとしている。多様な要素を含みつつ、朝鮮半島は長い歴史のなかで、独自の文化を形成してきた。

日本の植民地支配の時代まで朝鮮は南北に分断されていなかった。南北を合わせるとその面積は22万3627平方キロメートル（韓国統計庁による2021年データ）だが、そのうち大韓民国（韓国）が今日実効支配するのは10万413平方キロである。日本では韓国の面積がどれくらいあるかを尋ねると意外に知らない人が多い。日本が37万8000平方キロなので、韓国だけでいうと日本の4分の1程度にすぎないが、それより大きいと錯覚している場合も少なくない。朝鮮民主主義人民共和国（北朝鮮）を含めると、東西に東経124度から１３１度、南北に北緯33度から43度の位置に国土が広がっている。陸地部の南北を通じた長さは前述したように約１１００キロ、東西の幅は平均３００キロ程度になる。

朝鮮半島は朝鮮王朝以来、慶尚道、全羅道、忠清道、京畿道、江原道、黄海道、平安道、咸鏡道の８道からなるとされてきたが、南北分断で韓国側には慶尚道、全羅道、忠清道、京畿道の４つの道と江原道の一部が含まれることになった。大韓民国では、慶尚道、全羅道、忠清道はそれぞれがさらに南北の道に分かれており、済州島《チェジュド》は独立した道になっている。南北ともに１９４５年以前とは地名が異なる場合も少なくないので、古い時代の地名を調べる場合は注意する必要がある。中国と朝鮮の国境は、西側は豆満江《トゥマンガン》、東側は鴨緑江《アムノクカン》という川で隔てられているところが多い。南北を隔てるのは国境ではなく朝鮮戦争以来の軍事境界線（休戦ライン）である。南北朝鮮は１９９１年に合意された南北基本合意書において、南北は「統一を志向する過程で暫定的に形成される特殊な関係」であると規定しており、公式的にふたつの国家という自己規定をしていない。したがって、軍事境界線は国境ではない。軍事境界線は西側の一部で臨津江《イムジンガン》を境としている地域もあるが、基本的に自然の地形により形成された歴史的境界ではない。

韓国は温帯に位置し四季の移り変わりを感じられるが、ユーラシア大陸の一角を占めるだけあって気温の日較差、年較差が大きく大陸的気候といえよう。日本よりも緯度が高いため寒い地域が多いが、温暖化の影響を受けて異常気象は顕著になっている。これまでにない高温、逆にまれにみる寒波も発生、豪雨、水害、山火事など自然災害も増えている。

韓国で一番高い山は済州島の漢拏山《ハルラサン》の標高１９５０メートル、これに智異山《チリサン》の１９１５メートルが続く。南北全体では北朝鮮の白頭山《ペクトゥサン》が２７４４メートル（南側観測による。北では２７５０メートルとしている）と最高峰になる。河川では洛東江《ナクトンガン》が５１０キロで最長、流域面積は２万３３８４平方キロである。漢江《ハンガン》が長さ４８１・７キロで洛東江に次ぐ。これに錦江《クムガン》と栄山江《ヨンサンガン》を合わせ４大江とされている。

韓国は全体の面積の約４分の３は山地で、東側が高く西側が低い地形をなす。北朝鮮の元山《ウォンサン》から韓国の栄山江河口部に位置する多大浦《タデポ》まで、南北を長さ６００キロにわたり東海岸に沿って縦走する太白山脈は、朝鮮半島の背骨に例えられる。太白山脈は東側が急斜面になっており、西側は緩やかに黄海に向かって下っていく。したがって、平野は西側に多く分布し、コメの生産についても西側に位置する全羅道や忠清道、京畿道などが主要産地となっている。

ところで、韓国では地震がないとよくいわれてきたが、２０１６年９月12日に慶尚北道慶州《キョンジュ》で観測史上最大のＭ５・８の地震が発生、あちこちで地割れが起こり建物が傾くなど大きな被害をもたらして衝撃を与えた。翌17年11月15日にもＭ５・４を記録する地震が慶尚北道浦項《ポハン》で発生した。一般的に韓国人が地震に慣れていないというのは、断層がある慶尚北道や忠清南道などに地震発生が限られているためだが、今後の地震活動に政府機関でも警戒を強めている。韓国の気象庁によると韓国と周辺海域で２０２１年にＭ２・０以上の地震は70回観測されており、Ｍ２・０未満の地震は６７２回。１９９９年から２０２０年までのＭ２・０以上の年平均発生件数は70・６回となっている。

朝鮮半島の人口は１９４５年の植民地支配からの解放当時、３０００万人程度だったといわれる。その後、南北分断を経て人びとは両分され、相互に往来ができなくなった。韓国では１９６０年の人口が約２５００万人だったが、60年代以降に人口が急増し政府では人口抑制、産児制限策を打ち出した。１９８０年に３８００万人ほどだった人口は、90年に４２８７万、２０００年に４７００万、２０１２年6月にはついに５０００万人を突破した。だが、その後人口増加率は鈍化し、２０２０年の総人口５１８４万人に対し、２０２１年には５１７５万人となって、経済成長期以降はじめて、総人口の減少を記録した。実は２０２０年においても出生数は死亡者数を下回っていたが、外国人居住者の増加で合計の総人口は減少を免れていた。新型コロナウイルスの感染拡大で外国人居住者流入が止まり、減少を逃れられなかったのである。２０１０年代はじめには２０３０年ごろから人口減少が始まると見られていたことを考えると、予想以上に人口減少が進んでいることが分かる。

韓国統計庁は２０２３年2月22日、２０２２年の合計特殊出生率（一人の女性が一生のうちに産む子どもの数）が０・78で史上最低を記録したと発表、衝撃を与えた。前年の０・81よりもさらに低下しており、経済協力開発機構（ＯＥＣＤ）加盟国で唯一、5年連続合計特殊出生率が1を下回った。韓国の行政安全部（省）が２０２３年2月に発表した統計では、２０２２年の65歳以上の高齢者人口は９０１・８万人で、２０００年の３３９・５万人の3倍に迫る勢いだ。

（石坂浩一）

◆参考文献
武田幸男編『朝鮮史』山川出版社、２０００年。
『連合年鑑２０２２』連合ニュース（ソウル）、２０２２年。
統計庁ホームページ　**http://kostat.go.kr**

2

冷戦と分断の構造化

★朝鮮戦争から分断固定化へ★

1945年8月15日、日本は天皇の玉音放送を通じて連合国への無条件降伏を表明した。朝鮮民族は日本の植民地支配から解放された。人びとは朝鮮民族が独立して近代民族国家を形成するものと期待していた。ところが、朝鮮人が全くあずかり知らないところで米ソは朝鮮半島の分割占領を決めてしまった。

日本が予想外に早くポツダム宣言を受諾したのを受けて、米国務省では朝鮮半島のすべてをソ連に占領させないための分割占領の方法について検討、朝鮮半島の中ほどに北緯38度線が走っていることに注目して、この線を境に朝鮮を米ソで分割占領する案を考え出した。国務省がソ連に提案したところ、ソ連はこれを受諾した。だが、この決定に朝鮮民族の誰一人、かかわっていない。連合国も被植民地の独立の重大性を認識していなかったのである。

朝鮮民族運動の国内に残っていたリーダーのヨ・ウニョン（呂運亨）は、日本の戦況が悪化してきたことを知り、44年8月に秘密組織「建国同盟」を作って独立に備えはじめた。ヨ・ウニョンは日本で玉音放送がなされる前日の14日、朝鮮総督府の阿部信行総督から施政権を委託され、人びとが解放の喜びに沸いた15日には民族運動のリーダーたちが名を連ねた建国準備委員会（建準）を発足させた。やがて米ソが占領軍として朝鮮にやってくることを知ったヨ・ウニョンらは、朝鮮人による自治機構の発足を急ぎ9月6日に朝鮮人民共和国を発足させた。主席にイ・スンマン（李承晩）、副主席にヨ・ウニョン、国務総理にホ・ホン（許憲）など代表的な民族運動家を網羅し建準地方組織を傘下に置いた。しかし、米軍政は社会主義者が強い力を持った朝鮮人民共和国を認めなかった。朝鮮人の声を受け入れず上からの統治を続け、日本の植民地統治を踏襲してコメの供出制度などを維持した。インフレ、食糧難などの社会的混乱を収拾できずに、朝鮮人の反発を買って、46年10月大邱《テグ》人民抗争などの抵抗が頻発した。米軍政は朝鮮共産党を非合法化するなど、反共的な姿勢を強めていくことになった。

朝鮮人民共和国の主席となることを拒否したイ・スンマンは朝鮮内部に基盤がなかったため、植民地時代の地主など親日名望家層と協力、米軍政下で権力掌握をめざした。米国は左右合作などの試みも挫折、冷戦の深化と相まって、1948年には国連監視下で南側だけの単独選挙を5月10日に実施することを決定した。済州島《チェジュ》では単独選挙に反対する抵抗闘争が起こった（4・3事件）が、過酷な弾圧を受け多くの島民が虐殺されたり、日本に逃れたりした。こうして1948年8月15日、大韓民国政府が成立し、初代大統領にイ・スンマンが就任した。北では社会主義者が主導してやはり独自の政権作りが進み9月9日、朝鮮民主主義人民共和国が成立した。

ふたつの政権が成立すると、両者の軍事的衝突の危険性が高まっていった。イ・スンマン大統領は、親日派勢力を主流とする韓国民主党と時に対立しつつも、反共において一致した。また、北で迫害を受けたキリスト教徒や名望家層出身者などが南に脱出し（越南と呼ばれた）西北青年会をはじめとする右翼団体を結成、下から反共体制を支えた。朝鮮戦争は1950年6月25日、中ソの了解を得たキム・イルソン（金日成）首相の指揮の下、朝鮮人民軍が南に進撃することで開始された。当初は韓国軍が敗走し、ソウルを死守すると叫んでいたイ・スンマン大統領は早々に南に逃亡した。韓国軍は釜山《プサン》周辺の一帯に追い込まれたが、9月15日に米軍の仁川《インチョン》上陸作戦が成功し、巻き返して38度線を突破、中朝国境に迫ることとなった。ところが中国が10月に義勇軍として参戦し、米韓を主体とした国連軍は慣れない寒さにも悩まされて後退を余儀なくされた。朝中軍は1月に再度ソウルを奪還するが、3月には米韓がソウルを回復、その後戦線は膠着していく。1951年7月からジュネーブで停戦交渉が始まったが、合意に2年もの歳月がかかり、1953年7月27日にようやく停戦協定が成立した。停戦会談が始まって以降も戦争は継続し、戦争開始から停戦交渉が始まるまでよりも、始まって以降のほうが戦死者は多かった。

朝鮮戦争による死者は、300万人といわれることもあるが、厳密な集計は難しく実数はさらに多い可能性がある。歴史学者ハリデイとカミングスは北朝鮮の民間人約200万人、軍人約50万人、中国軍兵士が約100万人に加え、韓国の民間人約100万人、軍人の戦闘による死者4万7000人、米軍の戦闘による死者3万3629人としている（ハリデイ、カミングス『朝鮮戦争　内戦と干渉』）。南側では保導連盟という組織に登録させられた南の民間人が北と深いかかわりがないのに「アカ」とされ殺害された事例など、関連した死者を数えること自体が難しく、2023年現在でも一部で遺骨発掘が続けられている。人命被害にとどまらず、あらゆる生産設備が破壊され経済的にもどん底の状況に追い込まれた。貧困からの脱出をめざして民衆は戦後の暮らしを立て直さなければならなかった。

全土が戦場となり身近な人びとと殺し合わざるをえない惨状が繰り広げられたことは、その後の韓国社会に大変な傷跡を残した。同じ民族同士が殺し合ったことは、南においてひとたび共産主義者と見られれば生命の保証もないという現実を人びとに突きつけ、戦争に参戦せざるをえなかった者、家族を戦争で失った者にとっては、憎悪心をかき立てる結果を生んだ。また、国内政治のなかで政敵を社会主義者、共産主義者と決めつけることで、政権への批判を封じ込めるイデオロギー的攻撃を生むことにもなったのである。現実にイ・スンマン大統領は独裁政治をふるい、1958年の進歩党事件では、国連監視下の平和統一の主張が北の主張に通じるものだとして弾圧され、大韓民国政府で農林部（省）長官も務めた進歩党指導者のチョ・ボンアム（曺奉岩）は死刑に処された。

こうして朝鮮民族がかかわることのできなかった分割占領決定は、冷戦を背景として朝鮮民族に甚大な戦争の惨禍をもたらしたうえ、イデオロギー対立が社会的に制度化され日常的に人びとの意識に浸透することで現在に至るまで平和と和解を妨げている。

（石坂浩一）

参考文献
ブルース・カミングス／鄭敬謨、林哲、加地永都子訳『朝鮮戦争の起源 1945年～1947年 解放と南北分断体制の出現』1、明石書店、2012年。
ブルース・カミングス／鄭敬謨、林哲、山岡由美訳『朝鮮戦争の起源 1947年～1950年 「革命的」内戦とアメリカの覇権』2（上・下）、明石書店、2012年。
和田春樹『朝鮮戦争全史』岩波書店、2002年。
文京洙『新・韓国現代史』岩波新書、2015年。

3

民主化運動の高揚から民主化への過渡期へ

★4月革命から6月闘争へ★

韓国現代史において民主化への胎動は常に存在した。1960年3月15日の大統領選挙投票日以前からなされた選挙妨害をはじめ、投票日の目に余る不正に対して学生たちを中心とした多くの人びとが憤りを爆発させ、全国各地に退陣要求デモが広がった。4月18日にはソウルの大学生のデモに警官隊が発砲、19日にもデモがやまなかったため、政府は非常戒厳令を宣布した。2月28日から4月19日までに全国で520件のデモが行われ死者191人、負傷者1696人を出したことで、かえって政権は追い込まれた。25日にはソウルで大学教授たちが声明を発表して大統領の退陣要求のデモをすると、多くの市民が合流、26日午後6時についにイ・スンマン大統領が下野を発表し29日にはハワイへ亡命した。

大統領退陣を実現させたことから、この出来事は4月革命、あるいは弾圧にひるまずデモが高揚した日にちなみ4・19革命と呼ばれる。その後、選挙を通じて新政権が発足（第二共和国とも呼ばれる）したが、南北交流の機運の高まりに危機感を感じた反共軍部は1961年5月16日に軍事クーデターを起こし、民主化への流れをさえぎった。4月革命は未完の革命といわれる。

軍事クーデター勢力のリーダーであったパク・チョンヒ（朴正熙）は1963年に大統領選挙に出馬し当選、69年には大統領の任期を2期までとした憲法を、国民の反対世論を押し切って3選を許容するよう手直しし、「3選改憲」呼ばれた。そして、1971年の大統領選挙で3選を果たしたものの野党新民党のキム・デジュン（金大中）候補に票差を詰められ危機感を感じたパク・チョンヒは、1972年10月に非常戒厳令を宣布したなか、大統領を間接選挙で選出するよう規定したいわゆる「維新憲法」を制定した。明治維新にならって上からの近代化を志向したパク・チョンヒにふさわしい呼称だった。この政権下の選挙でも多くの不正が行われ、抵抗に対しては逮捕投獄などの弾圧が加えられた。維新憲法は大統領の緊急命令権を規定し、一層の強圧政治を制度的に保証したものだった。

パク・チョンヒ大統領は北朝鮮の動きを把握するという名目で秘密情報機関として韓国中央情報部（KCIA）を設置し、国内の批判勢力を取り締まるためにも活動させた。イ・スンマン政権当時も存在した国家保安法に加えて1961年に反共法を制定、本来は北朝鮮とかかわる団体を取り締まるための法令をあらゆる反対勢力への弾圧のために利用した。言論機関や文化活動も取り締まりの対象だった。だが、パク・チョンヒ政権は1979年10月、野党新民党首キム・ヨンサム（金泳三）の『ニューヨーク・タイムズ』における発言を問題視し国会議員除名を強行、釜山《プサン》などでの抗議運動が活発化するなか、政権内部での対立は深まった。パク・チョンヒ大統領は10月26日に中央情報部のキム・ジェギュ（金載圭）部長に射殺されるに至った。

韓国で民主化運動という時、狭い意味では維新憲法による大統領間接選挙を撤廃させ民主主義の回復を求める運動をさす。民主主義が制約された条件の下、体制内野党が軍人を首班とする政権党に十分に対抗できないなか、議会の枠の外側で活動する在野勢力のキリスト教団体などが学生運動、社会運動などと連合して民主化運動を国民的に推進した。野党政治家もこの隊列に加わったのである。

パク・チョンヒ大統領の死去を受けチェ・ギュハ（崔圭夏）国務総理が大統領職を継承、民主化を期待する各界各層の動きが活発化していく。国民の間では次の大統領として、キム・ヨンサムやキム・デジュンを期待する声も聞かれるようになった。この自由化の短い時期は「ソウルの春」と呼ばれている。これに対し新軍部と呼ばれ反共政治を強化しようとするチョン・ドゥファン（全斗煥）陸軍少将らは、12月12日に穏健派のチョン・スンファ（鄭昇和）陸軍参謀総長を逮捕する粛軍クーデターを実行、政治の主導権掌握を狙った。学生運動は軍の政治介入に反対し4月以降、ソウルを中心として街頭デモを繰り広げたが、新軍部は5月17日午前0時をもって非常戒厳令を全土に拡大し、学生運動・社会運動の活動家を逮捕した。キム・デジュンも拘束された。新軍部はキム・デジュンを内乱罪に追い込むため全羅南道光州《クァンジュ》に軍部隊を送り込み市民たちを弾圧した。無抵抗の市民に軍人が暴力をふるい、多数が虐殺されたことから、市民の抵抗闘争は軍部の予想を超えた激しいものとなり、一時は軍を市外に撤退させる勢いを見せた。政府はマスコミを通じて光州市民が反乱を起こした暴徒だとでっち上げ、ついに5月27日未明に戦車を投入して全羅南道庁に立てこもる市民軍を攻撃、制圧した。当時、日本の共同通信は軍の行動を「まるで敵国の都市に対する攻撃のようであった」と報じた。のちにこれは新軍部が実行した過剰な弾圧であったことが明らかにされ、市民の抵抗運動について政府でも「光州民主化運動」と呼ぶようになった。市民レベルでは久しく「光州抗争」と呼ばれているが、日本語としては「闘争」がふさわしいだろう。光州闘争では約２００人が亡くなったというのが公式的発表であるが、数百名ともいわれる行方不明者もいて、犠牲者数は十分に解明されたとは言えない。また、市民への発砲を誰が命令したかも、新軍部指導者たちが言を左右にして未解明のままだ。
やがてチョン・ドゥファンは大統領となり、民主化運動はもちろんあらゆる批判を封じ込め、厳しい弾圧政治を実行した。しかし、民心は離れたままで、それを挽回するために1988年のオリンピック開催をソウルに招致するよう準備、81年に招致に成功した。これにより国際的な体面を考慮するチョン・ドゥファン政権は民主化運動への弾圧をある程度控えざるをえなくなり、70年代の民主化運動のなかで鍛えられた勢力が社会への影響力を広げていった。87年1月、治安本部がソウル大生パク・チョンチョル（朴鍾哲）を拷問で死亡させたことをきっかけに韓国では民主化の声が高まり、6月には改憲による大統領直接選挙実現、民主主義の回復を求める市民のデモが全土に広がった。与党民主正義党のノ・テウ（盧泰愚）代表は6月29日、民主化宣言を発表して大統領直接選挙への改憲を約束せざるをえなかった。その後、改憲を経て12月に大統領選挙が行われるが、キム・ヨンサムとキム・デジュンがともに出馬して譲らず、野党の分裂で新軍部の一人であるノ・テウの大統領就任を許す結果となった。6月闘争の後には7月から8月にかけて全国で労働組合結成、3000件を超すストライキが続き、労働者大闘争と呼ばれた。

（石坂浩一）

◉参考文献
「韓国4月革命」刊行委員会編訳『韓国4月革命』柘植書房、1977年。
全南社会運動協議会編、黄哲暎著『全記録光州蜂起 80年5月——虐殺と民衆抗争の10日間』柘植書房新社、2018年。

4

過渡期から民主主義の制度化へ

★支えとなった市民社会★

6月闘争と労働者大闘争は、政権交代を実現することはできず、さまざまな課題の民主化要求はそれ以降の政権に持ち越された。1988年からキム・デジュン政権発足までの10年間はいわば韓国民主化への過渡期、具体的な制度の革新への準備期間と見ることができる。民主化の担い手で見た場合、チョン・ドゥファン政権までは労働運動・農民運動・学生運動なども含めた広い在野運動と軍事政権とが民主化という大命題をめぐって対決する構図であったが、90年代に入るなかで大都市を中心に労働運動の影響力が高まり、あわせて市民運動も力を発揮するようになり、民主化の具体的中身が浮き彫りになった。

1988年にノ・テウ政権が成立した。ノ・テウ大統領は新軍部のナンバー2であり光州《クァンジュ》市民の虐殺に責任がある人物だが、87年にみずから民主化宣言を発表しており、民衆の民主化要求を無視することはできなかった。88年2月の就任後は人権保障や言論の自由などで少しずつ制約を緩和しつつ、北方外交といわれる旧社会主義圏との外交を積極的に展開した。これはオリンピックへの参加国を増やすという大義とともに北朝鮮を外交的に包囲する狙いがあった。対外的には成果を上げたノ・

テウ政権だが、国内では民主化の遅れが批判の対象となり、しばしば集会やデモが行われて、これを規制したい政権との対立が激化した。88年5月には日刊『ハンギョレ新聞』（その後、題号は『ハンギョレ』となる）が創刊され、世論形成に大きな役割を果たすこととなった。全国で民主的な手続きにより生まれた労働組合は労働者の権利要求を強め、賃金や労働条件を改善するとともに、社会組織の民主化も促進していった。88年4月の総選挙では与党民主正義党（民正党）が過半数を取れず、政局の運営に苦慮した民正党は90年2月にキム・ヨンサムの統一民主党、キム・ジョンピル（金鍾泌）の民主共和党と合同し民主自由党（民自党）に衣替えした。

民主化運動の側に立ってきたキム・ヨンサムが軍事政権の流れをくむ民正党と合流したことは多くの批判を受けたが、彼は1992年12月の大統領選挙で勝利し、大統領となった。その後世論に押され、チョン・ドゥファン元大統領、ノ・テウ前大統領らを95年11月から12月にかけて光州で民衆を殺害した内乱罪などで拘束、97年にチョン・ドゥファンは無期懲役、ノ・テウは懲役17年が確定した。光州闘争はキム・ヨンサム政権ではじめて「光州民主化闘争」と呼ばれるようになり、「5・18民主化運動等に関する特別法」などにより、弾圧による被害者への名誉回復と補償も規定された。キム・ヨンサム政権が発足当初に軍内の新軍部人脈をいち早く一掃し、軍部の反抗やクーデターを不可能にしていたことは、みずから「文民政権」を称したこの政権の功績にほかならない

こうして軍事政権による人権弾圧の検証、被害者の顕彰がなされ、民主化定着が進んだが、順調に見えた韓国経済は97年に入って中堅財閥の倒産など危険な兆しに襲われた。夏にタイで始まった金融危機が韓国にも波及、対外的支払い不能に陥って、国際通貨基金（ＩＭＦ）の緊急融資を要請、経済

はその管理下に置かれた。このような危機のなか、1997年12月の大統領選挙で危機に対処できる人物と期待されキム・デジュンが当選したのである。

キム・デジュン政権の誕生は、韓国の歴史上はじめて、平和的政権交代を果たした特筆すべき出来事だった。1973年にはパク・チョンヒ政権のKCIAによって東京から白昼拉致され、1980年には新軍部により内乱陰謀罪にでっち上げられて死刑宣告まで受けた政治家が、とうとう韓国の新しい大統領になったのである。キム・デジュン政権は当初から「太陽政策」により北朝鮮を国際社会に導き入れて緊張を緩和する平和政策をめざした。太陽政策は周辺関係国を説得して平和定着への同意を取り付ける、地域における外交政策とセットになるもので、北朝鮮だけを優遇するものではない。キム・デジュン政権の政策的一貫性を受け入れた北朝鮮はついに首脳会談に応じ、2000年6月15日にキム・ジョンイル（金正日）国防委員長との歴史的な南北首脳会談が行われた。安定した南北関係とともに、国内では国家人権委員会の設置、政府省庁としての女性部（省）の設置などがなされ制度的な民主主義の定着が進んだ。

韓国経済は98年には成長率がマイナス5・8％と大きく下降したものの、銀行の統廃合、財閥系企業の整理・再編など構造改革にメスをふるい、99年には10・7％とプラス成長を回復、IMFが供与した195億ドルの融資は2001年8月に完済した。マクロでは回復基調になったものの、大宇グループをはじめとする財閥系大企業が整理統合され、IMF危機以降、韓国は失業者が増加し生活苦に悩む人びとが増えた。一方でキム・デジュン政権のもとでIT、通信など新たな分野の産業が育成され、その後の韓国経済の成長を牽引することになる。

キム・デジュン政権の民主化政策に不満を持っていた保守勢力は、2002年の大統領選挙で巻き返しを狙ったが、与党の民主党は政治家としての経歴が長くなかったノ・ムヒョン(盧武鉉)を擁立した。厳しい選挙戦だったが、市民たちが投票直前にインターネットを通じ瞬時にノ・ムヒョン支持を呼びかけ合ったことが功を奏し当選を果たした。ノ・ムヒョンは商業高校卒で司法試験合格を果たし弁護士になり、1980年代に人権弁護士として民主化運動に加わるようになった。キム・ヨンサムの統一民主党の国会議員になったが3党合同に反対し、その後はキム・デジュンの民主党に合流していた。庶民的で話術にたけ率直な人柄が愛されたノ・ムヒョンは国民の経済格差、地域対立の解消に本気で取り組んだ。行政首都の忠清南道世宗市への移転はその政策を象徴している。ノ・ムヒョンは全羅道を支持基盤とする政治勢力が党内で対立し党を抜けた後、地域感情に依存しない政治をめざし開かれたウリ党を結成し、2004年の総選挙においては132議席を獲得、第一党に浮上した。キム・デジュン政権まで、韓国の政界は、軍出身者が中核となる右派政党と、旧名望家層を基盤としていた保守政党の韓国民主党の流れをくむ政党とによって構成されていたが、ウリ党は新しい次元の政党へと第一歩を踏み出したといえよう。

さらに、キム・デジュン政権では民主化運動の過程などで謎の死を遂げた活動家の事件究明のための「疑問死調査究明委員会」が設けられた。これを発展させ、ノ・ムヒョン政権下で「真実・和解のための過去事件整理委員会」を設置することが2005年に立法化され2010年まで活動した。すでに述べた4・3事件や進歩党事件などが調査対象となった。保守政権に変わっても、歴史の検証と名誉回復作業は続けられたが、政府レベルのものではなくなった。

このようにキム・デジュン、ノ・ムヒョン政権は民主主義の制度化のために大きな役割を果たしたが、課題も残した。民主主義やめざすべき社会についてのビジョンまでは提起しきれなかった。たとえば環境問題に関心を持つ市民らに支持されセマングム干拓中止を公約に掲げながら、結局それを撤回するなど、新時代のパラダイムを確立しきれない現実にも悩まされた。ノ・ムヒョンは保守層からは既得権にとらわれない政治が憎しみを買い、大統領退任後、検察の執拗な追及にさらされ、2014年5月に自死に追い込まれた。

韓国では民主化宣言以降の政治・社会空間で、人びとが民主化の価値を共有するとともに、労働運動が高揚し所得を押し上げて、民主社会を支える中間層が形成されていった。こうした結果が市民社会を形成し、キム・デジュン、ノ・ムヒョン政権時代の民主主義の制度化を支えたのである。(石坂浩一)

参考文献
金大中/青柳純一、青柳優子訳『金大中自伝』Ⅰ・Ⅱ、岩波書店、2011年。
盧武鉉『私は韓国を変える』朝日新聞社、2003年。

5

保守政権に立ち向かった市民の力

★セウォル号事件の背景にあるもの★

２００７年12月の大統領選挙では保守のハンナラ党が擁立した前ソウル市長のイ・ミョンバク（李明博）が当選した。イ・ミョンバクは成長以前の現代建設入社後、リスクを顧みず中東進出をリードして会社を飛躍させ、社長に35歳、会長に46歳で就任した。その後、政界に転じて１９９２年に民自党（のち新韓国党）の国会議員となり、２００２年からはソウル市長を歴任した。経済人として知られたイ・ミョンバクはソウル市で暗渠《あんきょ》化されていた清《チョン》渓《ゲ》川《チョン》の復元事業を行い（厳密にいうと復元というより再建築）人気を得て、大統領に当選したのであった。

イ・ミョンバク政権は保守政権への回帰ではあるが、彼自身は反共保守の党主流から距離があり、古い保守とはちがった政権運営になるものと期待された。ノ・ムヒョン政権末期のウリ党の混迷に失望した浮動票を取り込んで政権を奪い返した。イ・ミョンバクは成功した経営者だったこともあり、土建事業に積極的で、韓国全土を運河で結ぶ４大江事業など、経済活性化をうたっていた。しかし、牛海綿状脳症（ＢＳＥ）の危険性が問題化していた米国産牛肉の全面自由化を米国に約束したことに対し、中高校生が危険な肉を食べたくないと声をあげインターネットで呼びかけることで始まった「ろうそくデモ」は、5月2日にソウルの清渓広場に1万5000人を集めるに至った。2008年2月の政権発足から数カ月のことであった。この「ろうそくデモ」は組織化されていない大衆行動として3カ月あまり継続、政権側は光化門一帯に機動隊車両を並べて阻止戦を構築したが、非暴力行動に徹していたため警察も力による弾圧や排除はしにくかった。課題や要求を整理して誰かがリードするような運動ではなかったが、イ・ミョンバク政権は輸入規制を厳しくすると表明せざるをえなくなった。この「ろうそくデモ」は、右派からは野党勢力に後押しされた危険な行動とみなされたが、一般には新しい時代の大衆行動として注目された。

イ・ミョンバク政権は「ろうそくデモ」を契機に市民の自発的な活動に過剰な警戒心を抱き世論の対立を深めた。北朝鮮との関係も悪化、4大江事業は環境を破壊するだけの結果に終わり、不正疑惑を残して任期を終えた。イ・ミョンバクには多くの不正疑惑があり、熱心に誘致した外資もむしろ韓国企業から利益を吸い上げると撤収するような事例が続いて、国民への不信感を残した。イ・ミョンバクは海外に秘密ファンドを保有しているとの噂が盛んに出ていたが、一定の解明が進んだのはムン・ジェイン（文在寅）政権以降だった。また、マスコミに圧力をかけてトップの交代を促し、特に放送分野の人事掌握を図った。

イ・ミョンバクの後を継いだのは、1960年代から70年代にかけて権力をふるったパク・チョンヒ元大統領の長女であるパク・クネ（朴槿恵）だった。パク・クネは母親であるユク・ヨンス（陸英修）が1975年8月に狙撃、暗殺されたことで一時はファースト・レディの代行を務め精神的な負担も大きく、父の死後は政治にかかわらないと言っていた時期もあった。だが、1998年に国会議員に当選、党内の2007年大統領候補予備選ではイ・ミョンバクに敗れたものの、イ・ミョンバク政権がレームダック化するなかで党の非常対策委員長となり党名もセヌリ党と変更、イメージ刷新に成功して2012年12月の大統領選を制した。この選挙では次に大統領となるムン・ジェインと選挙で接戦を展開したが、右派中心の支持基盤に韓国初の女性大統領をアピールし、支持層を拡大した。また、経済成長を成し遂げたという神話を持つパク・チョンヒの娘として期待がかかった。

パク・クネ政権を支えたのは、かつてパク・チョンヒ政権下で検察として働いたキム・ギチュン（金淇春）、外交官だったがのちに情報機関へ転じるイ・ビョンギ（李丙琪）ら、強権的政治を担った人びとであった。13年8月には統合進歩党のイ・ソクキ（李石基）議員を現職のまま内乱扇動、内乱陰謀罪で逮捕し、北朝鮮に呼応する組織を結成し通信施設の破壊などを企てたという実行行為の存在しない容疑によって党を解散に追い込み革新勢力を圧迫した。イ・ソクキは15年に懲役9年が確定した。

パク・クネ政権は発足した2013年から1年ほどたつ2014年4月16日に発生したセウォル号事件で信頼を失いはじめた。セウォル号事件は乗船者476人中、304人が死亡または行方不明となり、犠牲者の大部分が修学旅行中の高校生という悲劇であった。何より、事件が発生してから7時間もの間、パク・クネ大統領の所在がはっきりせず、はじめて記者たちの前に登場した時には報告を受けたはずなのにちぐはぐな発言をして、不信を買った。さまざまな噂が乱舞し「謎の7時間」とまでいわれるようになって、最後まで疑惑は解消されず、政権の命取りになっていった。

パク・クネ政権に対する批判や疑惑は尽きなかったが、2016年10月24日に総合放送チャンネルJTBCが、パク・クネと個人的な関係が深いチェ・スンシル（崔順実）のタブレット端末に大統領の業務にかかわる内容が含まれていたと報道、国政を私物化していたのではないかと重大な問題が提起された。これ以降、チェ・スンシルが大統領の演説などに手を入れ国政の判断までかかわっていたことが報じられ、大統領にふさわしくないとの声が高まった。10月29日にはもともと民主労総など民衆運動を主導する団体が集会を準備していた。そこにチェ・スンシルの国政介入（韓国では「国政壟断」と呼ばれた）が露見し、より幅の広い抗議のろうそく集会が急遽呼びかけられた。その後、毎週土曜日に集会が続けられ、第2回には30万人、第3回には１００万人もの大衆が集まるようになった。２００８年のろうそくデモ以上に平和的集会の原則は徹底され、警察も暴力を行使できない状態がろうそく集会の最後まで維持された。子ども連れ、家族連れの参加も当たり前になり、民主労総や代表的市民団体の参与連帯は場を提供するだけ、自発的な市民が集まっては意見を述べ合い、共感を交わす空間が形成された。

この勢いに与党のハンナラ党にも弾劾賛成にまわった議員が相当数出て、国会でもパク・クネ弾劾訴追決議案が12月9日に圧倒的多数で承認された。この決議でパク・クネ大統領の職務は停止され、最終的には２０１７年3月10日、憲法裁判所は大統領罷免を認容すると宣告した。大統領を退陣に追い込んだ民意は、まさしく革命と呼ぶにふさわしく、「ろうそく革命」と呼ばれることになった。権力者の不正に声をあげた市民社会が政治を変えた、民主主義の勝利だった。

（石坂浩一）

参考文献

李明博／平井久志、全璟訳『李明博自伝』新潮文庫、２００８年。

川瀬俊治、文京洙編『ろうそくデモを越えて――韓国社会はどこに行くのか』東方出版、２００９年。

6

ムン・ジェイン政権成立とその後

★韓国政治の世代交代と革新の必要★

ろうそくデモを通じた世論の高まりでパク・クネ大統領の弾劾が認められ失職したことにより、韓国では急遽大統領選挙が実施され、２０１７年５月９日にムン・ジェインが大統領に当選した。ムン・ジェイン大統領はこれまでの保守政権で続いてきたさまざまな不正をただす「積弊清算」を掲げ、２期10年の間に後退してしまった民主主義の定着をめざした。ムン・ジェインがノ・ムヒョン政権の大統領秘書室長を歴任していたように、ノ・ムヒョン政権を担った人びとがムン・ジェイン政権の中心となり、かつての学生運動世代と重なっていた。これはノ・ムヒョン系の人びと、韓国でいう社会運動・学生運動などいわゆる「運動圏」の出身者が権力を独占したとの批判を受けることにもなった。

ムン・ジェイン政権は発足当初80％を超す高い支持率を記録したが、北朝鮮のミサイル発射による緊張状態の危機回避に尽力しなければならなかった。２０１７年は北朝鮮のミサイル試射に対抗するトランプ政権の対決姿勢に、朝鮮半島での戦争を許さないという強い意思表示で平和を繰り返し訴えて乗り越えた。18年になると北朝鮮は対話攻勢に転じ、史上初の米朝首脳会談を実現したほか、南北でも緊張緩和が進んだ。ただ、その後米朝関係が停滞したことで、政権の勢いはそがれることになった（第9章参照）。

内政では、保守政権下で権力の介入により恣意的な人事がなされ歪められてきた放送局を中心としたマスコミの正常化、財閥の民主化などが推進された。パク・クネ政権下で、政権に批判的な人物のブラックリストを文化体育観光部（省）が作成し、文化関連の助成などを封じていたことはムン・ジェイン政権成立以前から問題になっていたが、17年1月にチョ・ユンソン（趙允旋）長官が逮捕され、実態が裁判を通じてより明らかにされ18年1月に職権乱用で懲役2年を宣告された。一方で、所得主導成長という経済政策を掲げ２０１８年に16％、19年に10％の最低賃金引き上げを実施したが、中小企業が賃上げを担いきれなかった現実に加え、経済成長率が２０１７年の３％に比べ18、19年が２％台にとどまり失業率も増加して、さらに新型コロナウイルス流行が続いたため、成功することがかなわなかった。所得主導経済を掲げたのはムン・ジェイン政権がはじめてであり、意味のある挑戦だったが、状況が成功を許さなかった。

そして、ムン・ジェイン政権は権力機構の大本である検察の民主化をめざした。ノ・ムヒョン前大統領が針小棒大に不正疑惑を着せられ自死に追い込まれたことへの反省から、公正な社会システムの構築が目標とされたのであった。検察の捜査権を大幅に縮小し、また国家情報院の調査対象も北朝鮮に関連した案件に限定、高位公職者犯罪捜査処（公捜処）を置いて独立機関が高位層の不正を調査することとした。だが、ムン・ジェイン政権が任命したユン・ソンニョル（尹錫悦）検察総長は検察の既得権を固守する側に回ってしまい、国会で多数を占めた共に民主党が検察の権限を縮小する法律を通過させたものの、次のユン・ソンニョル大統領により無力化されようとしている。

このように改革に力を注ぎながら政策実現に成功しなかったのは、チョ・グク（曺国）法務部長官とその家族の不正疑惑など、次期大統領候補として名前が上がるほどのパク・ウォンスン（朴元淳）ソウル市長、アン・ヒジョン（安熙正）忠清南道知事に加え韓国第二の都市の釜山市長であるオ・ゴドン（呉巨敦）市長ら共に民主党公認の市長がセクシュアルハラスメントにより退陣したことが大きい。特にパク・ウォンスン市長は市民運動の草分けとしても知られ、日本にも知己が多かったが、真相を告白しないまま自殺してしまい、加えて共に民主党関係者の一部がパク・ウォンスンを擁護するような態度をとったことが禍根を残した。共に民主党の進歩的な支持者たちは、党のリーダーにおけるこうした過ちは致命的だったと強く批判した。さらに、こうした問題点は朝鮮日報などの保守マスコミにより大々的に宣伝された。

キム・デジュン、ノ・ムヒョン政権によって制度化された民主化は、ムン・ジェイン政権により実質化されるはずだったが、南北関係の進展を実現できなかったことも要因となり定着されずに終わった。だが、ムン・ジェイン政権の支持率が最後まで40％台を下回らなかった事実は、ムン・ジェインという政治家への信頼ないし期待が維持されたことも示している。社会学者のチョ・ウネは、韓国のネティズンが政党への支持よりも政治家への支持によって意思決定をしているためにこうした結果を生んでおり、これまでさまざまな政治家の失態を見てきた市民たちにとって、政治家個人への支持を判断基準とする「ファンダム政治」はそれだけの根拠のある現象だと主張している。

こうしたファンダム政治と呼ばれる「推し」の政治家への支持行動は、２０２３年現在、野党代表

パク・チヒョンの著書『おかしな国のパク・チヒョン』

のイ・ジェミョン（李在明）の支持者グループ「ケッタル」（개딸＝改革の娘の略称）に典型的に表れている。若手の女性活動家として共に民主党改革を訴えるパク・チヒョンとその支持者たちも、ファンダムに支えられている面が強い。ネット上の論争は時に、悪罵の応酬になりかねないが、次のステップへの過渡期の現象だと見るしかないだろう。それは、韓国政党の担い手の世代交代とリーダーシップの確立の必要性も示している。１９９６年生まれのパク・チヒョンは、共に民主党が刷新を模索するなかで２０２２年３月、非常対策委員会共同委員長になった。もともとは、女性に対する虐待や性暴力の映像を提供するＮ番部屋と呼ばれる不法なサイトにより被害を受けた人びと、そうした社会に憤った人びとの声を代表する形で、社会運動に飛び込んだ人物だった。社会運動に参加するなかで軍隊内の性暴力問題、青年の貧困問題などを認識するようになったという。既成政党である共に民主党の問題点について、これまで仮借なく批判してきたが、政治に失望することなくこれからも活動していくと表明している。

　野党で労働運動やその支持者たちを基盤に発足しながら党の方向性が定まらずに伸び悩んでいるのは第二野党の正義党である。ソウル大出身の労働運動家で、現在も国会議員を務めるシム・サンジョン（沈相奵）は正義党の象徴的存在である。だが、党代表を務めた元労働運動家の男性が女性党幹部に性暴力を加えたことが告発され、従来の労働運動の枠組みではない進歩的な価値観を主張する党員たちは、労働組合に依存せず個々人の党員の活性化を促している。これまで、学生運動を経験した後、さまざまな民主化運動・社会運動にかかわって、やがて政治家となるという人材育成プールが機能してきたが、見直しの時期がきているのだろう。2024年の総選挙を前に、正義党は分裂状態になっている。

また、保守政党も反共を掲げて政敵を排除する手法から、より合理的な政策を提示する保守へと生まれ変わることができるかが問われている。他方、韓国の政党のあり方についての議論も重要である。2010年代には韓国の保守的な政治風土において、パク・チョンヒ政権時代に形成された地域感情に依存する政党のあり方が根付いてしまい、政策政党といえるものが存在しなかったことに根本問題があるとの問題提起が、パク・サンフンら若手政治学者から提起されてきた。国民の力はイ・ジュンソク（李俊錫）ら若手の党員を登用し大統領選挙を勝ち抜いたが、ユン・ソンニョル大統領が検察出身者を中心に側近を固めているため、党内の不和を引き起こし、若手との亀裂を生んでいる。結果的に党は右派の岩盤支持層に支えられて成り立っているが、ユ・スンミン（劉承旼）のような合理的保守政治家を排除したままで、ビジョン不在の政権になっている。

日本のマスコミではこうした韓国の政治的変化を全く反映せず、ムン・ジェインらを左派と呼び続け軽視する一方で、混迷するユン・ソンニョル政権の不都合な事情は報じない傾向がすっかり定着した。韓国の朝鮮日報など右派紙の論調を移したような書きぶりは、日本のマスコミ自体が朝鮮日報化している現状を示唆しているのだろう。

（石坂浩一）

◉参考文献

文京洙『文在寅時代の韓国――「弔い」の民主主義』岩波新書、2020年。
文在寅／矢野百合子訳『運命――文在寅自伝』岩波書店、2018年。

7

南北対立から和解へ

★冷戦克服の意味★

まだ朝鮮戦争が終結に至らぬ1953年1月、平壌《ピョンヤン》で南朝鮮労働党系のパク・ホニョン（朴憲永）らが裏切り者として逮捕、発表される動きがあった。スターリンが朝鮮戦争を停止する考えに至ったと悟った中国指導部は停戦協定の成立をまとめる方向で動き、7月27日に停戦協定が調印された。韓国のイ・スンマン大統領はあくまで北進して統一を成し遂げると主張し、停戦協定に署名しなかったが、実際のところ単独で戦争を継続する力はなかった。むしろ、強硬な姿勢により米国の朝鮮半島に対するコミットメントを継続させようとする意図であった。北の共産主義者も南の反共主義者も、統一民族国家をめざして戦ったが、「朝鮮の内戦は米中戦争に転化して引き分けに終わった」と和田春樹は評している。

7月の朝鮮戦争停戦協定以降、停戦を戦争終結へと導く「より高い水準の双方の政治会議」が3カ月以内に行われるべきことは協定のなかに明文化されていた。平和協定によって戦争を終結させなければならなかった。10月26日に板門店で政治会談に向けた予備会談が行われたが、進展がなく年を越した。1954年に入って会議を持つことが米英ソ仏で合意され、4

月にジュネーブ会議が始まったが、結論を出せないまま6月に中断した。そして２０２０年代に至るまで、朝鮮戦争は停戦状態のままである。米ソ分割占領によって始まった民族分断は、こうして国際関係のなかで固定化された。

停戦後、戦争が中断したままの状態であるため、南北ともに相手方を政権として認めない姿勢を久しく取り続けた。特に１９６０年代後半には北朝鮮が韓国大統領府を襲撃するなど攻撃的姿勢を強めたこともあったが、１９７０年代には米中和解に伴い南北も和解を促されて１９７２年7月４日には南北共同声明を発表、平和的統一をめざすことを確認した。この共同声明は南北が相手方の存在を認めるはじめての出来事であり、相互尊重の第一歩となった。だが、この当時は南北ともに主体的に共存への機は熟しておらず、韓国は維新憲法をもってパク・チョンヒ大統領の長期執権へと突き進み、北朝鮮も新憲法で独自の民族路線を選択した。

韓国では国家保安法、反共法（パク・チョンヒ政権により１９６１年に制定され80年に国家保安法に統合）により、北朝鮮をはじめとする社会主義国とその人びとは「反国家団体」とその構成員とみなされた。反国家団体の「首領」は死刑または無期懲役と定められていた。北に行くこと自体が「脱出・潜入」の罪とされ、北に行って戻ることは不可能だったし、日本などの外国で北朝鮮系とみなされる人びとと会うことも犯罪とされた。在日コリアンの場合は親族が南北に別れて暮らしているケースもあることから、ただでさえ離散してしまった民族、家族をさらに分断することになった。

北朝鮮が韓国の民主化運動の高まりを見て、南の政権の転覆を望むようになると、北からのスパイが韓国社会を混乱させ、内乱を起こすことを狙っているという大義を掲げ、韓国ではスパイ摘発を繰り返し発表し、国民の恐怖心をあおった。また民主化運動に対しても北を利するものだという理由で弾圧を図った。だが、多くの場合、スパイとされた人びとは本物のスパイではなく、無辜の人びとだった。１９７０年代から80年代にかけて多くの無実の在日韓国人が北朝鮮のスパイにでっち上げられ、死刑判決が確定した人も10人近くに上ったことは、日本社会でも知られている。在日韓国人政治犯は日本における救援運動によって死刑を執行された人はいなかったが、関係者で死刑に処された人や獄死した人は存在する。１９７４年の民青学連事件の「背後操縦者」とされたいわゆる人民革命党として死刑宣告を受けた８人は、75年４月８日の刑確定翌日に死刑を執行された。民主化以前、多くの人びとへの不法な逮捕、拷問も数えきれないほど行われた。つまり、南北分断は戦争により相互に往来できないというだけにとどまらず、韓国社会のなかで人びとへの暴力として機能してきたのである。

１９９０年代になって、ノ・テウ政権は南北関係の安定に着手する。ノ・テウ大統領は１９８８年７月７日、「民族自尊と統一繁栄のための特別宣言」（７・７宣言）を発表し、南北の対立解消と交流をめざすとともに、米日など友好国の北朝鮮との関係改善を妨げないとの立場を明らかにした。そして１９９０年には「南北交流協力に関する法律」を制定、政府が認めれば南北の人の接触、往来ができるようにした。これがなければ、政府間協議のためでさえ、北訪問は不法になるためだ。社会主義圏崩壊に伴い、北朝鮮も韓国との対話をせざるを得ない状況になっていた。

１９９１年にようやく南北は互いの存在を公式に認め、９月17日に国連に同時加盟、12月13日に南北基本合意書に署名した。南北首相会談を通じて作られた基本合意書は、南北が相手の存在を認め、相互不可侵、信頼醸成、軍縮などを約束するはじめての合意だった。続いて12月31日には「朝鮮半島の非核化に関する共同宣言」が署名された。

だが、その後北朝鮮は93年３月に核拡散防止条約（ＮＰＴ）脱退を宣言（6月に留保を表明）、94年６月には国際原子力機関（ＩＡＥＡ）脱退を宣言し、朝鮮半島第一次核危機が到来した。この危機は米国のカーター元大統領の訪朝とキム・イルソン（金日成）主席との会談でいったんは回避されたが、これ以降、北朝鮮の主たる交渉相手は米国になった。それでも、１９９４年10月に米朝枠組み合意が成立、韓国の現代《ヒョンデ》峨山《アサン》が98年に開始した金剛山観光も次第に定着していった。

キム・デジュン政権が成立して以降、２０００年に南北首脳会談が実現すると、さらに南北交流が広がり、軽水炉建設のための韓国の技術者が北朝鮮の建設予定地新浦を訪れるようになった。２００４年には北朝鮮の開城で韓国企業の投資により工業団地が操業を開始した。だが、イ・ミョンバク政権下の２００８年７月に金剛山で韓国人観光客が立ち入り禁止区域に入って射殺される事件が発生、観光事業は中断された。そして、収益が核開発などに利用されているとしたパク・クネ政権が、開城工業団地も２０１６年2月に操業停止、韓国人勤務者を撤収させた。

　ムン・ジェイン政権成立後、２０１８年2月の平昌《ピョンチャン》冬季五輪を機会に南北は対話を再開し、4月に板門店でムン・

2018年4月1日の南北首脳会談。手をつないで軍事境界線をわたるムン・ジェイン大統領とキム・ジョンウン国務委員長
出　所：http://www.president.go.kr/Cheongwadae / Blue House, KOGL Type 1

ジェイン大統領とキム・ジョンウン（金正恩）国務委員長の首脳会談が、さらに9月には平壌で再度南北首脳会談が行われた。とりわけ、9月の平壌訪問ではムン・ジェイン大統領が5月1日競技場で約15万人を前に演説し南北の和解と統一を訴えた。だが、米朝関係が冷却するにつれ北は南に対しても冷淡になり、南北関係は進展しなくなった。北としては南にもっと米国を説得してほしかったのだろうが、厳しい国際関係のため、関係国のいずれかが流れに逆らえば、韓国の緊張緩和政策も進まなくなる現実が存在するのである。2022年に韓国でユン・ソンニョル政権が成立し北朝鮮に対し対決姿勢をとるようになって、北朝鮮はミサイルの多様な実験を重ね防衛力の強化を押し進め、南北関係は膠着している。開城工業団地も金剛山観光も2023年現在、中断が続いている。（石坂浩一）

◉参考文献

石坂浩一編著『北朝鮮を知るための55章【第2版】』明石書店、2019年。

金孝淳／石坂浩一監訳『祖国が棄てた人びと──在日韓国人留学生スパイ事件の記録』明石書店、2018年。

世界編集部編「ドキュメント激動の南北朝鮮」『世界』各号連載、岩波書店。

和田春樹『北朝鮮現代史』岩波新書、2012、2019改訂。

8

憲法と政治形態

★二大政党に問われる刷新★

韓国は政治の節目ごとに憲法が改正されており、そのたびに第一共和国から始まって共和国に番号が振られている。第一共和国はイ・スンマン政権（1948〜）、第二共和国は4月革命で誕生した短命のチャン・ミョン（張勉）政権（1960）、第三共和国はパク・チョンヒ政権（1963〜）、第四共和国は1972年からの維新憲法政権（大統領はパク・チョンヒ）、そして第五共和国はチョン・ドゥファン政権（1980〜）である。したがって、大統領直接選挙制が回復された1987年の憲法になって以降、つまりノ・テウ政権以降は第六共和国である。第一共和国、第三共和国では政権の都合のいいように憲法の小幅な手直しが行われたが、現憲法は修正されたことがない。

現憲法は、第一条1項で「大韓民国は民主共和国である」、2項で「大韓民国の主権は、国民に存し、すべての権力は、国民から由来する」と民主共和制、主権在民をうたっている。2008年のろうそくデモの際には、人びとが「大韓民国は民主共和国だ」というスローガンを叫び政府に国民の声を聴くよう要求した。

韓国の政治は強い権限を持つ大統領制である。大統領は国家元首であり軍の統帥権を持つ。また、重要政策を国民投票に付すことができる。内憂外患の発生時には大統領令、緊急措置を発することができるが、その場合、事後的に国会の承認を得なければならず、承認を得られなかった場合には効力を喪失することとなっている。大統領の緊急時の権限を認めつつ、国会が歯止めをかける仕組みである。これもやはり南北分断による安保上の配慮である。

大統領は国民の直接選挙で選出され、任期は5年、再任はできない。これは長期独裁政権を経験したことを教訓に、権力が集中・長期継続しないための配慮から定められたものだが、政権末期になるとレームダック化する弊害を生んでいる。このことから、２期４年などの修正をすべきだとの意見も出されてきた。

ムン・ジェイン政権まで、大統領官邸はソウルの景福宮の裏手に位置し、屋根が青く塗られていることから青瓦台とも呼ばれた。かつては一般人が敷地内に立ち入ることなどできなかったが、ノ・ムヒョン政権時代に見学が可能になった。その後、ユン・ソンニョル大統領は２０２３年に就任すると大統領の執務室を竜山《ヨンサン》に移転し、それ以降は大統領室という呼称で呼ばれるようになっている。ただし、日本のマスコミは青瓦台の時代から現在まで一貫して大統領府と呼び続けている。

政策を執行するのは内閣で、その長は国務総理、通常は首相と呼ばれる。国務総理は国会の同意を経て大統領が任命する。また、各部の長官は国務総理が提請し、国会の同意を得ることになっているが、実際は大統領の裁量によることはいうまでもない。なお、韓国は通常、日本の省に相当する官庁を「部」、大臣を「長官」と称しているが、日本のマスコミでは特に断りなく「省」「大臣」と日本式に訳して伝えている。日本の庁に相当する官庁に法制処などの「処」がある。韓国の官庁でも「庁」

はあるが、「処」の次のレベルの実務的部署に相当し、国税庁、統計庁、警察庁、特許庁などがある。内閣の省庁は政府組織法によって定められている。大統領の権限が強い韓国では代替わりごとに省庁改編が行われる。外交、通商、教育などがしばしば改編される注目度の高い部局である。ほかの国に類を見ない部局としては南北関係を担当する統一部がある。

国会は一院制で選挙区（韓国では地域区と呼ぶ）と比例代表の双方を通じて選出する。憲法では国会議員数を200以上と定めているが、2023年現在の定数は300議席である。国会議員の任期は4年で大統領が国会を解散することはできない。国会は大統領が憲法または法律に違反した場合、在籍議員過半数の賛成によって弾劾を発議することができる。そして、在籍議員の3分の2以上の賛成で弾劾を決議することができる。パク・クネ大統領のように弾劾訴追が決議されると職務停止となり、憲法裁判所でその可否を判断することになる。

2023年8月現在の議席は第一野党の「共に民主党」が167、与党の「国民の力」112、正義党が6、基本所得党、進歩党と時代転換がそれぞれ1、無所属が11、空席1となっている。2020年の総選挙では選挙法について議論が交わされ、地域区で候補を立てる政党は比例では候補を出せないという法改正がなされた。そのとおりなら、財力で劣るミニ政党も比例で勝負できるということになるが、自由韓国党（一時期、未来統合党と改称）と共に民主党の2大政党が「衛星政党」と呼ばれたかいらい政党を設け、事実上比例についても多くの議席を分け合った。両党は強烈な非難を浴びたことから、2024年投票の総選挙に向けて選挙制度改革が課題になっている。ただ、この衛星政党のシステムは面白いもので、比例の政党がなくなっても議席は維持される。そのため、共に民主党の衛星政党である共に市民党で当選後、共に民主党に合流した同党から除名される手続きを経た、基本所得党のヨン・ヘイン議員のような活発な議員が一人政党として生き残っている。

大統領選挙は西暦末尾が2と7の年に5年ごとに行われてきたが、パク・クネの弾劾で年は同じであるものの、数カ月早まった。これに対し国会議員選挙は4年ごとに行われてきた。選挙区選挙は小選挙区であるため、認知度の高い政党の候補に有利に働く傾向がある。これについても中選挙区への改編などの意見は出ている。

2023年現在の執権党である国民の力は、1960年代以降、民主共和党―民主正義党―民主自由党―新韓国党―ハンナラ党―セヌリ党―自由韓国党―未来統合党―国民の力（2020・9〜）という変遷を経てきた保守政党である。第一党は第一野党の共に民主党である。ノ・ムヒョン大統領と側近たちは保守野党の伝統を進歩的方向へと導こうと努力し、それは十分成功したとはいいがたいが、現在の共に民主党に受け継がれている。

韓国では反共の政治体制の下、社会民主主義政党を作ることも困難で、統一社会党などいわゆる革新系が細々と存在しただけの厳しい政治空間であった。それゆえ、民主労働党が2000年に発足し04年の総選挙で10議席を獲得したことは大きな変化だった。一時後退した民主労働党は、イ・ジョンヒ代表のもと他党との選挙協力を進め政治的影響力を拡大し統合進歩党に再編されたが、予備選挙における不正や13年に問題化した親北朝鮮的政治路線により大衆的信頼が失墜した。労働運動出身者を中心に進歩政党の再建をめざすグループは正義党を名乗って国会に議席を保っているが状況は厳しい。

（石坂浩一）

9

幅広い外交を追求する韓国

★米国依存深化で大丈夫か★

韓国の外交部（外務省）ホームページによると、2023年現在、大韓民国が外交関係を持つ国家は世界で191カ国に上る。バチカンなど国連未加盟の国も含めた世界の国家の数は196なので、韓国はほとんどの国との外交関係を持っていることになる。これに対し朝鮮民主主義人民共和国（北朝鮮）が国交を持つ国も159カ国に上り、そのうち156は南北双方と外交関係を持っている。日本は国連加盟国193カ国のうち、北朝鮮だけ国交を持っていない。

韓国の最大の友好国が米国であるのはいうまでもない。米国は大韓民国政府が成立するのを支え、朝鮮戦争後は1953年の韓米相互防衛条約により在韓米軍が韓国の安全保障上の基盤を提供した。米韓は同盟国であるが、一方でさまざまな確執も経験してきた。イ・スンマン政権は、米国の東アジア戦略が日本を中心としたものであることに不満を表示したし、強権的な政治で多くの国民の不満を買い米国の眉をしかめさせてきた。パク・チョンヒ政権は韓国内の人権問題に加え、米議会への露骨なロビー活動をしたことで、米議会などにおける公然たる批判を招いた。南北分断と韓米同盟は切り離しがたい関係にあり、その未来をどのような方向に導くかは韓国国民の課題である。

冷戦時代は社会主義圏がすべて敵であり外交の相手ではなかった。したがって、北側は軍事境界線で往来がかなわず、三方を海で囲まれた韓国は大陸に連なる孤島のような存在であった。ところが１９８９年以降の社会主義圏の崩壊により、韓国の外交環境は大きく変化した。社会主義をやめた東欧諸国と韓国は次々国交を樹立、世界の大部分の国ぐにと国交を持つこととなっていく。並行して１９９０年にソ連と国交を正常化し、92年には中華人民共和国との国交を正常化、中華民国とは断行した。こうした北方外交を推し進めたのがノ・テウ政権で、外交的に北朝鮮を圧迫する戦略でもあった。

こうしたなかで大きかったのは、隣国中国との国交正常化である。すでに１９８９年から香港で準公式の接触が始まり同年の韓中貿易は31億４０００万ドルに達した。90年９月の北京におけるアジア大会には韓国が選手団を送り、10月には領事機能を持つ代表事務所の相互開設にも合意した。91年９月の南北国連同時加盟を受けて92年４月には国交交渉が始まり７月には基本合意、８月24日に双方が国交樹立のコミュニケに調印した。ほどなく中国は韓国にとって米日に次ぐ重要な貿易相手国となり、２０２１年の韓国の対中国輸出は１６２９億ドルに上っている。２０２３年２月の韓国の輸出入の国別順位は、ともに1位が中国、２位が米国になっている。輸出だけではなく急速に成長する中国経済への企業進出は、生産移転から始まって、流通、サービスなどに広がっている点にも注目すべきだろう。保守派のパク・クネ大統領も２０１３年２月に就任すると６月に訪中し、日本に先駆けて韓中首脳会談を行った。ただ、米中関係の悪化によりムン・ジェイン政権時代は葛藤が続き、２回訪中したものの、冷遇との評価もあった。米中関係など政治的な不安要因はその後も存在している。

韓国がいち早く1990年に国交を正常化したソ連は、ほどなくロシアと周辺の国ぐにからなる独立国家共同体（CIS）に変わるが、韓国はロシアとも経済面で関係を拡大した。2004年9月にノ・ムヒョン大統領がロシアを訪問し、両国を重要な全面的協力パートナー関係に引き上げることを宣言、2008年9月にはイ・ミョンバク大統領が訪ロし戦略的協力のパートナーとなることをうたった。ロシア極東から北朝鮮を通って韓国に至るガスパイプライン敷設は長年議論されてきたプロジェクトだが、2018年6月の米朝首脳会談が実現してからしばらくは、このプロジェクトの実現可能性についても関心が持たれた。米朝対話が途絶えることで、これは実現していない。2021年には韓ロで外相が相互訪問するなど良好な関係だったが、ロシア・ウクライナ戦争以降は滞っている。

ムン・ジェイン大統領は多角的外交を政権発足当初から重視し、2017年5月に米日中ロの4カ国に特使を派遣し大統領の親書を伝えて東北アジアの緊張緩和への協力を呼び掛けた。また、大国だけではなく、十分な関係が形成できていない旧ソ連諸国との関係活性化のため、2019年4月にムン・ジェイン大統領はウズベキスタンを訪問し経済、投資の関係拡大で合意するなど、「新北方外交」をめざした。米朝対話が途絶えた上、新型コロナウイルス流行で外交の展開が厳しくなった状況下では、電話会談などで積極的外交を進めて21年2月にはカンボジアとの自由貿易協定に合意した。

注目されたのはイランとのかかわりだった。トランプ政権が2018年5月にイラン核合意を一方的に離脱し、イランへの制裁を一部復元、イラン中央銀行への送金ができなくなったことで、韓国のイランに対する原油代金支払いができなくなった。韓国の原油価格未送金分は70億ドルに達し、イランへの未払い金額は世界でも最大と伝えられた。1979年のイスラム革命以降、イランは欧米諸国との関係が閉ざされるなか、韓国とは経済関係を発展させていたのである。イラン政府は繰り返し支払いを求めていたが、韓国政府は対応できなかった。すると２０２１年1月4日、イランの革命守備隊によりオマーン近海で韓国の化学物質運搬船ケミ号が拿捕され、未解決の問題が再浮上した。韓国政府が交渉した結果、95日ぶりにケミ号は解放されたが、米国の姿勢は固く送金はできないままだった。イラン側は不満が残ったが、支払いをさせるために船舶を拿捕したとは言えないため、長期化に負担を感じ解放したのではないかと見られている。イランはこうした制裁で国連の分担金を支払うことができなくなり、23年1月になって韓国政府はイラン政府の依頼を受け、韓国の未送金分から分担金を拠出することを米財務省外国資産管理室や国連事務局に提案、1月21日に代納を完了した。これはトランプ政権の気まぐれな政策に振り回され、韓国の民間企業や船員が被害を受けた事例である。ムン・ジェイン政権は全方位的な外交をめざしたのだが、それでも大きな限界を感じさせた一例であった。

韓国が自由主義圏だけと関係を持っていた１９８０年代までとちがい、今や韓国もグローバルな外交を展開する国家となり、米国にだけ依存することがかえってリスクを伴う状況になっている。その意味で日本との関係は20世紀と比較すれば重要度が低下していると見なければならない。対日関係については第11章を参照してほしい。ユン・ソンニョル政権は対米関係強化に向かっているように見えるが、国民が外交についてもより幅広く合理的な判断をする時代が到来しているのではないだろうか。

（石坂浩一）

参考文献
世界編集部編「ドキュメント　激動の南北朝鮮」『世界』各号、岩波書店。

10

韓国の軍隊と徴兵

★東北アジアの中の韓国軍事力★

韓国の軍隊は陸海空軍と海兵隊から構成されている。これらの軍を総合的に指揮するのが合同参謀本部（合参）であり、そのトップが合同参謀本部議長である。よって作戦指揮権は合参議長にあるが、憲法第74条により大統領が「国軍を統帥する」と定められているため、軍全体が文民統制に服し、最高司令官は大統領である。また、国会は憲法第60条により、宣戦布告、軍隊の海外派遣、外国軍隊の国内駐留について同意権を持つことが定められている。軍に対して、文民統制の歯止めのシステムが設けられているのである。国務総理のもと、内閣で国防業務を扱うのが国防部で、その長は軍出身者が歴任している。

韓国軍は、米軍政下で設置された国防警備隊などをもとに形成された。大韓民国成立により１９４８年８月15日に国防部が設置され、すでにできていた部隊を統合、49年10月１日に空軍が設置されることで陣容を整えた。10月１日は「国軍の日」として記念日になっているが、これは韓国軍創立の日ではなく、１９５０年に韓国軍が仁川《インチョン》上陸作戦以降の反撃の勢いにより38度線を突破した日であり、１９５６年の大統領令により定められた。このため、韓国政府が韓国軍の歴史を起算する時は

1948年を起点としているが、記念式典は現在も10月1日に行われている。国軍の日はかつて国民の祝日であったが、1990年11月に祝日から除外されて今日に至っている。

1950年に朝鮮戦争が勃発して、国連は北朝鮮を侵略者と規定、米軍を中心とした国連軍が韓国防衛にあたることになった。イ・スンマン大統領は7月14日、作戦指揮権を国連軍司令官に委譲した。停戦協定後、米軍以外は撤収していったが、米国は53年10月1日に韓米相互防衛条約に署名し、韓国防衛の義務を負うことになった。78年11月には韓米連合軍司令部が創設され、作戦統制権は国連軍司令官から韓米連合司令官へ移管された。以降、韓国軍主力部隊に対する作戦統制権は米軍が掌握、連合軍司令官は米軍大将、副司令官は韓国軍大将が当たることになった。

その後、冷戦終息などを経て94年12月1日に平時の作戦統制権は韓国に返還されたが、戦時作戦統制権は米軍に掌握されたままになっている。2006年9月16日のノ・ムヒョン大統領とブッシュ大統領の首脳会談において、戦時作戦統制権についても韓国に返還することが合意され、07年2月にその期限が2012年4月とされたが、10年6月の韓米首脳会談で返還時期は15年12月に延期された。その後も議論してきたものの、当時の韓国政府が哨戒艦沈没事件などを理由に再延期を求めたため結論が出ていない。在韓米軍によるトラブルがしばしば発生するのは、沖縄と同様である。駐韓米軍の地位は韓米行政協定（地位協定）で定められているが、米軍兵士が起こした犯罪について韓国側が裁判権を持つことができない場合が多く、韓国内で問題化してきた。2002年日韓ワールドカップの時期に米軍のタンクにより女子中学生2人が轢き殺されたが、米兵は全く処罰されないまま出国してしまい、韓国人の憤りを呼んだ。

米国の同盟軍としての役割も見逃せない。米国の要求により２０１６年に高高度ミサイル防衛システム（ＴＨＡＡＤ）を在韓米軍に配置することが合意され、17年に韓国の慶尚北道星州に設置された時には、中国政府の反発が深刻で、韓国は経済的な圧力を受けた。今後米国による負担要求が増えることも予想される。

韓国の国防部（省）は２０２３年2月16日、『２０２２国防白書』を発表した。これによると２０２２年の韓国の兵員は50万人で２０１６年版と比べて12万５０００人減少した。これは軍縮というより少子高齢化によるもので、少なくない減少だ。一方、国防白書の北朝鮮兵員は２０１４年版で１２８万人とされて以降、変わっておらず、過大評価ではないかという疑問が出ている。韓国開発研究院が２０１９年4月に「北韓経済レビュー」に掲載した推定では正規軍１０４万８０００人としている。２０１５年に国会情報委員会の委託で北朝鮮の人口について検討した西江大学のチョン・ヨンチョル教授は最小50万、最大75万と推計した（『韓国日報』２０２３年4月9日付）。

韓国の国防費は１９７４年に２９１０億ウォン、対ＧＤＰ（国内総生産）比３・71％、国家予算に占める割合は28・0％であった。まだ今日ほど経済規模が大きくなかった１９７０年代から80年代にかけて、韓国は国家予算の30％前後を投入し防衛に力を入れていたのである。民主化と経済的安定の下、国防費は１９８８年を最後に国家予算の30％を上回ることはなくなり、２０１７年には40・３兆ウォン、国家総予算のちょうど1割程度だった。ムン・ジェイン政権は南北の緊張緩和を推進する一方で国防について備えを怠らず、軽航空母艦や韓国型戦闘機の開発を進め、２０２２年の国防費は54兆６１１２億ウォンと、17年と比べ３分の1程度増加した。ただ、国家予算に国防費が占める割合は引き続き低下した。ストックホルム国際平和研究所のまとめによると日本に次いで世界第10位である。
よく知られているように、韓国の男子は兵役法により兵役の義務を果たさなければならない。朝鮮半島における徴兵制度は、日本の統治時代である１９４４年に施行されたが、１９４５年に植民地支配からの解放で廃止された。大韓民国成立後の１９４９年８月に韓国軍への徴兵が始まったが、朝鮮戦争以前にいったん停止、戦争勃発で51年５月に徴兵制は復活した。徴兵期間がいちばん長かった１９７０年代には、３年間に及んだ時期があったが、現在は陸海空軍により若干差があるものの１年半ほどになっている。
韓国の男子は18歳になってからの指定された日に徴兵検査を受け、兵役義務を果たさなくてはならない。入営は事情があれば申請の上、延期することができるが、28歳までに入隊しなくてはならない。著名人や政治家の子弟など、コネや権力、不正申告で兵役逃れをして、後になって明るみに出ると社会問題になる例もしばしばあった。一方、宗教的信念や個人意志で徴兵を拒否する者たちも出た。兵役を拒否すれば懲役刑を科され、その後の社会生活で不利益を被るケースもあった。だが、２０１８年６月28日に憲法裁判所が代替服務制度のない兵役法は憲法に合致しないとの判断を示した結果、良心的兵役拒否に対して懲役刑を科していた前例は覆され、同年11月１日に大法院（最高裁判所）が良心的兵役拒否者を懲役に処することはできないと判示、２０１９年に代替服務を定めた法律が制定された。ただし、服務期間が36カ月と長く、改善が求められている。

（石坂浩一）

参考文献
イ・ヨンソク／森田和樹訳『兵役拒否の問い——韓国における反戦平和運動の経験と思索』以文社、２０２３年。

11

日韓関係のゆくえ

★植民地支配責任は清算されていない★

日本は1875年に朝鮮の江華島に軍艦雲揚号を差し向け朝鮮側の守備兵を挑発、逆に攻撃を加えて開国交渉に持ち込んだ。翌76年には不平等条約を朝鮮王朝に対して結ばせた。日朝修好条規、いわゆる江華島条約である。その後、1894年の日清戦争は、開戦前夜に朝鮮の王宮を軍隊により包囲し日本への戦争協力を強要してからはじめられた。日清戦争の前半の戦場の多くは朝鮮であった。1904年の日露戦争も同様に開戦前夜に日韓議定書を結ばせ日本の大韓帝国内での軍事行動を容易にするように認めさせた。1905年11月には第二次日韓協約(乙巳保護条約)により韓国の外交権を奪い、1910年8月には大韓帝国を併合、植民地化した。

第二次世界大戦に敗れることで日本は植民地を放棄したが、朝鮮戦争が始まると東北アジアの自由主義陣営の関係を強化しようとした米国は、日韓に正常化交渉を促しはじめた。まだ国交樹立の意欲を持っていなかった両国は1951年10月に予備会談を開始、以降1965年6月22日の日韓基本条約調印まで、14年の長きにわたって断続的交渉の末、国交正常化にたどり着いた。だが、日本では政府や自民党だけでなく野党に至るまで、韓国の人びとが求める植民地支配への謝罪と清算に思いが至らなかった。そのため、53年10月に東京で行われた第3次日韓会談において、日本側首席代表で外務省参与である久保田貫一郎が、日本は鉄道や港を作ってやったりした、日本が行かなければ中国やロシアが（朝鮮を）取っていたかもしれないといった発言をして、会談を紛糾させ4年半にわたる中断を招いた。

1965年に結ばれた日韓基本条約には、謝罪はおろか、植民地支配という言葉も、「不幸な関係」や「遺憾」という言葉さえも、一言も出てこない。基本条約は第2条において1910年8月22日（韓国併合のことだが、それと明示していない）以前に日本と韓国の間で結ばれたすべての条約・協定は「もはや無効」とし、第3条において大韓民国は「朝鮮にある唯一の合法的な政府」だとした。第2条について日本政府は国内向けに、植民地支配が終わって以降は無効だという解釈で説明したが、韓国政府はもともと不当で無効だという解釈で韓国国内向けに説明した。第3条についても、日本政府は韓国が現在実効支配している領域内で唯一合法だとしたが、韓国政府は朝鮮半島全体で唯一合法と説明した。両政府ともそれぞれ都合のいいように玉虫色に解釈することで合意していたのであった。

また、同時に結ばれた請求権および経済協力協定においては、やはり植民地支配による被害やそれへの補償について全く言及せず、有償・無償の経済協力の根拠も示さずに、経済協力を行うことのみを示し、請求権問題はこの協定によって完全かつ最終的に解決されたと記した。そのため、戦時強制動員などをめぐる補償要求が韓国民主化以降に登場した時にも、日本政府の公式見解は「日韓条約（と関連協定）で解決済み」というものだったのである。

韓国内では日韓条約に対し強い反対闘争があった。1964年には学生たちが日韓条約に反対しソウル市内でデモを行ったが、6月3日に戒厳令が宣布され、会談妥結を急ぐ政府に抑えこまれた（六三闘争とも呼ばれる）。韓国政府内でも、日本政府を説得しようとしたら何十年かかるかわからないというあきらめから、満足できないまま妥結を急いだ。日韓両国の力関係は対等ではなく、北朝鮮との対抗関係から経済成長を優先する韓国政府は、国交正常化を急いだ。

米国が主導する自由主義圏にあって、韓国は朝鮮戦争を経験した「戦場国家」であったのに対し、東北アジア冷戦の後方基地である日本は、軍事的緊張やイデオロギー対立の負担を韓国にまかせる「基地国家」であった。日本は歴史をめぐる責任を置き去りにしても問題にされることがない国際政治構造のなかに置かれていた。冷戦期に、米国とその友好国にとって重要な「敵」はソ連や中国であった。日本の指導層は戦前と連続しており、植民地支配を問題だと思わない人びとが政治外交を担っていた。

国交正常化後、日本社会では韓国に対する関心はほとんどなく、考え方は全くすれちがっていた。そうした日本人の無関心を打破するきっかけになったのが1973年8月のキム・デジュン拉致事件であった。日本では当時、キム・デジュンが誰なのか、知っている人はほとんどいなかったが、事件を通じて韓国の民主化勢力の実像や、軍事政権の抑圧、人権侵害などが次第に伝えられるようになった。さらに、日本国内で暗躍する韓国情報機関による要人拉致という衝撃的な事件から、韓国の独裁政治とそれに対決する民主化運動のみならず、韓国軍事政権を支援して裏で不正な利益を得ている日本の政治家たちの姿が浮かび上がった。当時、日韓癒着と呼ばれたものである。韓国政府は特にパク・チョンヒ政権の時代、日本が同盟国であるとして、日本批判を規制した。韓国が戦後一貫して「反日」だったというのは事実ではない。

同時代のゆがんだ日韓関係をただす日本社会の市民運動がおこり、マスコミも問題点を報道しはじめた。１９８０年の軍事クーデター後に、死刑の危機に立たされたキム・デジュンの命を守ろうとする世論が日本社会全体に広がったのも、こうした批判意識からであった。おりしも、１９８２年、日本の歴史教科書が史実をゆがめていると韓国・中国にとどまらずアジア全体から批判される、いわゆる教科書問題が起こった。日本政府の歴史を無視した検定のあり方に、権威主義的なアジア諸国の政権も民衆の批判の声を抑えこむことはできなかった。日本社会は現代韓国を見つめることを通じ、自覚してこなかった植民地支配の歴史を見据える必要を感じ、教科書や歴史教育をはじめ議論を広げていった。同時に、80年代には在日コリアンを中心に在日外国人たちが、外国人登録上の指紋押捺義務に拒否運動を展開し、なぜ在日コリアンが日本にいるのかを思い出すよう問いかけた。市民社会の動きは結局、日本政府の政策を徐々に転換させていった。

１９９０年代以降になって、植民地支配と戦争の歴史のとらえ返しをめぐる問題提起が韓国から具体的に届くようになったのは、韓国の民主化と社会運動の活性化によっている。世界レベルでの冷戦崩壊も、イデオロギー対立優先によりそれまで抑えられていた、歴史問題をめぐる要求を顕在化させた。日本社会でもそれを受けて、戦争と植民地支配の歴史を清算することが日本自身の未来のために必要だという認識が一層広がった。１９９３年の日本軍「慰安婦」をめぐる河野官房長官談話、95年の戦争と植民地支配をめぐる村山首相談話が出され、日本政府の指針となっていったのも、日本の市民社会が東北アジアのなかで未来を担おうとする志から政府を動かしたことが一因にほかならない。１９９８年10月、キム・デジュン大統領が来日し、小渕恵三首相との間で「21世紀に向けた新たな日韓パートナーシップ」(日韓共同宣言)に合意した。日本が植民地支配の歴史を謝罪し韓国の民主化を高く評価するとともに、韓国は戦後日本の平和主義を評価し、新たなパートナーシップを形成しようという内容であった。これらの宣言、談話は事実上、日韓条約で不十分だった点を補完しようとする日本の市民や政治家の努力と工夫を受けて作られた。

だが、21世紀に入ってからの日韓の政府間関係は残念なものであった。2002年のW杯日韓共催は2003年以降のドラマを通じた韓流ブームをもたらし、それは2023年の今日まで広がり発展を見せてきた。一方の韓国では、日本の戦争に動員され労働を強要された人びとやその遺族が、当該企業の謝罪と補償を求めて日本で訴訟を起こしたが、認められなかったため韓国で提訴、2018年に韓国大法院(最高裁)で日本製鉄、三菱重工業の責任を認めて謝罪と補償を命じる判決が下った。いわゆる徴用工裁判である。それまでに韓国・中国とかかわる同種の訴訟では、日本で企業と被害者が和解し自主的に賢明な判断をする事例もあった。ところが、日本政府はこの2018年判決に介入し、1965年の日韓条約と諸協定により解決済みだと主張、企業に対して謝罪や補償に応じないように後押しした。原告らは相手企業の韓国内資産を差し押さえたが、その現金化は日韓の政治関係を悪化させるものだと日本では批判的論調が強まった。こうして徴用工問題は日韓の懸案とされるに至ったのだが、そもそもこれらの訴訟は民事訴訟であって、政府があれこれ指図する筋合いではない。にもかかわらず日韓条約で解決済みと強弁して和解を妨げたのは日本政府に他ならない。

すでに述べたように、日韓条約と諸協定は政府レベルのもので、被害を被った個人の請求権を解消できるものではない。そして、なにより謝罪や遺憾は一切表明されていないので、これをもって戦時強制労働への謝罪を要求する原告らに応えたと考えることはできないのである。しかし、2023年3月に岸田文雄首相は、韓国政府の設ける財団からの代位弁済での被害者への支払いというユン・ソンニョル大統領の「解決策」をよしとして、日韓の根本的な和解を押しとどめようとしている。これは、岸田首相が外相として合意した日本軍「慰安婦」をめぐる2015年の政府間合意の二の舞にならざるをえないのではないか。

マスコミはしばしば日韓文化交流が進んだから、歴史の問題もいずれうまくいくだろうというような無責任な論調をとっている。しかし、これこそ文化の政治利用である。ドラマであれ、K－POPであれ、政治を改善するために作られているのではないし、国家間関係のために作られているわけでもない。政治家が文化産業の担い手ほど努力していないとすれば、自己反省すべき時ではないか。日本の政治家や言論は、日本自身の歴史的責任を直視してこそ和解があるのだという原点に立ち戻り、日韓共同宣言に至るまでの先人の努力を、現代の無策の隠れ蓑にすることをもはや止めなければならない。

（石坂浩一）

◉参考文献
太田修『日韓交渉――請求権問題の研究』クレイン、2003年。
吉沢文寿『戦後日韓関係――国交正常化交渉をめぐって』クレイン、2005年。
南基正『基地国家の誕生――朝鮮戦争と日本・アメリカ』東京堂出版、2023年。
内田雅敏『元徴用工和解への道――戦時被害と個人請求権』ちくま新書、2020年。

12

南北関係と朝鮮半島の未来

★平和定着から共同の繁栄へ★

植民地支配から解放され、近代民族国家を形成するはずだった朝鮮民族は、以上で述べたように南北に分断され、互いに対立する関係を形成してきた。2000年以降は4回の南北首脳会談（出会いとしてはムン・ジェイン大統領がトランプ米大統領とともにもう一度キム・ジョンウン国務委員長と板門店で会っている）も行われた。2018年9月19日には「9月平壌共同宣言合意書」と同時に付属合意書として軍事上の安全のための「板門店宣言軍事分野履行合意書」が作られたが、米朝関係が悪化して以降は十分に機能していない。こうしたことを考えるとき、南北朝鮮の関係は、人的往来や経済交流が進んだ中国と台湾の関係よりもはるかに厳しいことが分かるはずである。

1953年の停戦協定の相手として中心的存在であり、その後も朝鮮半島における軍事力を維持している米国との関係改善ができなければ、北朝鮮も韓国との和解をしたくとも、さまざまな合意が空手形になりかねない。そう考えてみれば、朝鮮半島の平和にとって、朝鮮戦争の停戦を安定した平和条約に転換させていくことが必要である。南北とともに関係国の日米と中ロも和解の時代へと踏み出さなければならない。

したがって、朝鮮半島では民族統一が悲願というが、それ以前に平和定着を成し遂げなければ、統一について議論することはむずかしい。「軍事分野履行合意書」には南北軍事共同委員会を開催して安全保障上の課題について対話を通じて解決していくと記されているが、共同委員会が設置されるどころか、ユン・ソンニョル政権は北との対決姿勢を強化している現状だ。米国は、トランプ政権は北朝鮮との対話を試みたものの、バイデン政権になって朝鮮半島の優先順位は下がり、偶発的紛争が起きないように現状の管理、維持だけがなされている。ロシア・ウクライナ戦争の影響で米中2大国が陣営化されるなか、圧力をかけるばかりのバイデン政権への失望は、核ミサイル体系強化の道を北朝鮮に歩ませている。そもそも北朝鮮の核開発をいったんは枠組合意でストップしながら、米国のその後の交渉の失敗で核実験とミサイル開発を許し、今日のような状況を招いたのである。

他方で、南北をふたつの国家として認めてしまう方が、双方の話し合いをしやすくするという主張も出てきている。これは南北基本合意書にある、南北は統一に至る過程にあるという考え方をいったんやめようということである。とはいえ、技術的にふたつの国家を認めるとしても、その後の統一を妨げることにはならないので、この点は南北朝鮮の人びとの間でより一層議論すべきことがらだ。

今日の韓国では分断以前を知っている世代も少なくなり、経済的、軍事的に負担になる北朝鮮とはかかわりを持ちたがらない世代もふえているという。しかしひとたび軍事的紛争が発生すれば、実際に被害を受けるのは韓国人であることは、みな熟知している。ムン・ジェイン大統領が2017年の北朝鮮のミサイル発射が続く状況にあっても、「われわれは朝鮮半島で戦争を起こさせない」と当事者性を強く主張したのは、そのためだ。だから、統一はしなくても、平和共存を望む点では韓国人の大多数は共通している。一部の右派勢力は北朝鮮が崩壊することを望んでいるが、これは現実的ではない。これまでもキム・イルソン主席死後の、多くの餓死者が出たという「苦難の行軍」期でさえ、北の政治権力は崩壊することはなかったのである。南北の信頼を醸成し紛争防止措置を講じて平和定着を具体的に進めていくのが、面倒に見えても早道なのである。

ところが、北朝鮮バッシングが広がり現実を見失った日本では、北朝鮮崩壊論が繰り返し主張されてきた。そして、北朝鮮がミサイル試射を繰り返す２０１０年代以降には、危機意識をあおり政権維持のために利用してきた。自民党の麻生太郎副総裁が２０１７年10月の総選挙勝利に際し、「北朝鮮のおかげ」だと述べたのは、そうした背景がある。さらに、２０２２年以降は岸田政権が「敵基地攻撃能力」で北朝鮮に備えると主張しはじめた。「敵基地」を攻撃すれば、当然自らも攻撃を受けるわけで、日本でどれだけ被害が出るか計り知れないが、都合の悪いところを隠し、また北朝鮮の本来の対抗の相手は米国であるのにそのことも覆い隠して、日本を守るために必要だと歪んだ議論をしていることを、日本の野党が指摘できていない点もまた残念である。平和を守るためには、ムン・ジェイン大統領のように「戦争を起こさせない」と訴えるしかない。

また、朝鮮半島の統一はもちろん朝鮮民族自身が決定すべき事がらだが、急いで統一を図るということは結局、南による北の吸収統一や武力による統一にならざるをえない。平和に進めるとすれば、相当の年数がかかる大事業だろう。周辺国の役割はこうした長期にわたる朝鮮半島の平和定着を支援し、政治的・軍事的に介入しないことだといえるのではないだろうか。これと関連して考えるべきは、韓国内で出ている朝鮮半島永世中立化のアイデアである。釜山《プサン》で南北協力に向けた活動を続ける「釜山わが民族助け合い運動」は2023年に『朝鮮半島中立化――平和と統一への近道』を世に問い、対立関係を克服する提案をした。この本では分断が100年を超えないようにしようと呼びかけている。100年といってもこれから20年くらいしか残っていないが、意味のある提案だと思う。

中立化された朝鮮半島が、政治形態はどうあれ、東北アジアの政治・経済・文化などのハブ基地として繁栄のため役割を果たしていくとすれば、周辺国にとっても喜ばしいことである。朝鮮半島における人びとの平和のための努力とともに、日本の市民が力を合わせることができるよう、日本も植民地支配への誠実な反省から改めて出発することが求められているのではないだろうか。何より日本は国交を正常化していない隣国の朝鮮民主主義人民共和国と早期に国交を正常化することで、東北アジアの平和に責任をもった一員となれるはずである。

これまでの東北アジアは米国を軸とした二国間関係の寄せ集めで成り立ってきた。ノ・ムヒョン大統領が提起したように、これまで冷戦によって分断されてきた東北アジアは、協力を通じて地域共同体へと発展することが求められている。その過程ではどの国も覇権を追求せず、人権が尊重される地域となるべきだろう。朝鮮半島はまずは中国と台湾の両岸関係のように人的、経済的な交流が当たり前になるようなレベルへと歩みを進めていけるよう期待したい。

（石坂浩一）

◉参考文献
和田春樹『東北アジア共同の家――新地域主義宣言』平凡社、2003年。

II

社　会

13

新型コロナウイルスと社会

★問題を抱えながら日常回復へ進む★

2023年1月30日、韓国で新型コロナウイルス感染症の防疫対策として2020年10月に導入されたマスク着用の義務が解除された。高齢患者の多い療養病院など感染に脆弱な施設や医療機関・薬局、公共交通機関などを除く場所での室内マスク着用の義務が「勧告」に転換されたのである。

新型コロナウイルスの感染者が韓国ではじめて確認されたのは2020年1月20日。感染者は中国・武漢市から仁川国際空港に入国した中国籍の女性であった。それから26カ月後の2022年3月22日に公式の感染者数は1000万人を超え、4カ月後の2022年8月2日には2000万人を突破した。さらに5カ月後の2023年1月23日には3000万人を超過している。一方で、新型コロナウイルス感染症の致命率（ある疾患に罹った集団における一定期間内の死亡者の割合）は、第1波流行時（2020年2〜6月）の2・1%から第7波流行時（2022年11月〜2023年1月）には0・08%まで減少した。感染者に占める重症患者の割合も減るなど、疾病のリスクは流行初期に比べて大幅に減少した。そのため、マスク着用義務の解除など、日常生活における規制緩和の措置がとられるようになったのである。

２０２０年２月下旬に慶尚北道、とくに大邱《テグ》市を中心に感染爆発が起こったが、これは新興宗教団体「新天地イエス教会」での集団感染によるものである。この感染爆発をきっかけに、韓国での新型コロナウイルス対策は大邱市を中心に専門的・集中的に行われた。そして韓国政府は、この防疫活動や２０１５年のＭＥＲＳ（中東呼吸器症候群）が拡大したときの経験を生かして、早期に防疫体制を構築した。それが、Ｋ防疫である。

Ｋ防疫の核心要素は、広範囲に検査すること（Test）、迅速に感染者の動線を追跡すること（Trace）、感染者を迅速に隔離し治療すること（Treat）である。検査は、ドライブスルー方式が用いられることで大規模に展開された。この方式では、利用者は自分の車を医療従事者がなかにいる小型の検査ボックスに乗り付け、乗車したまま検査を受ける。また、ＩｏＴやＡＩ技術を利用した疫学調査支援システムが導入され、疫学調査が自動化された。感染者の隔離にあたってはトリアージが徹底して行われ、重篤者は感染症指定医療センターで、軽症者は生活治療センターで対応された。このほか、大学病院や公立病院のみならず民間医療関係者の献身的な医療活動や、政府の強制力を伴う社会的隔離（ソーシャルディスタンス）規制や施設閉鎖などの政策に対する国民の協力があったことが、Ｋ防疫体制の後押しになったとされる。

Ｋ防疫によって初期対応は成功した。２０２１年10月までは、韓国での新型コロナウイルス感染率は低いままで推移したからである。しかしそれ以降、新規感染者数や入院治療者数、死亡者数が急増した。自営業者による営業再開の要求に呼応して、三密回避や社会的距離規制の徹底などの諸規則

ソウル市中区保健所ソウル駅臨時選別検査所
（2023年3月）

が緩和されたからである。さらに、２０２１年末からのオミクロン株の伝播によって感染者数は増えた。翌年、２０２２年11月の初旬には第７波流行期に突入したが、２０２３年１月以降、感染者数はおおかた減少傾向にある。

新型コロナウイルス感染症の拡大とそれへの国家的対策の影響をうけて、韓国に住む人びとの生活は大きく変わり、生活困難を抱える人たちも増えた。困難に対してはさまざまな対策が取られたが、その効果とともに副作用も生じている。

国家人権委員会『２０２２年度人権意識実態調査』（満18歳以上の一般国民対象）によれば、２０２０年以降３年間に新型コロナウイルス感染症が国内の人権状況に影響を与えたと認識している者の割合は56・４％である。

コロナによって生じた困難についての回答結果は、「所得減少や支出など経済問題」37・６％、「感染予防及び衛生管理」33・９％、「施設利用の制約による不便」31・１％、「社会関係の縮小によるうつ・孤立感」28・０％、「ワクチンやコロナ感染による後遺症」20・５％、「休職や失業など就業問題」19・９％であった。コロナ禍のなかでの最も深刻な人権侵害については、「小商工人（職員が10人（製造業）・５人（サービス業）未満の自営業者）・自営業者の財産権侵害」44・3％、「介護や介助などケアの空白による社会的弱者層の孤立」43・5％、「ワクチン接種の有無やコロナ感染にともなう差別」28・2％、「防疫過程での個人情報・私生活の侵害」25・7％、「防疫を理由とする社会福祉施設内での接近制限」23・9％、「防疫を理由とする集会制限」18・5％、「特定集団に対する嫌悪表現と差別の増加」10・7％の順で回答された。

これらの結果から、生活困難に直結する経済問題のなかでも自営業者が受けた被害への関心が高いことがわかる。自営業者に対しては、金融支援や現金給付の施策が実施された。しかし営業制限措置の長期化による損失は大きかったため、自営業者団体は2021年7月、感染病予防法に伴う行政命令を対象に憲法訴願と損害賠償請求訴訟を提起した。その後の運動の結果として「小商工人保護及び支援に関する法律」が改正され、感染病予防法に損失補償に関する条項が新設された。これにより、防疫措置によって経営上の損失が生じた小商工人を対象とした国家の補償義務が規定された。しかし、実際の制度運営では、補償対象は、「集合禁止と営業制限」措置によって損失が生じた小企業とされているため、社会的距離規制によって間接的被害を受けた旅行業などの業種は対象にならないなど、いくつかの問題が残っている。

障害者や高齢者などへのケアサービスが縮小する事態に対しては、たとえば、ケアが必要な本人や家族がコロナを理由として隔離されたり確診を受けたりすることでケアの空白が起きた場合に、ケア人材を支援する「社会サービス院・緊急ケア事業」が実施された。しかし、マンパワー不足で障害者に介護専門の療養保護士が派遣される場合もあるなどの限界があった。

また、K防疫の過程で健康・位置・人間関係などに関する膨大な個人情報の収集・処理・公開が行われたことで生じている問題もある。たとえば、防疫当局が収集した一部の情報はコロナ禍が終息した時点で破棄される予定であるが、終息を判断する基準は明確でない。そのため、少数の感染者が発生する状態であっても終息と判断されなければ、国家が個人情報を保存する状態を継続させてしまうことになる。

コロナの爆発的な感染者増大の時期を乗り切り、韓国の人びとは日常の回復へと向かっている。しかし、抱え込んだ多くの問題を解決しながら日常回復に到達することは、決して楽なものではないであろう。

（株本千鶴）

◉参考文献

玄武岩、藤野陽平編『ポストコロナ時代の東アジア——新しい世界の国家・宗教・日常』勉誠出版、2020年。

14

教育システムと受験戦争

★世襲格差が及ぼす教育格差★

２０１９年8月に起きたチョ・グク法務部長官の娘の大学不正入試疑惑は、20代の若者に大きな衝撃を与えた。大学入試の際に提出した体験活動の確認書やインターンシップ活動証明書、大学学長名義の表彰状などが虚偽ではないかという疑惑だった。だが、この事件に韓国社会が衝撃を受けたのは他のところにある。若者に対して常に「公平」と「平等」を語ってた著名人であるチョ・グク氏が、娘のために自身のネットワークを活用したのである。娘が参加したインターンシップの数々は、チョ・グク氏の社会的な地位があったからこそ可能であった。この事件を通して、若者世代のなかで広がる格差の現実とその要因が「世襲」にあることが明らかとなったのである。

昨今、教育格差の問題は、同じ時期に大ヒットしたドラマ「スカイ・キャッスル」（２０１８～19）にも描かれている。「ＳＫＹ」とはソウル大学（Ｓ）、高麗大学（Ｋ）、延世大学（Ｙ）の頭文字を合わせたもので、「ＳＫＹ（＝雲の上）」の地位が突出して高いことを示している。「スカイ・キャッスル」は、富裕層しか住めないＳＫＹキャッスルに住む家族の受験戦争を描いたものである。ちょうどこの頃、国民の90％が「教育を通じた特権層の世襲問題が深刻である」と回答したことが、ある世論調査で明らかになった（『ハンギョレ新聞』2019年10月8日）。教育における「平等」と「公正」を何よりも重視してきた韓国社会において今何が起こっているのだろうか。学校教育の歴史から、その経緯と要因を振り返りながら考察する。

韓国の教育といえば、遅刻しそうな学生をパトカーに乗せて試験会場まで送るシーンが思い浮かぶであろう。日本のメディアでもたびたび報道されるシーンでもある。韓国の教育精度を考える上で欠かせない存在が、まさにこの大学受験という制度である。なぜなら、韓国の教育制度は大学受験のシステムと深くかかわっているためである。

大学受験が国家の一大行事となった背景のひとつとして、ソウル、京畿道、釜山《プサン》などの大都市を中心に実施されてきた中学・高校の「平準化」政策があげられる。「平準化」政策とは、実質中学、高校への進学が無試験であることを意味し、1974年から導入された。受験を取り巻く過熱な競争および塾や予備校、家庭教師など私教育を制限するために設けられたのである。ソウルおよび京畿道を含めた首都圏の人口が韓国の全人口の半数近くを占めていることからも、「平準化」政策は韓国の教育制度そのものを映し出しているといえる。だが、この「平準化」政策は選抜試験を大学受験に一本化してしまったという点において、結果的により熾烈な競争をもたらしたのである。

「平準化」政策を実施しているソウルには、「江南《カンナム》八学群」という名門高校が集中している地域がある。「江南」とは、ソウルの漢江の南に位置する地域の名称であり、富裕層の家庭が多く、70年代に江南地域の開発に伴い、ソウル中心部の名門校が政策的に移転してきた地域である。それゆえ、教育に有利な江南に移住しようとする家庭が後を絶たず、江南のアパート価格は上昇する一方である。

第14章

教育システムと受験戦争

韓国の教育は、不動産の存在抜きには語れない理由がここにある。

一方で、「平準化」政策が適用されている一般高校のほかに、特殊目的高校（科学高校、外国語高校、芸術高校など）、特性化高校（職業系、フリースクールなど）、自律高校（自立型私立高校、公立高校、寄宿型高校など）が、平準化政策の外部に存在する。「平準化」政策の弱点を補うため作られた制度といえる。そのなかでも、特殊目的高校の場合、英才教育機関の必要性から設立されたものの、現在は一流大学や医学系に進学するルートになっており、中学の入試競争が激化する要因にもなっている。特殊目的高校には家庭環境に恵まれた学生が多く、学歴と富が再生産される問題にもつながっている。自立型私立高校は、一般高校とは少し差別化された教育を望む学生の学校選択権を認めるために設立されたが、そのほとんどが富裕層の進学校になりつつある昨今の状況から、廃止を求める声が高まっている。

ではこの間、家庭において教育の位置づけはどのように変化してきたのであろうか。消費社会に入った1990年代半ば以降、韓国の学校教育はテキストをそのまま暗記する画一的な教育から「創造性と多様性」を重視する方向へと舵を切った。時代の方向性としては望ましいものの、結果的に学生の学習量は増加し、過度な「先行学習」や「早期教育」へとつながっていった。「江南ママ」とも呼ばれる、子どもへの教育におけるマネージメント能力を備えた「マネージャーママ」が登場し、一般家庭における私教育の割合は増大していった。さらに、2000年代に入ってからは、グローバル競争を生き抜くため英語の実力がより重要視されるようになり、小学校の1年生から英語が必須となった。これにより、英語圏への早期留学が急増し、英語圏の国に移住する「教育移民」も増えていった。2000年代半ばには、幼い頃から英語力を身につけるために子どもと母親が英語圏の国に移り住み、父親は韓国に残って仕送りする家庭が増え、「キロギアッパ」という言葉が一時期流行した。「キロギ」は雁で「アッパ」はパパを意味する。遠いところに置き去りにされてきた家族を恋しがる、一人暮らしの父親の寂しさを雁に喩えたネーミングであった。

国内総生産の約60％以上を海外との貿易に頼っている韓国では、さまざまなビジネスの場で英語での交渉が求められる。英語力は必須となっているため、海外留学する若者も多くみられる。英語の授業ではネイティブ講師との連携で進められ、会話力の向上をめざす授業が積極的に行われている。さらに、英語教育の実践の場として、各地域の自治体や民間企業が運営する「英《ヨン》語《オ》村《マウル》（英語体験施設）」がある。上記の点を反映するかのように、日本、米国、中国、韓国の4カ国における高校生の留学に関する意識調査（国立青少年教育振興機構、２０１９）によると、「留学に興味がある」「やや興味がある」と回答した割合は、韓国（67・2％）が最も高く、つづいて米国（67・1％）、中国（58・2％）、日本（51％）の順であった。

一方、学校教育がグローバル化の波とともに創造性と多様性を重視する方向へと舵を切る中、大学入試への選抜方式も多様化していった。１９８０年代までは、大学入学学力考査（学力考査）と高校の内申成績・面接とされていたが、１９９４年からは大学修学能力試験（修能試験）に変更された。従来の学力考査は国語、数学、歴史など高校で教わる科目別の試験であったため、知識を暗記する能力が重視されていたといえる。だが、修能試験は、言語、社会探求、数理、科学探求など、教科で学んださまざまな知識を応用し、創造力と想像力を発揮できる内容に変更された。当時は今後到来する情報社会にふさわしい人材を育てることが目的であった。

選抜方法においても、30年前と比べて大きく変更された。1995年以前は、指定された時期に大学が一斉に学生を選抜する定時募集（日本の「一般選抜」と類似）のみであったが、その後、定時募集の前に各大学が自ら定めた基準で学生を選抜する随時募集（日本の「特別選抜」と類似）が実施されるようになった。なお、定時募集の場合「修能試験」、随時募集の場合「学校生活記録簿」（日本の「内申書」に類似）」により多くの比重がおかれている。2007年度には定時募集が48・5％、随時募集が51・5％と両者の比率が徐々に逆転し、2020年度には定時募集が22・7％に対し、随時募集が77・3％にまで上昇した。ある意味、選抜制度がより多様化されたともいえるが、この「学校生活記録簿」も親の学歴、教養、収入、ネットワークなどに左右される面があり、「金スプーン選抜」と揶揄されるようになったのである。

大学入試選択における公正さと多様性をいかに確保することができるのか。今後の課題といえる。

（福島みのり）

◉参考資料

有田伸『韓国の教育と社会階層――「学歴社会」への実証的アプローチ』東京大学出版会、2006年。
石川裕之『韓国の才能教育制度――その構造と機能』東信堂、2011年。

15

新たな教育への挑戦

★多様化への試み★

韓国の教育は長らく軍事独裁政権の影響下におかれていた。学校教育に対する画一的な統制がなされ、学校はまるで兵営の姿そのものだった。教育の目的は、国家の指示に従順な国民を養成し、産業発展の担い手を育てることであった。「革新」「改革」などの言葉を使い、これまで幾度ともなくカリキュラムや入試制度、さらに学校システムを変えてきたが、少なくとも1990年代以前まで韓国の教育は、国家主導の画一的な教育の枠組みを越えることができなかったといえる。だが、1990年代初頭に韓国は消費社会に入り、子どもたちは学校で一日中強制的に過ごすことを「身体」から拒否しはじめるようになる。いわば、学校崩壊現象がはじまったのである。この時期、流行していた言葉のひとつが、「19世紀の教室で、20世紀の教師が、21世紀の学生を教えている」というものであった。教育システムが時代に追いついていないという嘲弄であった。

1．代案教育運動

ちょうどその頃、独裁政権と闘ってきた民主化運動は多様な市民運動へ分化していき、教育分野でも新たな教育を望む教師運動、学父母（＝保護者）運動、青少年運動が相次いで展開された。同時に、教師、市民、学生によるさまざまな教育実験や実践も行われたが、そのひとつの流れに代案教育運動がある。

受験競争による詰め込み教育から抜け出し、全人的かつ共同体的な体験を重視し、体験学習やプロジェクト学習を中心に従来の学校教育を全面的に変えようとする運動、いわば新たな学校をつくる運動がはじまったのである。こうした動きは「公教育を代替する」「代案を提示する」というモットーを掲げたことから「代案教育運動」と呼ばれた。1997年に最初の代案学校である「ガンジー学校」が智異山《チリサン》のふもとに開校し、これを皮切りに全国各地にさまざまな代案学校が設立されるようになった。ガンジー学校のように、平和、生命、エコロジーなどの理念と哲学に基づく学校はもちろんのこと、学校教育に病んだ子どもたちの心と身体を治癒する学校も設立された。2000年初頭からは、20名程度の小さな規模の「都市型代案学校」も開校し、都市の教育資源（美術館、博物館、各種文化センターなど）を活用するユーススペースなども作られた。特に1999年に設立されたハジャセンターは、都

ハジャセンター

ソンミサン学校

市を積極的に教育資源として活用し、「学び」と「遊び」「仕事」を共に考える未来型「教育プラットフォーム」を実践していった。２００４年に作られたソンミサン学校は、都市のなかでマウル（まち＝共同体）を活かし、子どもを育てるという発想の下、マウル劇場、共同体カフェ、生産共同組合、マウル農場などを結びつける「ターミナル」を作った。代案教育運動は、単に教育の問題だけでなく「都市の再生」「持続可能な生」「学びと働くことの統合」など、後期近代的な課題を積極的に取り組んでいる運動でもあった。理念と志向、規模は千差万別であるが、２０２０年には認可校が84カ所、非認可校１５０カ所ほどの代案学校が教育と韓国社会の未来に挑戦している。

2．進歩教育監の登場——無償給食、人権条例、革新学校

日本の地方教育制度とは異なり、韓国の場合、２００７年の釜山市教育監の選出をはじめ、地方教育の首長である教育監を住民の直接選挙で選出するようになった。学校給食や制服など学生の福祉や日常に具体的な影響を及ぼす事柄は、教育監が条例や規則を制定し、施行できる。実際、当該地域の市町長や知事は当該地域の教育に関与できない。いわば、国家レベルのカリキュラムなどを除き、地方の教育監は地方政府からも独立しており、小中高等学校教育における実質的な権限を持っているのである。２０１０年の地方選挙では、いわゆる「進歩」教育監が6人も選出された。その背景には、教育と福祉における資源は誰もが平等に享受できることが社会的なイシューとして提起されたためである。当時、保守政権であったイ・ミョンバク政府が推進していた新自由主義的な競争教育に疲弊していた学生の親たちの心をこれらのイシューが動かしたのである。２０１４年の選挙では、13人もの

進歩教育監が当選し、「競争より共生」「成績より学生の幸せな日常」を重視する教育政策を打ち出した教育監が数多く登場するようになった。

最も注目された進歩教育監による政策として、「無償給食政策」「学生人権条例」「革新学校」などがあげられる。「無償給食政策」とは、すべての学生に質のいい食事を無償で提供する政策である。これまで低所得層の子どもたちには給食費を支援してきたが、こうした選別福祉が結果的に低所得層の子どもたちに否定的なイメージをもたらしてしまうことから、すべての子どもに無償給食を提供することが望ましいという認識が芽生えはじめたのである。結果、ソウル市では２０１１年から小学校における無償給食が実施されており、２０２２年には高校まで拡大した。そればかりではなく、学校の制服、カバン、靴、文房具などを購入できるように支援する「入学準備金制度」や「学習準備物支援制度」の設立、さらに修学旅行費まで支援するようになり、「無償教育」という教育福祉が着々と定着してきたのである。

第2に、「学生人権条例」であるが、これは京畿道をはじめ、光州《クァンジュ》、ソウル、全北などの順に制定、公布された。ソウル市の学生人権条例では、①学校内での所持品検査、スマートフォン使用制限などを禁止、髪型などの個性を表現する権利の保障、②言葉の暴力を含めた一切の処罰の禁止、③良心と宗教、表現の自由および学生らの集会の自由を保証、④障害学生、片親家庭の学生、外国人学生、性的少数者学生など少数者の人権を保障している。学生人権条例は、学生の義務よりも権利を全面に打ち出したという点で、はるかに進歩的であると評価できる。こうした条例は、進歩教育監の登場がきっかけとなり制定されたが、青少年運動の長年の成果ともいえる。

第3に「革新学校」政策であるが、これは学校がこれまでの官僚組織から抜け出し、「お互いに学び―教える」共同体になるための政策である。教師らが行う自律的な学校改革運動を教育監が支援する政策といえる。この政策の下では、教師が「業務」より「教育」により専念できるため、多様な教育的実験が可能となる。授業は、これまでの講義形式から討論と対話を中心としたものになり、教師同士の間でもより理想的な授業を求めてさまざまな研究会が開かれ、学校はまさに「学びの共同体」になりつつある。こうした学校での実践が次々となされるなかで、これまで定期的に行われていた他の学校への教師の移動も、校長の判断に任せるようにした。「革新学校」に対する研究によると、教師、学生ともに学校での生活満足度が上がったという結果が出ている。こうした「革新学校」における政策は、代案教育運動がもたらした一定の成果が公教育の領域まで及んだといえる。

2022年の地方選挙では、進歩教育監が全国で8人選ばれた。2014年の選挙での勢いは徐々に失われつつあり、教育福祉政策に対してブレーキをかける保守教育監や、『学生人権条例』のせいで教師の教権が失われた」という意見も出はじめた。だが、進歩教育監時代の政策が学校教育の新しい方向を提示し、より未来志向的なものであったことは評価すべきであろう。

（福島みのり）

◐参考資料
宋美蘭編著『韓国のオルタナティブスクール――子どもの生き方を支える「多様な学びの保障」へ』明石書店、2021年。

16

いじめ・暴力を越えて

——★被害者による復讐と大学入試への影響★——

２０２２年12月にネットフリックスで公開され世界的な反響を呼んだ韓国ドラマ『ザ・グローリー輝かしき復讐』は、壮絶ないじめで心が壊れた主人公のムン・ドンウンが大人になり、加害者に復習をする物語である。

本ドラマが配信されて以降、韓国では17年前の２００６年に起きた「清州ヘアアイロン事件」が再び話題になり、タイでは学校暴力を告発するハッシュタグ運動が起きた。ヘアアイロンでいじめの対象となった中学生の身体に火傷を負わせる暴力シーンは、実際起きた事件であった。後に、加害者らが軽い処分で済んだことが知らされるや否や、国民の怒りを買った。同時期に、警察庁捜査本部長に就任する予定であったチョン・スンシン弁護士は、ソウル大学の学生であった息子が高校時代に学校暴力を行っていたことが報道され、息子の行為を謝罪し指名を辞退した。一方、多くの国で高い視聴率を得た本ドラマは、いじめ・学校暴力がどこの国でも起こりうる普遍的なテーマであることを知るようになり、世界中の人びとが今日のいじめ・学校暴力の深刻さをあらためて痛感したといえる。

ところで、韓国では本ドラマが制作される前、性暴力に対する#MeToo運動のように、過去に自分が受けたいじめや学校暴力について告発する事件が相次いだ。その矛先は、今や俳優、歌手、スポーツ選手として有名人になった加害者であった。彼らは、学生時代にいじめの対象となった生徒に酷い暴力を振るったが、きちんとした責任を取らず、被害者にまともな謝罪をしないまま大人になり、有名人になったのである。2021年、バレーボールの国家代表として活躍していた双子の選手が、学生時代に行った学校暴力が発覚し、国家代表からの降板は言うまでもなく、韓国国内での活動も不可能となり、結果、海外に移籍することになった。同年、映画〈サムジンカンパニー1995（原題：サムジングループ英語TOEIC班）〉（2020）で主役を務め、人気女優となったパク・ヘスは、学生時代の学校暴力が暴露され、俳優活動を全面中止せざるを得なくなり、公開間近であった新作ドラマも放送中止となった。オンライン上では有名人の過去の学校暴力が次々と暴露され、人気アイドルグループのLE SSERAFIM《ルセラフィム》のあるメンバーをはじめ、人気オーディション番組の参加者が相次いで舞台から姿を消していった。加害者たちの身元の情報がネットで公開され、波紋が広がる中、こうした暴露に対して非難する声もあったが、多くはこうした暴露を支持したのである。その理由は、学校の教員や校則、さらに警察や法律が加害者に罪を問うどころか、被害者に沈黙を強いてきたからである。「私的復讐」をテーマにしたドラマが制作され、大ヒットするのも同じ理由といえる。

韓国でいじめや学校暴力などが本格的に社会問題として台頭したのは昨今のことではなく、1990年代初頭に遡る。それ以前にも学校暴力を苦に生徒が自殺した事件があったものの、それほど社会問題化されなかった理由として、当時はいじめや暴力を敏感に受け止める文化が形成されていなかったためである。1990年代以前は、集団がひ弱な個人に加える暴言や物理的な暴力はもちろんのこと、教師による体罰や先輩に殴られる程度は軽く見る文化が根付いていた。また、クラス内の貧富の格差はそれほど深刻ではなく、相対的にいじめが起きにくい環境でもあった。

だが、消費社会を迎えた1990年代以降、生徒たちの習性も変わりはじめる。教室に多様な階層、感性や文化的背景が異なる生徒が共存するようになり、「勉強ができるのか」「いい暮らしをしているのか」などによるいじめは言うまでもなく、着ている服、アクセサリー、言葉づかい、外見などいじめのあり方も多様化していった。そして、消費社会を生きる生徒は、経済成長期の生徒とは異なり、些細に見える、ちょっとした暴力に耐えられない身体を持つようになったのである。こうした状況に対し、当時教育、10代文化の研究者らは「学校改革の速度は遅いものの、子どもたちの身体とライフスタイルはあまりにも早く変化した点が、学校暴力が深刻化した原因のひとつである」と指摘した。

特に、1995年は初めて政府による「学校暴力の予防・根絶対策」が講じられるなど本格的に社会問題となり、学校暴力によって犠牲となった生徒の親たちが中心となった市民団体「青少年暴力予防財団」が設立された。ある生徒を集団的にいじめ、死にいたらしめた事件はもちろんのこと、学校の至る所で理由なき暴力がなされ、生徒たちが集団となって教師を暴行する事件も起きた。さらに、女子中学生たちが暴力サークルを結成する一方、組織暴力団が学校の周辺で子どもたちを暴行し、金品を搾取する事件も次々と起こった。なかでも「一陣会」は、暴力で序列を決める暴力サークルであり、運営構造が成人社会の組織暴力団と似ているだけでなく、連携しているともいわれ、大きな社会問題となった。学校暴力の問題は、社会の問題が反映されたものであったといえる。だが、当時の重要な教育政策は、暴力が日常化した学校の根本的な構造をどのように改善すべきかというよりは、問題の生徒を特定し、糾弾することに焦点が置かれていた。こうした中、２００４年に学校暴力に対する重要な変化として「学校暴力の予防及び対策に関する法律」が制定された（日本では２０１３年にようやく「いじめ防止対策推進法」が制定された）。学校暴力に対する国家や地方自治体の責務を明確にし、学校暴力対策委員会など関連機構を作ることや、学校暴力に対する相談や調査などを行うことなどが定められている。

２０００年以降はインターネットの普及により、学校崩壊や学級崩壊、いじめ問題がより可視化されていった。学校暴力がはじめて社会問題化された１９９５年から16年が流れた２０１１年12月、大邱のある中学生が学校暴力に耐えきれず自殺する事件が起きた。この事件は、これまでの政府や学校側の学校暴力対策のみならず、学校暴力に対する社会の認識を大きく変えるきっかけとなった。当初、教育庁や校長、警察、マスコミは、「友達同士の喧嘩で起きた不幸な事件」「10代のゲームや漫画の悪影響」と結論づけようとしたり、「学生人権条例」（第14章参考）の制定により教師の権威が弱体化し、生徒たちにきちんとした規律訓練ができない状況が問題の根本にあると指摘したりした。だが、被害者の生徒が自殺直前に残した遺書が流れを一気に変える引き金となった。そこには、被害者が加害者からどれほど深刻な暴力を受けてきたのかが詳細かつ切実に記されており、加害者を処罰してほしいと書かれていた。この遺書の内容は、インターネットを通じて韓国社会に広がり、大きな波紋をもたらした。問題の深刻さを認識した大統領府は、学校暴力対応タスクフォースチームを作り、教育科学技術部も24時間運営する「１１７学校暴力申告センター」を設置した。警察庁も動きはじめ、学校暴力を予防するための「学校担当警察官」制度を運営していたが、現在は「学校保安官」に名称を変え、多くの学校で運営している。教育庁では、被害者や加害者、さらにはその家族まで支援するプログラムを運営し、これまで民間で行っていた「学校暴力実態調査」は、匿名性を厳守し、年2回実施している。

一方、生徒や保護者、一般市民からは、学校暴力の問題が解決できない原因として、何よりも加害者に対する措置の甘さにあるという指摘と不満が相次いで出てきた。こうした背景から、いじめの加害者に対する措置は、2019年度以前の学校ごとに置かれた「学校暴力対策委員会」から、自治体ごとに設けられた「学校暴力対策審議委員会」での審議に変更された。前者の場合、過半数の生徒の親か教師であり、生徒指導の担当教師などで構成されていたため、甘い判断が下された一方、後者の場合は地域の学校や保護者、教員、公務員などで構成されており、より客観的な審議が行われるようになった。さらに、2023年の政府の発表によると、いじめなどの学校暴力に関わった記録は、2026年度の大学入試の選考から反映され、すべての大学に義務付けるとした。

「いじめのない社会をどう築き上げていくのか」をめぐり、政府をはじめ、教育庁、教師、市民団体などがさまざまな対策に乗り出している。だが、学校暴力で苦しんでいた生徒らが命を絶つ事件は後を絶たない。学校の役割やあり方を根本的に変えない限り、いじめや暴力は絶えないだろう。未来を担う若者のケアは、学校や社会のあり方にかかっているといえる。


（福島みのり）

17

環境問題、環境政策

★多様化する課題に遅れる環境対策★

韓国では政権が変わるごとに政策が大きく変わってきたが、環境政策は特に変化が大きい分野だ。具体的に考察していこう。

世界的なテーマである気候変動についてムン・ジェイン政権が２０２１年、韓国の２０３０年の温室効果ガス削減目標を40％と表明した。ムン・ジェイン政権の表明もパリ協定に沿ったものだが、実現への可能性や、それに応じた政策策定などで疑問も投じられた。

２０２１年10月から11月に英国グラスゴーで開催されたＣＯＰ26ではグラスゴー気候協定が合意され、先進国は石炭発電を段階的に削減し、化石燃料に対する補助金も段階的に中断することが明示された。ところが、韓国では２０２１年現在、７基の石炭火力発電所建設が進んでおり、１基当たりの発電容量も従来の２倍規模である。特にサムスンとＰＯＳＣＯは日本海側の蔚珍《ウルチン》や三陟《サムチョク》に民間石炭発電所を２基ずつ建設する予定で、ここから遠隔地に送電する非効率性を考えると、問題が多い。韓国政府は実現に支障はないとしたが、批判はやまなかった。ところが、２０２２年に就任したユン・ソンニョル大統領は10月に大統領室で行われた「２０５０炭素中立グリーン成長委員会」

の席上、前政権の環境政策を「科学的根拠もなく産業界の意見も聞かずロードマップも決めないまま発表した」と述べて、さらなる政策の後退だと批判を浴びた（『共に生きる道』2022年12月号）。ユン・ソンニョル政権では環境政策のさらなる後退が憂慮されている。

韓国政府はこれまでも失敗を繰り返してきた。その代表的事例が4大江事業である。イ・ミョンバク大統領が2008年の就任早々に着手した4大江事業は、洪水予防と生態系復元を掲げて始まり2013年はじめに完了した。事業は22兆ウォンを投じて16の堰《せき》、5つのダム、96の貯水池を造成するものだった。巨額の政府予算投入には建設会社の利権が絡んでいるともいわれた。ところが、大統領退任後の2013年夏に各地の河川が緑の藻のようなものにびっしりと覆われはじめた。その色がどぎつく川面を覆いつくすさまに「緑藻ラテ」という笑えない言葉が語られたほどだった。日本語では「アオコ」と呼ばれる現象に似ているが、緑藻は河川で発現しているのが特徴である。厳密には植物である緑藻と、バクテリアに属する藍藻からなるという。河川に現れることから上水の取水にも悪影響が及んだ。藍藻はマイクロシスチンという強い毒性を持つ物質を生成し、青酸カリの10分の1から200分の1で致死量になるという。ムン・ジェイン大統領は当選後間もない2017年5月に4大江の堰の水門を全面開放することを特別指示、6月から実施された。だが、4大江の自然を元通り復元することはできず、失われたものは多い。

自然破壊とは別の次元での環境被害の代表的事例として、加湿器殺菌剤被害をあげることができる。これは2011年5月に幼児を中心に発生した謎の肺疾患として社会問題になりはじめ、風邪のようでもあるが咳はなく原因も不明だった。幼児の患者が多かったが母親や妊婦もそれに次いで多く、家族の発病に理由もわからないまま、多くの人びとが悩み苦しんだ。8月31日に韓国政府は加湿器に利用する殺菌剤の有毒成分を原因とした肺疾患であると発表したが、被害救済や事件の責任追及を行おうとはしなかった。被害者家族たちが環境保健市民センターのチェ・イェヨン所長ら市民団体と協力して検察に捜査を要求したが、検察は動こうとしなかった。２０１６年になって国会では各党が被害者救済法案を出したが、パク・クネ政権の与党であるセヌリ党（23年現在は「国民の力」）の環境労働委員会所属クォン・ソンドン（権性東）議員は、環境問題の疾患や事故だけを優先して救済すると交通事故や犯罪被害者との公平性が保てないと反対し、法案はいったん棚上げされた。しかし、パク・クネ大統領が問題の検討を指示し、17年1月にようやく加湿器殺菌剤被害救済のための特別法が国会で成立した。救済法に基づき申請した被害者は２０２１年１月までに死亡者１７４０人、負傷者５９０２人に達した。国家機関である社会的惨事特別調査委員会の調査では被害者はなんと１９９４年から発生しており、推定で死亡者２万３６６人、健康被害95万人と推定された。被害者の規模でいえば日本の水俣病を大きく上回る。

また、労働災害としてはサムスン電子に勤務して労働災害により白血病を患って２００６年３月に亡くなったファン・ユミの存在を忘れることはできない。家族は労災申請をしたが、勤労福祉公団はこれを認めなかったため、労災認定を求める訴訟を提起、14年8月にようやく勝訴した。ファン・ユミは高校卒業に先立ち、サムスン電子器興《キフン》工場の半導体生産現場に２００３年10月に就職したが、05年5月から立ち眩み、嘔吐、疲労など異常を感じはじめ、白血病と診断されたのち、闘病を経て06年に亡くなった。会社側は労災を訴える父親を脅迫するなどし、それでも父があきらめないと、会社と関係ないのだから好きにするがいいと言い放ったという。サムスン側は工場で白血病の原因となる物質は使用していないと反論したが、半導体の基板をフッ酸、イオン化水、過酸化水素、硫酸アンモニウムなどの混合液につけた後に取り出す作業を行っており、これが白血病の原因となりうることが認定された。半導体工場で勤務した後、ファン・ユミのように亡くなった労働者はほかにもおり、労災防止対策と安全のための立法が求められている。

悲しい消息の多い現実だが、生協活動のようにこの間韓国で定着した動きもある。環境運動連合の運営するエコ生活協同組合は2022年10月で創立20周年を迎え組合員は1万5000人に及んでいる。生産者と消費者を結び付け安全な食卓をめざして活動してきた生協、ハンサルリムは1986年の「ハンサルリム農産」としての発足からすでに2023年で37年になる。

ノ・ムヒョン政権が解決に失敗し、干拓事業が強行されたセマングムは、環境運動にかかわった者にとってのトラウマのような存在だというが、わずかに残っている周辺の未開発湿地スラ地区を見守り続けたセマングム市民生態調査団は、絶滅危惧種のクロツラヘラサギの飛来を伝えてくれた。ドキュメンタリー映画〈スラ〉に登場する生き物たちは私たちに希望を感じさせるのである。

なお、これより以前の環境運動の出発などについては本書第2版を参照してほしい。

（石坂浩一）

◉参考文献
具度完／石坂浩一、福島みのり訳『韓国環境運動の社会学』法政大学出版局、2001年。
田島夏与、松本康、五十嵐暁郎、石坂浩一編著『再生する都市空間と市民参画』クオン、2014年。
アン・ジョンジュ『奪われた息──最悪の環境悲劇、加湿器殺菌剤災害の真実』（韓国）2016年。

18

危険な原発回帰

★巻き返す推進勢力★

2017年5月に当選したムン・ジェイン大統領は6月19日、韓国で最初に稼働した古里原発1号機の稼働停止式典に出席、今後「原発中心の発電政策を廃棄し、脱核（原発）時代へ向かう」ことをめざす、新政権の意欲的方針を打ち出した。大統領は、韓国は世界で原発が一番密集した地域になったが、前年の9月にも慶州でM5・8の地震が発生したとして、国民の安全を最優先にしたエネルギー政策を追求すべきだと呼びかけた。同時に、寿命が来た原発は稼働を延長しないことなどを訴えた。その背景には2011年の東京電力福島第一原子力発電所の大事故が周辺地域に多大な被害をもたらし、地域住民の生活を破壊したことが厳然たる事実として存在している。そして大統領は、危険な作業である廃炉をつつがなく進めるための廃炉ビジネスに力を入れる意向も示した。

脱原発は進むかに思われたが、原発推進派は簡単には引き下がらなかった。それを象徴するのが監査院による政治的監査である。月城《ウォルソン》原発1号機は2012年が設計寿命になっていたが、それ以降も稼働していた。原子力安全委員会は2015年、月城1号機の運転を2022年まで延長することを承認、稼働を継続した。これに対して環境団体が提起した稼働延長差し止め訴訟において、ソウル行政法院は２０１７年２月にこれ以上の延長は問題があるという判決を下していた。こうした状況から、原発を運営する韓国水力原子力（韓水原）は、経済性がないという理由で18年６月に月城１号機の閉鎖を決定、原子力安全委員会への申請を経て、19年12月に運転延長を取り消し、廃炉を決定したのである。ところが、その後廃炉決定について不正があるとして朝鮮日報などの保守派メディアが政府を攻撃、監査院が介入することになり、２０２０年10月に産業通商資源部が不当に介入して稼働継続に有利な資料を削除させ早期廃炉を決定させたという報告書が発表された。インターネットニュースサイト「ニュース打破」は、監査開始以前から産業通商資源部が不正に介入したとして問題化するつもりだったことを示す監査院の内部文書を入手して報じた（２０２３年２月23日）。

ムン・ジェイン政権は原発をめぐる国民の世論を集約するため「公論化」と呼ばれる手続きを踏むことにした。２０１７年10月、建設中だった新古里《シンゴリ》５・６号機の建設をめぐり２泊３日の公論化討論会が行われたが、この時原発推進側は専門家を大挙参加させ参加者の説得に努めた。そのため、当初は建設中止の結論が出ると思われていた会合で、建設再開という反対の意見が上回ることになったのである。その後も、ムン・ジェイン政権はこれ以上原発を増やさないという方針だったが、脱原発の声は思いのほか広がらなかった。次の大統領に当選したユン・ソンニョル候補は、選挙戦で原発推進を掲げ、原発輸出などを推進している。

では、韓国には今どのくらいの原発があるのだろうか。韓国の原発は１９７０年代から稼働してきたが、表にあるように古里１号機と月城１号機は設計寿命を過ぎてからも稼働した後、廃炉が決定さ

れた。韓国では２０２２年現在、表のとおり25基の原発が運転されている（時期によって点検に入ってい
る原発もある）。釜山《プサン》広域市・蔚山《ウルサン》広域市にまたがる古里と新古里・セウル原発、慶尚北道の月城と新月城原発を近隣立地としてひとつに考えれば、原発は４つの地域に建設されており、現在も建設が続いている。原子炉は月城１～４号機だけが重水炉だが、ほかはみな加圧水型軽水炉である。

韓国の原発にはいろいろな世界一があると韓国の環境運動連合は指摘している。まず、原発の密集度では古里原発に10基が集中し設備容量で１億７３７万kWと１位、ハヌル（蔚珍）原発に８基、８７００万kWで２位、３位はカナダのブルース原発で８基、６２８８万kWである。周辺30キロ圏の人口では古里が３８２万人で１位、月城が１３０万人で２位、中国の秦山原発が同じく１３０万人で２位に並んでいる（『共に生きる道』２０２１年３月号）。古里は韓国第２の都市・釜山市の近隣に位置しており、原発に近い釜山市東側は原発事故の場合は多くの難題に直面せざるをえないだろう。国による人口規模が異なるので安易に比較できないが、韓国は約５２００万人の人口で25基、日本は東日本大震災以前、54基で約１億２０００万人なので韓国と同じくらいの原発密度だったが、２０２３年４月時点で運転中は九州電力４基、関西電力５基で、合計９基。韓国の原発密度は圧倒的に高い。

韓国原発の設備容量は２億４６５０万kW、発電量は時期によってちがうが、２０２２年の１月から12月にかけての平均は17億６０５４万ギガワット時（GWh）で、前年比11・４％増となり原発発電量として最大値を記録した。原発が発電に占める割合は29・６％で２０１５年の30・０％以来最高水準だった（韓国電力による、〈聯合ニュース〉電子版２０２３年２月14日）。この間、原発をめぐって提起された問題は少なくない。各地の原発周辺では住民のがんが多発している。政府はソウル大学医学部原子

力影響疫学研究所に委託して原発から５キロ以内に１９９１年から２０１１年まで20年間暮らす住民３万６０００人を対象に調査を行った。その結果、男性は胃がん発症率が30%、肝臓がん40%、女性は甲状腺がんが１５０%にのぼり、乳がん50%、胃がん20%という結果だった。こうした高いがん発生率にもかかわらず、調査報告では原発の放射線との因果関係は認められないと結論付けられた。原発周辺住民は多発する甲状腺がんの原発との因果関

表　韓国原発現況　(2022年現在)

	発電容量(万kW)	着工日	商業運転開始日	設計寿命満了日	備考
古里1号機	587	70.9.25	78.4.29	07.6.18	廃炉
古里2号機	650	77.3.1	83.7.25	23.4.8	
古里3号機	950	78.2.11	85.9.30	24.9.28	
古里4号機	950	78.2.11	86.4.29	25.8.6	
新古里1号機	1000	05.1.17	11.2.28		
新古里2号機	1000	05.1.17	12.7.20		
新古里3号機	1400	07.9.13	16.12.20		
新古里4号機	1400	07.9.13	19.8.29		
ハンピッ1号機	950	80.3.5	86.8.25	25.12.22	
ハンピッ2号機	950	80.3.5	87.6.10	26.9.11	
ハンピッ3号機	1000	89.6.1	95.3.31	34.9.8	
ハンピッ4号機	1000	89.6.1	96.1.1	35.6.1	
ハンピッ5号機	1000	96.9.24	02.5.21	41.10.23	
ハンピッ6号機	1000	96.9.24	02.12.24	42.7.30	
ハヌル1号機	950	81.1.12	88.9.10	27.12.22	
ハヌル2号機	950	81.1.12	89.9.30	28.12.28	
ハヌル3号機	1000	92.5.27	98.8.11	37.11.7	
ハヌル4号機	1000	92.5.27	99.12.31	38.10.28	
ハヌル5号機	1000	99.1.4	04.7.29	43.10.19	
ハヌル6号機	1000	99.1.4	05.4.22	44.11.11	
新蔚珍1号機	1400	10.4.30	22.12.7		
新蔚珍2号機	1400	10.4.30	審査中		
月城1号機	679	76.11.17	83.4.22	12.11.20	廃炉
月城2号機	700	91.10.9	97.7.1	26.11.1	
月城3号機	700	92.9.18	98.7.1	27.12.29	
月城4号機	700	92.9.18	99.10.1	29.2.7	
新月城1号機	1000	05.10.1	12.7.31		
新月城2号機	1000	05.10.1	15.7.24		

ハンピッ原発は元霊光原発、ハヌル原発は元蔚珍原発。
建設中は新古里5・6号機、新蔚珍3・4号機。
出所：韓国原子力産業協会・原子力産業会議による。

係を認め健康被害に補償を行うよう求める訴訟を提起したが、2022年2月の第一審では放射線は基準値以下であると敗訴した。原告団は4つの原発サイトすべてにわたり患者618人および家族2882人を合わせ3500人。居住平均期間は19・4年である（『蔚山第一日報』電子版2022年11月30日）。月城は重水炉であるため重水素を冷却剤として利用しているが、三重水素が地中に漏出し土壌を汚染した疑惑も持たれている。

韓国の保守派が原子力発電の維持にこだわるのは、北朝鮮との対立がかかわっている。韓国は韓米原子力協定により核燃料製造や再処理を禁じられているが、原発の発電により生み出されたプルトニウムを保有し、潜在的な核兵器開発能力を持っていたいとの願望があるためと見られる。また、原発輸出が大企業に莫大な利益を生むビジネスチャンスになるともいえる。特にイ・ミョンバク大統領は原発輸出を強力に推進した。ただ、原発輸出はそれほどうまくはいかず、将来の事故について韓国企業がどれだけ責任を問われるのかも不安要因である。韓国も日本と同様、放射性廃棄物の処理方法について決定されておらず、現在は各サイトに貯蔵施設を作り、満杯になると施設を建て増しすることの繰り返しである。その問題の深刻さを国民的に議論すべき時である。

なお、ここに書いた以前の原発の動向などについては本書第2版を参照してほしい。

（石坂浩一）

参考文献
ノーニュークス・アジアフォーラム編『原発をとめるアジアの人びと――ノーニュークス・アジア』創史社、2015年。

19

女性の人権と法制度

★若い世代にみられるジェンダー葛藤★

韓国で2016年に刊行された『82年生まれ、キム・ジヨン』は100万部のベストセラーとなり、日本・アジア・欧米をはじめ18カ国で翻訳され、日本でも2023年現在23万部の大ベストセラーとなった。本書は、学校生活、就職、結婚、育児にいたるまで女性の人生に潜むさまざまな差別と困難が描かれており、次第に精神を崩壊させていくキム・ジヨンの姿を通して女性を息苦しくする社会構造を描いている。幼少期における男児選好を取り巻く祖母・母・娘の葛藤、中学、高校時代における女性の服装に関する過度な禁止項目、男性から受けた性的被害は女性の自己責任として捉えられる現状などが描かれている。大学卒業後就職した企業では、男性よりも女性の賃金は低く、男性社員が昇進するなかで、キャリアを築き上げてきたキム・ジヨンは結婚・出産を機に会社を辞めざるを得ない状況に陥る。子育てがひと段落した後は、パートタイムなどの仕事しか就くことができず、いわば「経断女」（経歴断絶女性の略語）としての辛い経験（M字型就労という）をするなど、男性中心の社会に疑問を投げかけた小説であった。それまでジェンダー問題が可視化されてこなかった日本の場合、読者が本小説を通じて日本のジェンダー問題を発見したという点で、この小説で描いている女性を取り巻くさまざまな問題は日韓共通の課題といえる。

２００６年からはじまった「世界フォーラム」による「ジェンダーギャップ指数」では世界１１５カ国中、韓国が１１１位、日本が79位と韓国よりも日本が上位にランクインしていたが、それから16年後の２０２２年度は１４６カ国中日本が１１６位と後退した反面、韓国は99位と飛躍的に上昇した。昨今これだけ日韓の差が開いた背景には、韓国社会における女性運動の成果とともに、ノ・ムヒョン政権期（２００３～08）およびムン・ジェイン政権期（２０１７～22）における家族法改正や女性政策により女性を取り巻く状況が飛躍的に改善されたことがあげられる。以下、韓国の女性解放運動の歴史と法制度を振り返ってみる。

韓国は、男尊女卑を内面化した儒教思想に基づく朝鮮時代（１３９２～１９１０）が長く続いた。女性解放運動は１９７０年代の軍事独裁政権下において家族法改正運動、労働運動、そして80年代には文化運動、性暴力追放運動などさまざまな分野において展開されてきた。父親優先の親族規定、戸主相続の順位、財産相続規定など家父長制の影響が強く残る家族法（１９５８年制定）をめぐる改正運動は、三度にわたる改正を経て、財産相続の男女平等、離婚した子どもの親権を父母同等にできることなど多くの権利を勝ち取ってきた。女性労働者による生存権闘争も同時期に展開した。１９６０年代から70年代にかけてのパク・チョンヒ政権時代、圧縮された近代化ともいわれるほど短期間に高度経済成長を成し遂げた背景には、差別的な賃金体系による未熟練の低賃金かつ長時間労働を強いられた女性労働者たちの存在があった。１９７８年、東一紡績女性労働者１２３名は不当な待遇と労働条件の改善を求めて立ち上がったが、会社側のみでなく政府や男性労働者も一体となった弾圧により、不当解雇された。東一紡績の会社名はドンイルと改称され解雇撤回は現在まで続けられているが、2001年には民主化運動の功労者として政府が認め、彼女たちの闘いは民主化の歴史に残るものとなった。

1970年代における労働運動の経験は、80年代以降活発化していく学生運動、「国際女性年」（1975）に代表される女性問題に対する国際的な関心の高まりによって、梨花女子大学の教育者・卒業生が中心となって形成された「女性平友会」（1983）、女性の生活世界から女性問題に取り組む「もうひとつの文化」（1984）など、民主化運動の流れのなかで進歩的な女性運動団体が徐々に設立されてきた。さらに、これまで言説化されてこなかった性暴力・家庭内暴力の実態も80年代後半から問題提起されるようになる。だが、当時の改革運動の主体は男性であり、民族民主運動という名の下、女性解放運動は軍事独裁政権とともに、男性主義にとらわれた民主化運動という二重に抑圧された現実を経験せざるを得なかった。

しかし、軍事独裁政権時代の1970年代からはじまる労働運動、そして民主化運動への流れのなかで女性運動が活性化し、1987年の民主化以降に高まった女性の権利や男女平等を求める運動により、新しい法制度が数多く生み出された。とくにキム・デジュン（1998～03）・ノ・ムヒョン政権期（2003～08）においては、女性部の新設、戸主制廃止による家族関係登録簿の新設（第21章参照）など、女性政策に飛躍的な進歩がみられた。なかでもキム・デジュン政権期の女性部の新設（2000）は、女性政策や男女差別の防止をはじめ、政治や雇用分野での政策決定過程における女性の参加を画期的に強めるきっかけとなった（「女性部」は家族の多様化、少子化問題が台頭していくなかで2005年に「女性家族部」に改編された）。ムン・ジェイン政権期（２０１７〜22）においては、先述した『82年生まれ、キム・ジヨン』ブームとともにMe Too運動が拡大するなかで、ムン大統領自身も「フェミニスト」と称し、雇用主が採用する際、片方の性の比率が70％を超えないようにする「男女平等採用目標制度」（ただし、教育公務員は例外）を制定するなど、女性政策を積極的に推進した。

こうした長年にわたる女性運動や、女性政策の推進により、社会で活躍する女性は徐々に増え続けている。育児世代のワークライフバランスのため２０１９年制定された「勤労時間の短縮制度」を利用した割合をみてみると、２０１５年度は女性１８９１名、男性１７０名であったのに対し、２０２０年度は女性１万３０５９名、男性１６３９名と男女ともに大幅に増加したものの、男性の利用率は依然少ないのが現状である。育児休暇利用率の場合も、２０１５年度は女性59・3％、男性０・4％であったのに対し、２０１９年度には女性63・6％、男性1・8％と、女性の約６割が利用しているのに対し、男性は２％未満と依然男女差に開きが見られる（「２０２１年統計からみる女性の生き方」女性家族部より）。一方、ジェンダーギャップ指数において重要視されている「意思決定」に携わる高位職の女性の比率を２０００年度と２０２０年度を比較してみると、「国会議員」が5・9％から19％へ、「管理職」が15・1％から20・9％へ、判事が24％から31・4％へ、検事が20・8％から32％へ、弁護士が11％から27・8％とどの分野においても飛躍的に上昇したものの、依然男性の割合が7、8割近くを占めているのが現状である。

こうした状況にもかかわらず、若い男性を中心に、ムン・ジェイン政権期に積極的に推進された女性活躍政策は、男性への逆差別であると同時に、男性のみに課される徴兵制への考慮がなされていないという不満が高まった。特に、兵役に対する軍加算点廃止問題をきっかけに、２０１０年以降、主にネットを通じて20代男女の間でジェンダー葛藤が加速化した。こうした若い男女の対立により、２０１６年に江南駅で起きた女性無差別殺人事件は若い女性の間に大きな衝撃を与えた。その後、被害者の保護、二次被害の防止等を含めた「女性暴力防止基本法」が制定され、20代女性の間ではヤングフェミニズムが加速化していった。一方、こうした女性運動に対するバックラッシュにより、一部の男性による男性運動も活発になり、20代男性の女性差別現象が起こった。『時事イン』（２０１９年４月13日）の調査によると、「男性差別は深刻だ」という質問に対し、20代男性の30・5％、30代女性の22・3％が「イエス」と回答し、「フェミニズムは男女の対等な地位と機会付与をなす運動である」については、20代男性の44・5％、30代男性の15・5％が「強く反対する」と回答した。20代男性は、公正であるべき「競争」において「権力」が女性にチャンスを与えていると捉えたのである。既成世代との対立のみでなく、若者世代内でのジェンダー対立が深刻化する状況下でこの不均衡をどう是正するのかが今後の韓国社会の課題であり、女性運動が直面している新たな課題といえる。

（福島みのり）

江南駅女性殺害事件の追悼集会（2023）。たくさんのポストイットで描かれた「変える」との文字。
撮影：朝倉希実加

◉参考文献
韓国女性ホットライン連合編／山下英愛訳『韓国女性人権運動史』明石書店、２００４年。
裵海善『韓国と日本の女性雇用と労働政策——少子高齢化社会への対応を比較する』明石書店、２０２２年。

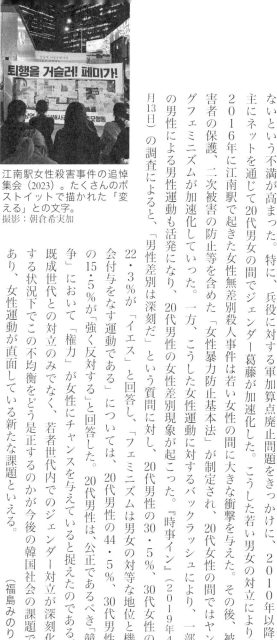

20

性暴力とMeToo運動

★女性連帯の可能性とデジタル犯罪の課題★

２０２３年1月、#MeTooに火をつけたジャーナリストたちの闘いを描いたアメリカ映画〈シー・セッド　その名を暴け〉が公開された。超大物のプロデューサーが繰り返し行ってきた性暴力、セクハラに対し、口封じゆえに「ＮＯ」と言えなかった大勢の女性たちがいた。

#MeTooは、今となってはテレビの報道や新聞などでもよく目にするようになり、次々と報道される内容に驚きを隠せずにいる市民がいる一方、被害者は長年「自己責任」という罠に嵌められ、声を出せずにいた。自分の受けた性暴力を告発することは過去の自己からの解放であると同時に、周囲からのバッシングも覚悟しなければならない心痛ましいことでもある。その点で、#MeTooは性暴力の被害者たちがお互いの辛い経験を共有し、サバイバーたちに「あなたは一人ではなく、私たちとともにいる」という意味を含んだ社会運動といえる。

韓国では２０１８年1月、検察庁の検事であるソ・ジヒョン氏がＪＴＢＣのニュースの生放送に出演し、当時上司であったアン・テグン検察局長による性暴力を暴露したことが#MeTooのはじまりであった。２０１８年3月には、忠清南道知事のアン・ヒジョン氏が女性秘書に性暴行を繰り返した疑惑が浮上し、知事職を辞任したが、彼は次期の有力な大統領候補でもあったため、韓国社会はかなりの衝撃を受けた。同年、MBCの報道番組「PD手帳」は、日本でも「鬼才」として知られていた映画監督のキム・キドクによる複数の女優への性暴力疑惑を報道し、芸術、文化分野にも#MeTooが広がっていった。また、2020年4月には、釜山市長のオ・ゴドンが女性職員への強制わいせつ罪に問われ辞職したが、同年7月にはソウル市長であったパク・ウォンスン（朴元淳）が女性秘書へのセクハラ疑惑が浮上し、自ら命を絶った。彼も次期の有力な大統領候補であった。

性暴力の多くは密室で起こる犯罪であり、第三者の目撃証言がほとんどない。その点で、被害女性が名乗り出ない限り、社会に可視化されることもない。だが、被害女性は恥ずかしさから名乗り出ないケースが多い。名乗り出たとしても「暴力を受けた」という証拠を提示する必要性や、「なぜ抵抗しなかったのか」など、女性の人権を無視した男性中心の性言説に基づいた刑事司法制度に被害者の女性たちは直面する。その点で、性暴力犯罪は男性優位の文化が創り出した犯罪であり、子どもと大人、男性と女性という権力関係が影響を及ぼしてきたといえる。事実、性犯罪の多くは「職場の上司と部下の関係」から発生している（韓国では、「甲と乙の関係」と言われる）。加害者は優位な地位にあることを利用し、自分よりも弱い立場にある年下の部下、女性などに性的な関係を強要する。なかでも、「大衆文化・芸能界」の場合、長期にわたり密室での作業がなされることも多く、性被害にあったとしても作品が完成するまでは告発できないという問題がある。昨今は、性被害を受けた作品をどう評価するのかという問題も浮上している。ゆえに、性被害を受けたとしても、職場での解雇への恐怖や被害女性へのバッシングにつながることも多いため、長年耐え続けてきた女性の数は測りしれない。また、

アン・ヒジョン元知事の控訴審宣告公判後の集会。プラカードには「アン・ヒジョンは有罪だ **#metoo # withyou**」と書かれている。出所：unsplash, Ra Dragon

勇気を出して告発したとしても、２次被害、３次被害を受けるケースも多く見られる。その点で、#MeTooという全世界の被害女性たちが勇気を出して声をあげはじめたことが、今日の大きなうねりにつながったといえる。

#MeTooはさらに、性被害を受けた女性に対して「ウィズ・ユー（With you）」の声援を送る運動につながっていった。「ソ・ジヒョン検事を応援します」との声明を出したソ・ジヒョン検事の司法研修院で同期であったメンバー２２５人は、「これまで分かってあげられず、申し訳ない気持ちを込めて、今からでも勇気を出してくれた彼女を見守りたい」「私たちがソ・ジヒョンだ」とソ検事の苦しみに連帯し、あなたをサポートする「ウィズ・ユー」の気持ちを伝えた（ハンギョレ２０１８年２月２日）。一方、日本の場合、性暴力を受けたことに対し女性が声を出しても、人権団体や女性団体による運動が展開されるどころか、自己責任としてバッシングを受けるのが常であった。ジャーナリストの伊藤詩織氏が２０１５年に著名なテレビ記者に準強姦されたとして刑事告訴をしたが、検察は嫌疑不十分で不起訴とした。結局、彼女は損害賠償を求める民事訴訟を起こし、２０１９年に東京地方裁判所は被告人に３３０万円の支払いを命じ、ようやく民事裁判で勝訴を得た。

伊藤氏は性暴力発言以降、多くの非難にさらされ自殺未遂することもあったと語る。彼女はその後日本を離れ、BBCなどの海外メディアを通じて性被害の実情を語り、勝訴まで4年の歳月がかかった。その間、伊藤記者は韓国でも広く知られることになった。日韓の#MeToo運動の先駆者対談「伊藤詩織記者×ソ・ジヒョン検事」（2018年12月週刊韓国ニュース（YouTube配信））が行われた。対談のなかでソ・ジヒョン検事は「犯罪者が正当に処罰を受け、そして被害者が正しく保護されるという正義が実現される法と制度が必要である」と語った。日本での性暴力事件が、イギリスや韓国の支援を受け告発に至ったことは性暴力に対する日本の現実を物語っているといえる。こうした影響の下、日本では2019年以降、毎月11月に花を身に付けて性暴力に抗議する「フラワーデモ」が行われるようになり、より親密な空間である家庭内における性被害の告発なども徐々に語られるようになっていった。

なお、韓国では昨今、性暴力被害を防ぐための政策が大学でも実施されている。男性教員らの性差別発言が絶えない中、講義モニタリングを強化する対策を行い、大学で経験しうる性的暴力の状況に対する対処法を盛り込む動きが徐々に出てきている。東国大学女子学生会の「トントゥム」は、授業中に行われるヘイト・侮辱発言について学生から情報提供を受ける「講義モニタリング」を行い、成均館大学と漢陽大学の場合、学生らの要求で2023年度から講義評価項目に教授の性差別発言や行為を問う項目を追加した。ほか、「水原女性の電話」では、大学内のセクハラ・性暴力の対応マニュアル『17年入学のキム・ジウンたち』が大学生・大学院生とともに作成された。

一方、もうひとつの性暴力問題として「デジタル性暴力」の被害も拡大している。「デジタル性暴力」とは、カメラなどデジタル機器を利用し、身体を撮影し、流布・脅迫・保存・展示など情報通信技術を媒介したオンライン空間で発生する性暴力である。「デート暴力」「ストーカー」「準強姦」などオフライン空間で発生する女性に対する性暴力の延長線上にある。デジタル性犯罪の発生状況をみると、過去10年間、最も急増しているのが「カメラを利用した撮影罪」であった。女性家族部傘下の「デジタル性犯罪被害者支援センター」によると、被害者支援の件数が2018年度には1315名だったのに対して2022年度には7979名と、飛躍的増加した。

なかでも韓国社会に大きな衝撃を与えたのは「n番部屋事件」である。2018年から2020年にかけて未成年者16人を含む若い女性70人以上が残虐な性的搾取や暴行にさらされ、その様子がSNS上で売買されていた事件である。本事件の主犯である「博士ルーム」を運営していたチョ・ジュビン（26歳）は2020年逮捕され、懲役42年の刑が確定された。2022年にはドキュメンタリー『サイバー地獄――n番部屋 ネット犯罪を暴く』（チェ・ジンソン）が制作され、デジタル性犯罪に警鐘を鳴らした。オフラインのみならずオンライン上での性暴力被害をどう防ぐことができるのか、今後の大きな課題といえる。

（福島みのり）

参考文献
ク・ジョンイン／呉永雅訳『秘密を語る時間』柏書房、2021年。
鄭喜鎭編／申琪榮監修／金李イスル訳『**#MeToo** の政治学――コリア・フェミニズムの最前線』大月書店、2021年。

21

世代差と社会意識

★「公正」を重視するMZ世代の登場★

「世代」は韓国を読み解く上で重要なキーワードのひとつである。韓国社会は、軍事独裁と高度経済成長、民主化運動、消費社会の到来、ＩＭＦ経済危機など、わずか30年の間に「圧縮された近代化」という変動期を経てきた結果、異なる時代の経験による世代間の価値観をめぐる対立がなされてきた。日本の場合、学生運動を担った「団塊世代」、バブル崩壊以降の就職難に青年期を迎えた「団塊ジュニア世代」に加え、昨今は「さとり世代」「ゆとり世代」「Z世代」など消費者の観点に基づく流行語のような世代論が数多く存在する。その点で、韓国の世代論は、民主化、消費社会、グローバルな競争社会へと急激に変化していく韓国社会と深く連動しているのが特徴である。

これらの世代論は、消費社会に突入した90年代の「新世代」を筆頭に、それ以前の世代についても、時代ごとにネーミングし、各々の世代について韓国社会が議論を重ねてきた結果、定着したといわれる。世代論が登場してから30年ほど経った今日においても、現在の社会におけるポジションとの関連から世代葛藤、世代対立といった図式で再生産されつづけている。では、先に述べた家族構成員における各々の世代は、どのような時代性と関係性をもっているのだろうか。

『88万ウォン世代』の著者ウ・ソックン（２００７＝09）によると、韓国経済栄光の30年の間に20代から40代を過ごした「維新世代」は、ある程度の経済力を備えている世代であり、「漢江の奇跡」とも呼ばれた経済成長に対する郷愁が強い。ゆえに、教育・福祉など社会的課題に対して経済成長率を高めることで問題を解決しようとする傾向が見られる。だが一方で、不安定な国民年金システムと満足に整備されていないセーフティーネットのなかで、不安の多い老年期を送っている。

60年代生まれで80年代に民主化運動の時代を過ごした世代である「86世代」は、政治的な団結力が高く、キム・デジュン、ノ・ムヒョン、ムン・ジェイン大統領が当選する上でこの世代の活躍が大きく寄与した。１９９７年のＩＭＦ経済危機以前に社会進出を果たした「86世代」は政治、大衆文化、芸術、ＩＴなど韓国社会のメインストリームで活躍している反面、早期留学や高額な家庭教師の依頼など自分の子どもたちによりよい教育を受けさせようと、私教育市場を拡大させる結果を招いたとされる。

一方、現在40代になり、社会の中枢を担う「新世代」は、消費文化が開花した90年代初頭に登場した若者世代を指す。「学校に行かなくても社会で成功できる」というメッセージを送った人気ラップグループ「ソテジとその子どもたち」は「新世代」を象徴する人物である。当時は消費志向的、個性的、明確な自己表現など、既成概念にとらわれず新しい価値観を追求する若者として捉えられていたが、ＩＭＦ経済危機の影響の下、学校（大学）卒業と同時に就職難に陥った世代といわれる。だが、この世代の一部はＩＭＦ経済危機以降のベンチャーブームに乗り、起業したケースも多く見られる。日韓の若者にとってはすでに日常に浸透しているカカオトーク（Kakao Talk）やライン（LINE）、ダウム（Daum）、ネイバー（Naver）や、さまざまなオンラインゲーム、さらにＫ－ＰＯＰや韓流ドラマなどもこの世代によって作られた。

２００５年前後に登場した「88万ウォン世代」は、「新世代」に比べ、暗いイメージが漂う。「88万ウォン」とは、20代非正規職の手取りが平均88万ウォンであることから作られたネーミングであり、安定した職に就くのはほぼ絶望的な世代といえる。２０００年以降のコスト、人員削減の政策として知られる新自由主義による経済政策の波は、失業率を上げ、非正規雇用を拡大していった。内需が崩壊しはじめた２００３年以降、企業による新規採用の抑制により、就職はさらに厳しくなっていった。この世代は、「86世代」「新世代」とは異なり、同世代内における共同体意識や文化を形成することなく、際限なき競争社会を生きているという意味で「バトル・ロワイヤル世代」とも呼ばれる。

若者を取り巻く状況が深刻化するなかで、就職難や非正規雇用に焦点があてられた若者論に加え、２０１０年以降は家賃・物価上昇により生活費の支出が増え、日常生活自体がなりたたなくなるなかで「恋愛」「結婚」「出産」を放棄せざるを得ない若者を指す「３放世代」が登場した。その後、「人間関係」「マイホーム」を加えた「5放世代」「希望」と「夢」を加えた「7放世代」、放棄せざるを得ない事柄が無限に拡大していく様相をネーミングした「N放世代」まで登場した。若者の将来が暗鬱であることがわかる新造語といえる。ソウル研究院が２０２０年度に発表した調査「障壁社会、若者不平等の特性と課題」によると、経済活動する20代の若者の約70％は、親より社会経済的な地位が低くなることが明らかとなった。親の財産やネットワークの差で広がる「世襲格差」が反映された問題といえる。2019年に起こったチョ・グク元法務部長官の娘の不正入学疑惑は、「世襲格差」の問題の深刻さを可視化した事態であった。若者の間では、生まれつきの財産やネットワークの格差を「金スプーン」「銀スプーン」「土スプーン」などスプーンに例える言葉遊びが流行り、世代内格差をスプーン階級論として論じるようにもなった。現在の若者は、世代間格差のみならず、世代内格差の中で生きざるを得ない状況となったのである。こうした世代格差と世代葛藤は、大統領選挙を通じて常に注目されてきた。5年に一度行われる韓国大統領選挙は、これまで「地域葛藤」や「左右のイデオロギー対立」が中心であったが、2012年に行われた韓国大統領選挙は、就職難や非正規雇用が増え続ける中で、生きづらさを抱え始めた若者層と既得権益層である大人世代との「世代対決」となった。若い世代は就職難と非正規雇用という状況のなかで、貧富の格差を何よりも切実に感じ、福祉・雇用を保障してくれる革新野党のムン・ジェイン候補を選択した一方、若者の親世代は経済成長による不動産価格の上昇と生活の安定を保障してくれる保守与党のパク・クネ候補を選択したのである。

だが、それから10年後の2022年度の大統領選挙では、革新与党のイ・ジェミョン候補と保守野党のユン・ソンニョル候補との対立の中で、わずか0・7%の差で野党のユン・ソンニョルが大統領となった。注目されたのは、20代男女の票であり、20代以下の男性の58・7%が野党のユンに票を入れたのに対し、20代以下の女性の58%が与党のイ氏に入れたのである。この背景には、2017年以降Me Too運動が拡大する中で、男性が潜在的な加害者であるとみなす風潮や女性政策を推進した与党ムン・ジェイン大統領に対する若い男性の不満、すなわち男性のみに課される徴兵制に対する議論がなされていない反感が広がっていった。過去10年にわたり世代投票が行われてきた大統領選挙において、2022年度はジェンダー葛藤が争点になった年であった。現在の若者世代を取り巻く状況は、これまでの世代間葛藤と世代内葛藤とともにジェンダー葛藤が加わったといえる。

昨今は、先進国となった豊かな韓国で生まれ育った世代として、「ミレニアル世代」とその後の「Z世代」を合わせた「MZ世代」が注目されている。「南北統一」「日韓関係」に対する考え方を見てみると、そこには民族・国家に基づく「大きな物語」ではなく、「公正」に基づく個人志向がみられる。こうした傾向を反映したケースが、2018年平昌オリンピックでアイスホッケー南北単一チームの結成事態であった。大勢の若者たちは、南北和解を重視したチームに自分を同一化するより、単一チームに不満を抱いている韓国の選手たちの気持ちに共感を表し、政府の対策に怒りを表した。もうひとつの興味深い例として、2019年に日韓関係が悪化の一途をたどっていく中、国民の間には日本製品に対する不買運動が高い支持を得ていたものの、50、60代は国益のために、20、30代の若者は自国に対するプライドのために支持したという結果がみられた。かつて日韓の間には経済格差が見られたものの、昨今の韓国は文化・ITコンテンツを中心にめざましい経済成長を遂げており、若い世代は日韓が対等な国家であるという認識を持ちはじめたといえる。

（福島みのり）

◎参考文献

禹晳熏、朴権一『韓国ワーキングプア——88万ウォン世代』明石書店、2007＝09年。
尹鉁喜『現代韓国を生きる若者の自立と親子の戦略——文化と経済の中の親子関係』風間書房、2019年。

22

変貌する家族関係

★非婚・晩婚化・少子化という選択★

韓国では少子化がとまらない。2021年度の合計特殊出生率（一人の女性が将来に産む子どもの数）は0・81と1割を切り衝撃が走ったが、2022年度は0・78とさらに低下した。特に首都ソウル市では0・64（2021年度）とOECD国家の中で最下位となった。こうした少子化現象は韓国社会の根幹ともいえる家族のあり方にも大きな影響を与えている。ドラマひとつとってみても、ジャンルの如何を問わず、つねに家族が登場するシーン（葛藤の要因でもあり、問題解決の決め手でもある）が出てくるほど、韓国社会といえば、儒教に基づく家族主義的な価値観が家庭内外において重要な機能を果たしている。だが、現在、韓国社会はまさに家族そのものが消滅する危機に直面しているといえる。以下、韓国における家族の変容を歴史の観点から振り返りながら、少子化がもたらした家族の現状を読み解く。

韓国社会は日本の植民地からの解放後、わずか20～30年の間に圧縮された近代化を成し遂げた。韓国の近代化計画は、社会、家族レベルの次元において、「国家主義としての軍事化（男性中心主義）」と「韓国的価値の復元（儒教倫理）」によるジェンダー化によってなされたといえる。例えば、韓国の近代化において大きな役割を担ったセマウル運動（地域開発運動）は、「男性のセマウル指導者＝社会の家長」、「婦女のセマウル指導者＝社会の主婦」とみなし、女性たちに近代的な家庭の役割を忠実に遂行させようとする「女性の家庭中心化」に大きな影響を及ぼした（権仁淑、２００５）。

長い間、韓国社会における女性の地位を周辺化させてきたのが「戸主制度」であった。戸主制度の特徴は、家父長的家長制、夫居制、父系継承主義の要素をもつ典型的な男性中心の家族制度である。戸主制度の存在は、女性の財産権、親権における意思決定権をはく奪し、また男児選好思想を助長してきた。近代化の過程で強化されてきた伝統的な家族観は、労働市場における女性排除的な構造をもたらした。高学歴女性の就業は厳しく、「韓国の高学歴女性は主婦になる（瀬地山角、１９９０）」と言われるように、彼女らの知的財産は子どもへの教育熱に転嫁していったのである。「ＳＫＹキャッスル」（２０１８）などのドラマで登場する子どもの教育に熱心な主婦、いわば「マネージャーママ」はこうして誕生した。最近、日本でもベストセラーとなった『82年生まれ、キム・ジヨン』は、女性の地位が改善されつつある現在を生きながらも、依然「男児選好」を内面化した祖父母との葛藤や、出産を機に仕事を辞め、子育てが一段落してから復帰する「Ｍ字型就労」をせざるをえない高学歴女性の苦悩を描いた小説である。

儒教倫理に基づく韓国式家族モデルは、高度経済成長と民主化を成し遂げた１９９０年代の消費社会化以降、「新世代」を中心にライフスタイルが多様化されたものの、１９９７年に起きたＩＭＦ経済危機による失業率の上昇と家庭崩壊により、少子化、晩婚化の進行とともに離婚率が上昇していった。こうした多様化した家族のあり方を「家族の危機」と捉える見方が支配的である一方、女性団体を中心に今日の家族変化はこれまでの「標準的な家族（のあり方）＝男性中心主義の家族」が崩壊したのであって、家族の多様化を示唆するものであるとの見解が強まり、法改正をはじめ、女性の社会的地位向上のためのさまざまな運動へと結びついていった。2003年以降、ノ・ムヒョン政権下では、「戸主制度」を廃止し「家族関係登録簿（2008）」が新設された。ノ・ムヒョン政権は、「5大差別の解消（学歴、地域、女性、障害者、外国人労働者）」を掲げ、中でも「国民統合と男女平等」の実現を、家族政策や女性政策の重要な政策目標とした。「家族関係登録簿」では、①「父姓主義」原則の修正、②姓の変更の自由、③親養子制度の導入など、父姓強制条項が緩和された。「戸主制度」の下では、家族構成員と家族に関連する諸問題は、家族内部の問題として個別化され、家族政策の対象として国家の責任は最小限にされるか免除される傾向にあったものの、「家族関係登録簿」は、「戸主」「家」の概念を解体し、社会の基本単位が「家族」から「個人」へと移行させた点で画期的な法律であった。

家族観を取り巻く変化の兆しは、法改正のみでなく、シングル女性、シングルマザー、離婚経験者を取り巻く言説にも現れている。晩婚化、未婚化が進むにつれ、これまで「オールドミス」として否定的に捉えられてきたシングル女性を取り巻く言説に「ゴールドミス」というネーミングが現れた。これは、女性の経済力の上昇とともに現れてきた言説といえるが、「結婚は人生の選択である」と考える割合が男性に比べてはるかに高い女性の自立精神をも象徴する言説ともいえる。こうした家族の多様化は、嫁の来手のない韓国の農村地域へ中国朝鮮族、ウズベキスタン、東南アジアなどから嫁いでくる女性結婚移住者の存在にも伺え、農村地域における婚姻の約4割を占める。

変貌する家族関係

一方、2000年以降、新自由主義経済政策に基づく大量のリストラと失業率の上昇および非正規職雇用の拡大に伴い、格差が広がる中、家族のあり方や個人の生き方も変容を迫られていく。そのひとつにさらなる少子化、晩婚化、離婚率の上昇があげられる。合計特殊出生率（統計庁）は、1990年代の1・59から2000年に1・48、2010年に1・23に、そして2020年には0・84、2021年度には0・81と急激に低下し、OECD国家では最下位となっている。少子化のひとつの要因ともなっているのが、若い層を中心に広がる晩婚化、非婚化現象である。1990年代に男性27・8歳、女性24・8歳であった平均初婚年齢は、2010年には男性31・4歳、女性28・3歳と3・5歳上昇し、2020年度には男性33・2歳、女性30・8歳と、30年間で男女ともに平均30代に突入し、5歳近く上昇した。

昨今の晩婚化・非婚化の背景には、どの世代より今の若い世代が社会的弱者となった現実がある。恋愛・結婚・出産を放棄せざるを得ない「3放世代」、人間関係、マイホームを加えた「5放世代」、希望と夢を加えた「7放世代」、放棄せざるを得ない事柄が無限に拡大していく様相をネーミングした「N世代」という言説が登場して久しい。なかでも、昨今の若者が結婚をためらう背景として住宅価格の高騰があげられる。ソウルのマンション価格は平均12億4千万ウォン（約1億3千万円／KB国民銀行調査）であり、住宅価格の平均は所得の8・9倍（韓国国土交通省調査）と、日本や欧米諸国よりも高い数値となった（『日経新聞』2023年2月22日）。

こうした状況の下、若者を中心に子どもは必要ないという、家族にこだわらない若者が増え続けている。2015年と2020年を比較した「非婚独身」「非婚同居」「子どもなし」についての意識調査（女性家族部）からは、非婚・独身に賛成する20代の比率は37％から53％、非婚の同居は25・3％から46・6％、子どもなしの比率は29％から52・5％と飛躍的に高い数値となった。さらに、20代は離婚・再婚については54％、子どもなしの生活については52・5％と、いずれも半数以上が賛成した。先進国を中心に少子化・晩婚化が進行して久しいが、こうした現象は生きづらさからくる要因とともに、低成長社会に突入したひとつのライフスタイルといえるのではないだろうか。韓国社会は未だに、単一民族神話や伝統的な家族主義が残っており、移民や養子、さらに同性婚などが容易く認められない社会であるが、新しい家族の形態、または血縁を超えた家族やさまざまな同居の形態も現れつつあり、家族の在り方は激しく揺れ動いている時期といえる。

（福島みのり）

参考文献

瀬地山角『東アジアの家父長制――ジェンダーの比較社会学』勁草書房、1996年。

権仁淑／山下英愛訳『韓国の軍事文化とジェンダー』御茶の水書房、2006年。

伊藤公雄、春木育美、金香男編『現代韓国の家族政策』行路社、2011年。

チョ・ナムジュ／斎藤真理子訳『82年生まれ・キム・ジヨン』筑摩書房、2018年。

23

差別禁止への取り組み

★普遍的な人権を推進する国家人権委員会★

韓国陸軍の戦車部隊で戦車操縦士として服務していたビョン・ヒス下士官は、2019年11月にタイへ渡り、性別適合手術を受けた。2020年2月、裁判所から性別訂正の許可を得て法律上は女性になったが、軍当局はそれを認めず、転役処分、つまり除隊を命じた。こうした措置に対し、職業軍人であったビョン下士官は、女性になったとしても軍人としての自分の職務を継続したいと望んだものの、受け入れなかった。その後、ビョン下士官は支援者や市民から勇気を得、国家人権委員会に転役処分の不当性を訴えたところ、同委員会は処分の不当性を認め、軍当局にビョン下士官に対する処分を取り消すように勧告したが、軍人事委員会はそれを受け入れなかった。軍当局は同じレベルの政府機関の勧告も無視したのである。2021年3月、ビョン下士官は自ら命を断ち、韓国社会に大きな衝撃をもたらした。ビョン下士官の事件で、韓国社会は従来の障害者、女性、学歴、学閥、地域、宗教（特にイスラム教）、低所得者、外見、外国人移住者などに対する差別に加え、性的マイノリティに対する差別問題も浮上したのである。こうしたあらゆる差別が起きないように、各国はさまざまな法律の制定に取り組んできた。

その歴史を振り返りながら、韓国での差別禁止法をめぐる状況を検討する。

第二次世界大戦後、国際社会は「人権」を最も尊重すべき概念として捉え、1948年に「世界人権宣言」、1965年に「人種差別撤廃条約」、1966年に「国際人権規約」を採択し、1970年にはフェミニズム運動の成果として「女性差別撤廃条約」、2006年には「障害者権利条約」など数々の人権関連の条約を採択してきた。その点で、今日における普遍的な概念としての数々の「人権条約」は、あらゆる人種、ジェンダー、階級等を含めたグローバルスタンダードに基づく国際社会のルールの結果といえる。『「差別禁止法」に関する世界各国の法整備』(「プライドハウス東京」)によると、「平等法(英国 2010、アイルランド 2015)」「性差別禁止改正法(オーストラリア 2013)」「差別禁止法(スウェーデン 1987)」「一般平等取扱法(ドイツ 2006)」「人権法(ニュージーランド 1993)」「反差別法(ノルウェー 2014)」など北欧や欧州を中心に差別禁止の法律が制定されており、「同性婚法」や「トランスジェンダー関連法」もすでに制定されている。だが、日本と同様、韓国では未だに「差別禁止法」が制定されていない。

韓国で「差別禁止法」が注目されたのは、1990年代後半までさかのぼる。1997年3月、当時大統領選挙の候補だったキム・デジュン氏は、「地域・性別・学歴などすべての差別をなくし、能力と人格によって勝敗が決まるようにするために差別禁止法を制定する」と公言した。2002年には当時大統領選挙の候補だったノ・ムヒョン氏も、「社会的差別禁止法」制定の公約を掲げた。2007年2月、ノ・ムヒョン大統領は法務部を通じて差別禁止法を発議したが、同性愛などの性的マイノリティの差別禁止を意味する「性的嗜好」を差別禁止項目に入れることに、保守プロテスタント教会が猛反発し、法案は破棄せざるを得なくなった。最初の発議から2023年の現在までの14年間、差別禁止法案が国会で発議されてきたが、制定には至らなかった。長年韓国社会における世論を動かす勢力は儒教の両班《ヤンバン》であったが、高度経済成長期を境に「保守プロテスタント教会」が一大勢力となり、「共産主義」に加えて「イスラム教」「同性愛」などをタブー視する風潮が広がるなかで、政治家は常に「保守プロテスタント教会」の顔を伺うようになった。

　昨今、個人の価値観や趣向が多様化すると同時にグローバル化が進み、多様な国籍や人種、宗教を持つ人びとが往来し、ともに暮らす多文化社会となった。世界の国々では、多文化社会を積極的に推進する政策や実践が次々となされた一方、こうした流れに逆らい、社会に分断をもたらす嫌悪犯罪やヘイトスピーチも横行するようになった。なかでもネット上でのヘイトスピーチは深刻なレベルにまで達している。韓国版の「2ちゃんねる」ともいわれる「イルベ（日刊ベスト貯蔵所）」は、右翼的な傾向が強く、2014年にセウォル号事故によって犠牲となった高校生の遺族が真相究明のためハンストを行った際、目の前でチキンを食べるパフォーマンスを行い、大きな批判を浴びた。だが、こうした彼らの見苦しい行為は多くの市民に不愉快を感じさせ、皮肉にも「差別禁止法」をめぐる議論に大きな変化をもたらしたともいえる。

　差別や人権に関する韓国社会の歩みを考える上で欠かせない存在が、国家人権委員会（人権委）である。民主化の成果ともいえる人権委は、国際社会の基準に相応しい人権国家をめざし、2001年に設立され

국가인권위원회

国家人権委員会のロゴ
出　所：National Human Rights Commission, Republic of Korea

た。国家機関ではあるが独立機関であるため、国家や国家機関の行った人権侵害についても厳しく指摘し、勧告を出す。「差別禁止法」の制定がなかなか進まないなか、人権委が韓国社会の人権問題の改善に一定の役割を果たしてきたといえる。いくつかの例をあげてみよう。

2008年、人権委は航空会社が客室乗務員を採用する際に、「身長162センチ以上の者」に応募資格が付与されていたことに対して、「平等権侵害の差別行為」という判断を下した。強制力のない勧告に過ぎなかったものの、全く効果がなかったわけではない。志願者の抗議だけでは会社の方針を変えるのは容易ではないが、「国家機構」である人権委の勧告は容易には無視できない。人権委は、「身長162センチ以上」の基準が客室乗務員の業務遂行のための絶対的かつ必須の基準になりえないという根拠を項目ごとに提示、世界の航空会社のケースも調査し、国内航空会社の身長制限基準が合理的でないことを明らかにしたのである。一市民が受けた差別を立証し、闘うのはなかなか難しいことだが、このように国家機関がさまざまな資源を用いて調査し根拠を示し立証すれば、人権侵害を受けた市民にとって大きな力になる。実際、人権委の勧告を受け、アシアナ航空とエアエアプサンが身長制限をなくした。この問題の発端となった大韓航空は、最初は人権委の勧告を受け入れなかったものの、あらゆる人権に対する韓国社会の意識が高まるなかで、結局、志願資格を変更せざるを得なくなった。人権委の勧告から7年目になる2015年、大韓航空は身長制限を廃止したのである。

2017年には、13歳以下の子どもの出入りを禁止していたあるレストランのいわゆる「ノーキッズゾーン」に対して人権委が「差別」と判断した。この決定によって、特定の年齢の出入りを制限することがはたして「正当な行為」なのかをめぐり、賛否両論が巻き起こった。こうした差別禁止への取り組みは、依然前途多難といえるものの、注目すべき点は人権委が差別に対する意義深い数多くの決定を下した結果、あらゆる差別に対する国民の認識のレベルが次第に高まったことである。人権委の勧告で直ちに変化が現れることもあるものの、時間の経過とともに変化が現れることもある。

これまでの韓国市民による差別禁止運動の成果をみると、障害者に関しては「障害者差別禁止法」「障害者雇用促進法」、女性に関しては女性家族部の設置、「ジェンダー平等基本法」、年齢に関しては「雇用上年齢差別禁止法」、非正規労働に関しては「期間制及び短時間勤労者保護などに関する法律」などがあげられる。こうした法律や制度は、これまで韓国社会がより平等な社会に向けて取り組んできたことの結実といえる。だが、今やこうした差別を禁止する法律が数多く制定されるなかで、その都度ひとつの法律を追加して差別を是正するよりは、普遍的な人権という観点からより包括的な法律、つまり「差別禁止法」が必要な時代になったのではないだろうか。

（福島みのり）

◉参考文献
森戸英幸・水町勇一郎 編『差別禁止法の新展開——ダイヴァーシティの実現を目指して』（成蹊大学アジア太平洋研究センター叢書）日本評論社、2008年。

24

社会を動かす市民運動

★ジェンダー、世代による多様な実践★

２０１７年に公開された映画〈１９８７、ある戦いの真実〉は、１９８７年６月10日に端を発した全国的闘争を、その発端から結末まで詳細に描いた映画であり、この「６月抗争」によって民主化運動はその頂点に達した。これまで民衆運動、労働運動、学生運動、女性運動などの社会運動は、民主化運動という大きな流れとともに形成されたが、この１９８７年を起点として「生活の中の民主主義」「一般市民が作り上げていく民主主義」など、これまでさまざまな運動が民主化運動という大きな流れの中で、多くの市民団体が設立されていった。ＹＭＣＡや女性民友会など、民主化以前にも市民団体は存在していたが、一般市民が作り上げていく民主主義、いわば欧米でいう「市民社会」のそれとはかけ離れたものであった。その点で、１９８９年に設立された「経済正義実践市民連帯（経実連）」こそが、市民運動のはじまりを意味する市民団体に値するものであった。

韓国社会は長期にわたる独裁政権によって社会全般に不正腐敗が蔓延し、政・官・財の癒着、官治金融の問題、そして大企業の道徳的弛緩が深刻であった。「経済正義実践市民連帯」は、その名のとおり、公正な市場経済の秩序と透明な社会を実現するために設立された。税金制度の改革や財閥の経済的集中の分散のための活動、不動産投機の根絶のための活動など、経済的な分野はもちろんのこと行政、司法、政治制度の改革のための活動も展開するようになった。政界と政府、ひいては社会、文化すべての部門をモニタリングし、代案を提示する機構、巨大なＮＧＯ（非政府組織）としての役割を担っていった。専任スタッフを備え、一般市民、大学生などがボランティアとして参加し、専門的な情報の提供や具体的な政策を提案する知識人グループがブレインとして合流した。なかでも「経実連」が行った代表的な運動として、１９９３年に導入された「金融実名制」があげられる。金融機関と取引する際、仮名や借名ではない本人の実名でのみ取引し、裏金を遮断し、すべての金銭の流れを透明にする制度といえる。

「経実連」とともに欠かせない存在が、１９９４年に誕生した「参与連帯（参与民主社会と人権のための市民連帯）」である。その名のとおり、「参与型」民主主義を志向する団体であり、専門家と一般市民が参加した研究、調査をもとに政府に多様な政策的代案を提示してきた。代表的なものとして、「福祉国家の基本となる国民生活基礎保障法制定運動」「公職者および公共機関の腐敗行為根絶のための腐敗防止法制定運動」「政治や経済権力との結託を絶ち、市民たちの権利を守るべき、検察や裁判所の構造を改革する司法改革運動」「予算や公費など公共機関の情報公開運動」などがあげられる。これらの運動は、「民主政府」とも呼ばれたキム・デジュン、ノ・ムヒョン政府を経て、その多くは法制度化、政策化された。また、少額株主運動を通じて、大企業の経営を監視し、政治資金を透明にする運動を展開する一方、平和キャンペーンや格差社会の問題を解決するための提言、携帯電話の基本料金の値下げ運動など、幅広い分野にわたる運動を展開している。さらに、２０００年以降、市民参加型の市民タンクである「希望製作所」、リサイクル・分かち合いの文化に基づく社会的企業「美しい店」など、韓国社会に根付いた多様な非営利民間団体（NPO）のモデルは、「参与連帯」をはじめとした市民団体のメンバーが設立していったのである。「経実連」と「参与連帯」のほか、この時期にはそれぞれの分野で市民団体が次々と設立された。韓国女性団体連合（1987年設立）、環境運動連合（1993年設立）、緑色連合（1991年設立）、人権運動サランバン（1993年設立）、韓国人権団体連合会（1994年設立）、民主言論運動市民連合（1998年設立）、真の教育のための全国保護者会（1989年設立）などは、女性、環境、人権、言論、教育などの分野において現在に至るまで活発な活動を続けている。これらの団体の代表的な成果として、国家人権委員会の設立（2001）、男女差別禁止法制定（1999）、戸主制廃止（2006）などがあげられる。

こうした法制度の背景として、市民団体が準政党の役割を担ってきたことがあげられる。一般的に、政府の予算や執行を監視し、政策を提案し、法改正を要求することは政党が行うことである。特に、韓国の場合、長期にわたる独裁政権の下、政党政治がその機能を喪失していた。1987年以降は、徐々に政治的な民主化がなされたものの、市民たちの高まる要求や期待に応えることができる政治勢力が不在であった。こうした状況の下、一般市民が政党に要求すべきことを市民団体に要求するようになったのである。その代表的な事例が、2000年の「国会議員選挙での落選運動」であった。当時、参与連帯が主導し、400あまりの市民団体が参与し、「総選挙市民連帯（総選連帯）」が結成された。「総選連帯」は、不適格な候補者86名を公開した後、彼らを選挙から「落選」させることを国民に呼びかけた。この手法に関しては「有権者運動の記念碑的事件」という評価が見られた一方、市民団体をはじめ、大学教授や著名人が中心となって候補者を審判する「市民なき市民運動」という批判もなされた。さらに、2004年には、政治、文化的に保守的な市民らが進歩的な市民団体に対抗するために、「ニューライト」「同性愛反対対策委員会」などの市民団体を結成するようになった。

このように保守的な市民団体が徐々に結成されて2005年を前後し、これまでの進歩的な市民団体は、次第にそのエネルギーを失っていった。理由のひとつとして、その間市民団体が提起したアジェンダが、キム・デジュン、ノ・ムヒョン政権を経て、ある程度まで政策や行政に反映されたためである。また、学生運動の退潮に加え、専任スタッフとして活発に働く次世代が参入してなかったことでマンネリズムに陥った部分も否定できない。さらに、新自由主義のグローバル経済の下で市民、特に若者の生活が困難な状況に陥っていくなかで、市民運動は従来のスローガンのみ掲げることだけで精一杯となり、次第に市民運動が中産階級の運動に転落したという批判がなされはじめた。こうしたなか、2011年10月、ソウル市長補欠選挙にてパク・ウォンスン元参与連帯代表がソウル市長に当選した。同じ時期に、市民団体のスタッフやブレイン、諮問役として関与していた人たちの多くが政界や政府に足を踏み入れた。彼らのほとんどが86世代であり、市民運動の歴史には86世代の光と影がそのまま反映されたといえる。

だが、こうした巨大な市民団体の影やその影響力の低下だけを見て、韓国の市民運動の現状を評価するのは時期尚早である。なぜなら、この流れを変えた背景には、2002年のろうそくデモがあった。米軍装甲車により女子中学生2人が死亡した際、米軍に抵抗運動をはじめたのは、同じ年齢の中学生たちだった。2009年には牛海綿状脳症（BSE）の危険性が高いアメリカ産牛肉の輸入に反

セウォル号事故から1000日をひかえた第304回ろうそく集会。セウォル号事故の犠牲者304人を表す救命胴衣が並べられた。出所：unsplash, Mathew Schwartz.

対する集会が行われ、この時の集会も女子高生たちが主導した。エリートの知識人や活動家による運動とは異なり、リーダーなき水平的な市民運動、すなわち新たな形の市民運動が結成されたのである。

韓国社会が抱えているさまざまな問題に当事者意識を持ちはじめた一人ひとりの市民が、自発的に呼びかけ、参加する平和的なデモが定着した。２０１４年の「セウォル号沈没事故真相究明集会」や２０１５年の「江南駅女性殺害事件の被害者を追悼する集い」などがその例である。こうした集会とともに、同じ社会問題に当事者意識を持つ人びとに呼びかけ、規模は小さいながらも問題を解決するための団体を結成する動きもみられる。不安定就労の状態におかれている労働者青年で構成する「青年ユニオン」「アルバイト労働組合」などの合同労組（個人で加入できる組合）や「ライダーユニオン」、不安定な若者の住居問題を解決するために作られた「ユニオン」、10代の若者が結成した「青少年気候行動」などがあげられる。設立にかかわった人びとの顔ぶれが従来の市民団体と確然と異なり、掲げているイシューもより具体的であることがわかる。そして、協働組合、社会的企業、マウル企業などの形で、地域密着型市民団体も増えつつある。ソウル、エリート、巨大な組織中心から、地方、当事者、アマチュア、水平的な関係へと市民運動、市民団体の風向きが変化しつつあるといえる。（福島みのり）

◕参考文献

朴元淳／石坂浩一訳『韓国市民運動家のまなざし――日本社会の希望を求めて』風土社、２００３年。
大畑裕嗣『現代韓国の市民社会論と社会運動』（明治大学人文科学研究所叢書）成文堂、２０１１年。

25

雇用の動向と社会の未来像

★深刻な若者の高い失業率★

韓国の中長期的な雇用動向を産業別に見ると、かつて経済成長を支えてきた製造業の雇用が構造的に減少し続けていて、いわゆる経済のサービス化が顕著である。雇用形態面では、1997年経済危機以来の非正規職の増大が、所得格差と雇用不安による社会の二極化という深刻な事態を生み出す要因となり、最大の社会問題となってきた。

年齢階層別では若年層と高年層の雇用、ジェンダー別では女性の雇用問題が深刻だが、近年とくに若年層の就職難、失業の状況が社会問題としてクローズアップされている。若年層の雇用問題は、2022年3月に行われた大統領選挙でも、経済政策面で不動産価格の高騰とともに大きな争点となった。若者の失業、就職難、雇用の不安定化、雇用の質の低下は、若者の深刻な将来不安、絶望感となってさまざまな形で表出され、その影響は投票行動にも表れている。韓国社会の将来像にもかかわる問題として掘り下げてみよう。

一国の雇用情勢を示す最も代表的な指標である失業率（失業者数／労働力人口）を見てみると、韓国の2021年の全体失業率は3・7％で、比較的低く、OECD加盟38カ国中6番目と低水準である。これには韓国では非労働力人口の割合が高いことや非正規労働者の割合が高いことなどが影響している。

だが若年失業率（ＯＥＣＤでは若年を一般に15〜24歳としているが韓国では兵役義務があるため若年を15〜29歳としている）を見ると10・7％で、全体失業率を2倍以上も上回り、この20年間でもっとも高い。しかも若年層の就職難の現実は、労働市場の実態をより反映した「拡張失業率」（失業者に就職浪人やアルバイトなど週18時間未満働いている不完全就業者を加えた統計）をみる必要がある。「拡張失業率」は、全体失業率が13・9％、若年失業率が26・8％である。若者の4人に1人が事実上の失業者といえる。

若年の雇用問題は韓国だけでなくＯＥＣＤ諸国に共通の社会問題だが、韓国に独特の問題は、高学歴の雇用ミスマッチの問題、すなわち求人を募集する企業側と求職する学生側のニーズにギャップが生じた結果、多くの学生が就職難・失業に直面している問題が深刻だということである。この雇用のミスマッチは、韓国の労働市場の二重構造（大企業と中小企業、正規職と非正規職、ソウルと地方）という構造的要因に規定されて、大企業や公的機関のホワイトカラーに求人の需要をはるかに上回る就職希望が殺到する反面、中小零細企業には就職希望者が集まらず、慢性的な人手不足になっていることを指す。

大企業や公的機関のホワイトカラーに若年層が集中する理由としては、韓国の高い大学進学率（２０２０年短大を含み72・5％、ちなみに日本の大学進学率は58・6％）と大学生の強い大企業志向がある。韓国の大学進学率は、経済高度成長とともに高まってきた。１９７０年には26・9％だったが徐々に増大し、２０１０年には79・0％とピークに達し、２０２１年71・5％と高止まりしている。大学進学率を押し上げた要因はいろいろあるが最も大きな要因は、大卒者と高卒者の間の賃金格差である。雇用労働部の調査によれば２０２０年の正規職の平均月額賃金総額は、高卒者が２９９万ウォン、大卒者が４２１万ウォンで高卒者の賃金は大卒者の7割にとどまっている。この賃金格差は高度成長期を通じて一貫して大学進学熱を高め、教育政策にも影響を与えた。80年代と90年代に政府はそれまで抑制していた大学定員の大幅増、設置基準緩和による大学新設を相次いで認めた。結果、高学歴者の労働市場進出が急増したのである。

韓国の企業は企業規模では99・9％が中小企業であり、一定の水準を備えた中堅企業も多くない。そうしたなかで大学生が就職浪人をしてでも大企業・正規職への就職にこだわるのは、たんに大企業への就職を成功とみなす価値観の問題ばかりでなく、根底に大企業と中小企業、正規職と非正規職とでは賃金をはじめとする待遇の格差が歴然としているからである。

韓国経営者総協会の調査によれば、２０２０年の大卒正規職の初任給は、従業員数３００人以上の企業が５０８４万ウォンだったのに対し、３００人未満の企業は２９８３万ウォンと３００人以上の企業の6割にも満たなかった。最近の調査では、卒業後の就業形態が契約期間のない継続勤務が可能な正規職になった割合は58・8％にとどまっているが、一度非正規職として就職すると正規職への転職は極めて困難となる。

しかも大企業は１９９７年経済危機以降、非正規雇用を増大させたばかりでなく、正規職にしても近年の経営環境の悪化から採用数を絞り込むと同時に、採用方式では新卒採用を大きく減らし、即戦力を求める中途採用を増加させていることも狭き門をいっそう狭くしている。

韓国の大学生は就職浪人をしてでも大企業や公務員をめざそうとして1年生の時から就職準備、就職活動に励むことになるが、そこで求められるのが高学歴に加えて「スペック」と呼ばれる実績である。大企業や公共部門に就職するためにはＴＯＥＩＣなどの英語力、学業成績、企業でのインターンシップ、留学など海外経験、ＮＧＯ活動など学外での活動など各種技能資格をどれだけ積んでいるかという実績が重視されるといわれ、留年したり休学してまで資格試験準備に専念する傾向が強まっている。過度なスペック積み上げ競争は、大学生活を灰色にするばかりでなく、ストレスと感情的鬱屈の温床にもなって社会問題となってきている。

かつて受験競争、就職戦争が過酷なうえ、親の経済力によって身分が固定されてしまう生き地獄を意味する「ヘル朝鮮」という語が２０１０年代に流行したが、近年は経済力のない若者が恋愛、結婚、出産を放棄せざるを得ないという「3放世代」、さらには人間関係、マイホーム、夢、就職をも放棄する「7放世代」が登場している。実際、韓国の若者が過度のストレスによる自殺や精神疾患に追い込まれる状況もＯＥＣＤのなかで最高水準である。

新自由主義の競争原理が支配する格差社会での厳しい就職競争にさらされている若者は、社会的価値観として何より「公正」を求めるようになった。労働尊重社会を謳い、非正規職の正規職化（「公平」を掲げたムン・ジェイン政権の支持基盤であった20～30代が、チョ・グク元法相の不正事件に反発してムン・ジェイン政権支持から離れるなど、それが投票行動の変化にも示されるようになった。このように若者の雇用不安と若年失業の深刻化は、社会的な負担を増すだけでなく、社会発展の原動力となるべき若者の活力と将来ビジョンを消失させかねないという点でも韓国の未来像に影を投げかけている。

（金元重）

26

労働組合の役割と課題

★正規職／非正規職分断の克服が課題★

韓国の労働組合組織率は2020年現在14％でOECD諸国のなかで低いほうであるが、2016年（10・3％）以来唯一上昇し続け、他の主要国が低下しているなかで際立っている。

韓国のナショナルセンター（全国中央組織）は、韓国労総（韓国労働組合総連盟・1961年結成）が41・1％、約115万4000人、民主労総（全国民主労働組合総連盟・1995年結成）が40・4％、約113万4000人で、組合員数ではほぼ拮抗しており、その他未加盟労組が14・9％、41万7000人である（雇用労働部2020）。

韓国労総と民主労総は、その組織の歴史的性格や運動戦略はかなり異なっている。穏健な労使協調路線をとっている韓国労総をビジネス・ユニオニズム（経済的実利主義）、急進的な路線と他の社会運動組織との連携を重視する民主労総を社会運動的ユニオニズムと対比的にとらえるだけでは、両者の特質を十分にとらえたことにはならないだろう。反共分断体制下の韓国社会で、両者がそれぞれ置かれた時代背景・環境と対応の違いが大きく異なっているからである。

韓国労総はイ・スンマン時代の大韓労総が61年軍事クーデ

ター政権によって再編されて結成され、権威主義政権の労働統制に服する範囲内で、唯一ナショナルセンターの地位を保障されてきた。他方、民主労総は「1987年労働者大闘争」を転機として権威主義政権の抑圧的な労働政策に反対する闘いを通じて、激しい弾圧をはねのけながら、韓国労総に代わる民主的で自主的なナショナルセンターをめざす勢力によって1995年に結成された。

韓国の労働運動は世界的にもミリタント（戦闘的）な労働運動のイメージが定着している。1990年代以降、とりわけ民主労総が展開した戦闘的な争議行為、大衆動員戦略、労働法改悪に反対するゼネスト闘争などが広く注目された。民主労総のこうした戦闘的な性格は、韓国民主化運動の歴史と不可分に形成されてきた。

1987年の6月民主闘争が民主化運動の分水嶺となったとすれば、それに引き続いた7、8、9月の「労働者大闘争」は、その規模と歴史的意義において韓国労働運動史における分水嶺と位置付けられる。6月民主闘争によって労働統制に動員されていた抑圧的な国家機構が撤収すると、職場における労使関係が一変し、全斗煥（チョン・ドゥファン）政権の抑圧的な労働政策と大企業の兵営的な労務管理に抑え込まれていた労働者は、積年の不満を一挙に爆発させた。労働争議は全地域、全業種に急速に拡大し、以後、労働陣営によって誇りをもって「労働者大闘争」と呼ばれるこの3カ月間、総争議件数が3331件、争議参加人員は約122万人に上った。成果として労組が増大し、1986年に2675組合、組合員103万6000人、組織率12・3％だったものが1989年には7883組合、組合員193万2000人と、組織率はピークの18・6％に達した。

この自然発生的な労働争議は、やがて民主的な労働組合の設立と新たな全国組織の結成をめざし、地域ごと、業種ごと、あるいは企業グループごとに連合体を作って政府や経営の解雇・拘束の弾圧に立ち向かった。製造業中小企業労組の連合体である全労協（全国労働組合協議会）やホワイトカラー労組の連合体である業種会議（全国業種労働組合協議会）の指導者たちは、連帯闘争を重ねながら韓国労総を否定して自主的で民主的なナショナルセンターをめざし、1995年11月、16の産別組織と10の地域本部に所属する861組合、41万8000人を擁する民主労総を結成した。

民主労総は、基本課題に「労働者の政治勢力化」と「産業別組合の建設」を掲げ、創立宣言文では「……さらにわれわれは、社会の民主的改革を通じて国民全体の生の質を改善すると同時に祖国の自主、民主、統一を早めるために闘う」と謳っている点が注目される。

労働者大闘争を経て、階級的基盤を確立した民主労総は、70年代の繊維産業を中心とした女性労働者の民主労組とは次元の異なる、重工業・大企業・成人男性労働者を主軸とする交渉力ある組合として、賃金水準の大幅な引き上げと処遇改善に成功した。

キム・ヨンサム政権による整理解雇制の導入を図る労働法改正に反対して民主労総は、韓国労総とともに1996〜97年ゼネストによって法案を撤回させる威力をしめし全世界的な注目をあびた。87年民主化の時にも残されたままだった複数労組禁止、第三者介入禁止、労組の政治活動禁止という3つの禁止条項も97年の労働法改正で撤廃させ、既存の御用労組に反対し、新たに自主的、民主的労組を結成することや組合間の連帯、組合と政党、社会団体の共闘の回路が開かれた。

しかしその直後に襲ったアジア通貨危機は、キム・デジュン政権に整理解雇制と派遣法の導入を余儀なくさせた。安定した終身雇用は崩壊し、雇用不安、大失業に対して企業別組合体制を基盤にして

労働者の待遇に親会社が責任を取るよう求める争議の横断幕。韓国４大企業グループに数えられるＳＫは通信など先端産業分野で業績を伸ばしてきたが、それを支えてきたのは非正規労働者を含む多くの子会社・関連企業の労働者だ。不安定な雇用に悩まされるこうした横断幕がソウルのオフィス街ウルチロ（乙支路）に掲げられている。

いた民主労総は有効な対処方法を持ちえず、労働運動の危機が叫ばれた。経済危機を克服する過程で政府と企業は非正規職労働者を急増させたが、それは同時に労働者間に正規職と非正規職の分断を持ち込み、労働運動の弱体化を意図したものであった。

今日の深刻な格差社会の原因となった非正規職問題は、２０００年代の民主労総にとって最大の課題となり、金属、保健医療、金融などを中心に企業別組合の組織的限界を脱して大規模産業別組織に転換する方向に進んだ。しかし産別転換は、企業側が産別交渉を忌避していることや大企業労組の消極さ、産別協約の非組合員への拡張適用が阻まれていることから所期の成果を見るに至っていない。学校給食労働者など学校非正規職の産別組織で漸進的な模索が続く一方で、企業側にも産別交渉を義務付けるなど産別体制の法制化が求められている。

労働者の政治勢力化というもうひとつの戦略的課題も行き詰まりを見せている。民主労総が中心になって２０００年結成した民主労働党は、２００４年総選挙で一躍10議席を占めたがその後党運営と路線をめぐる分裂を重ね、労働者政党としての進歩政党は議会での勢力を大きく減退させた。

２０００年代の民主労総は、政府の「労働改悪」政策にはゼネスト戦術で対抗する一方、さまざまな社会運動・市民運動団体と連帯・共闘する社会連帯戦略をとってきた。このゼネスト闘争と社会連帯闘争が最も効果的に発揮されたのが２０１６〜17年のパク・クネ大統領弾劾・罷免闘争（ろうそく革命）であった。最大の市民運動組織である参与連帯とともにパク・クネ弾劾国民運動本部の基軸に座った民主労総は、ろうそく革命を遂行する動力として韓国民主化勢力の中心的存在に成長したのである。

労働条件の改善や労働者の地位向上をめざす労働組合が、民主化運動の中心的役割をも担うところに韓国の労働組合のひとつの特質がある。


（金元重）

27

地方自治の制度と歴史

★特徴ある大都市制度と地方制度★

韓国の地方自治の歴史は、苦難の連続だった。韓国は、1948年に建国し、翌1949年に地方自治法を制定したが翌1950年に朝鮮戦争が始まってしまい、そのさなかの1952年の4月と5月に、はじめての地方選挙がやっと行われた。ところが、1961年にパク・チョンヒが「5・16クーデター」を起こし、「地方自治に関する臨時措置法」で首長は任命制にされ、地方議会は解散させられてしまった。

しかし市民たちは、文字通り血を流して民主化運動を粘り強く続けた。1987年の「6月民主抗争」により、「6・29宣言」を引き出し、その宣言の第6項で、地方自治の復活を約束させたのである。つまり市民にとって地方自治は、与えられたものではなく、自ら闘い勝ち取ったものだった。

1991年3月に基礎自治体の議会、同年6月に広域自治体の議会の直接選挙が復活した。この時首長はまだ任命制だったが、1995年6月に「全国同時地方選挙」がはじめて行われた。1991年に続いて基礎と広域の地方議員の直接選挙が行われ、それと併せて、基礎自治体と広域自治体の首長の直接選挙が再開されたのである。首長が任命制（官選）から直接選挙制（民選）になったことを、市民は「民選自治時代」と呼んで大きく期待し、その熱気のなかで投票率は68・4％を記録した。

中央政府の下に、広域自治体である「広域自治団体」と、基礎自治体である「基礎自治団体」の2段階がある。韓国と日本での表記の違いは、表のとおりである。「市・道」の「市」は、広域自治体である特別市・広域市・特別自治市を意味する。「市・郡・区」の「市」は、基礎自治体である一般市を意味する。

表1　韓国と日本の表記の違い

韓国	日本
地方自治団体、地自体	自治体
広域自治団体、市・道	広域自治体
基礎自治団体、市・郡・区	基礎自治体
市庁	市役所
区庁	区役所
地方自治団体長	首長
広域団体長	広域自治体の首長
基礎団体長	基礎自治体の首長
区庁長	区長

第一に、広域自治体（市・道）は、1特別市、6広域市、1特別自治市、7道、2特別自治道の計17自治体。道は京畿道、忠清南道、忠清北道、全羅南道、全羅北道、慶尚南道、慶尚北道の7道である。また、この7道と同格だった済州道が2006年に、江原道が2023年に、それぞれ特別自治道に再編された。特別自治道は、法律上、高度の自治権が保障される。

人口は、江原道を含む8道の平均は354万人で、済州特別自治道は68万人である（以下、人口はすべて2022年12月31日現在）。

大都市制度は、日本と大きく異なる。特別市がソウル1市、広域市が釜山《プサン》、大邱《テグ》、仁川《インチョン》、光州《クァンジュ》、大田《テジョン》、蔚山《ウルサン》計6市、特別自治市が世宗《セジョン》1市。いずれも、道から独立した広域自治体である。人口は、6広域市の平均は211万人で、ソウル特別市は943万人、世

表2　韓国の行政区域

中央政府（行政安全部）																		
広域自治体（市・道）17		市（広域自治体）8								道9								
		特別市1	広域市6						特別自治市1	道8								特別自治道1
		ソウル	釜山	大邱	仁川	光州	大田	蔚山	世宗	京畿	江原	忠清北	忠清南	全羅北	全羅南	慶尚北	慶尚南	済州
基礎自治体（市・郡・区）226	市 75	—	—	—	—	—	—	—	—	28	7	3	8	6	5	10	8	—
	郡 82	—	1	1	2	—	—	1	—	3	11	8	7	8	17	13	10	—
	区 69	25	15	7	8	5	5	4	—	—	—	—	—	—	—	—	—	—
行政市・区 37	行政市 2	—	—	—	—	—	—	—	—	—	—	—	—	—	—	—	—	2
	行政区 32	—	—	—	—	—	—	—	—	17	—	4	2	2	—	2	5	—
邑・面・洞 3,524	邑 234	—	4	6	1	—	—	6	1	37	24	16	25	15	33	38	21	7
	面 1,177	—	1	3	19	—	—	6	9	102	95	86	136	144	196	200	175	5
	洞 2,113	426	200	133	135	97	82	44	12	428	74	51	47	84	68	92	109	31

出所：行政安全部『地方自治団体行政区域及び人口現況 2021.12.31 現在』2023年、p.4から筆者作成。この統計が発表されて6カ月後の2023.6.11に江原道は特別自治道となった。

宗特別自治市は38万人である。世宗特別自治市は、忠清南道と忠清北道の一部を再編して、２０１２年に設置された。法律上は「行政中心複合都市」とされ、「首都圏の過度な集中による副作用の是正」などに資するとされている。「政府世宗庁舎」には、行政安全部、企画財政部、教育部など政府機関の大部分が入居している。

第二に、基礎自治体（市・郡・区）は、75市、82郡、69区の計２２６。済州特別自治道と世宗特別自治市は、区域内に基礎自治体がない広域自治体であるため、２２６基礎自治体と並べて「２２８基礎自治団体」と表記される場合もある。特別市と広域市のなかにある区は、区長（区庁長）を直接選挙で選べる基礎自治体（自治区）である。人口は、75市の平均は33万人、82郡の平均は5万人、69区の平均は31万人である。

第三に、基礎自治体は、邑《ウプ》・面《ミョン》・洞《ドン》という、さらに細かな行政区域に分かれている。１９８８年に地方自治法が改正され、基礎自治体のうち市と区に洞を、郡に邑と面を置くと定められた。邑・面・洞には、自治体の条例に基づき、「住民自治センター」「行政福祉センター」といった名称の施設があり、邑長・面長・洞長は任命制の公務員である。人口は、２３４邑と２１１３洞の平均は2万人、１１７７面の平均は34人である。邑・面・洞は行政村（行政区域）だが、住民が共同体的な意識をもって生きている自然村に「マウル」がある。マウルは、行政村とは必ずしも一致しない。日本では「マウル」を「まち」と意訳する例が多いが、同じく「ま

表3　韓国と日本の表記の違い（地方教育行政）

	韓国	日本
広　域	教育庁	教育委員会事務局（教育庁、教育局等）
	教育監	教育長
基　礎	教育支援庁	教育委員会事務局
	教育長	教育長

ち」と意訳される「トンネ」と区別するため、本章・次章では「マウル」と表記する。

第四に、地方教育行政は、日本と大きく異なる。韓国と日本での表記の違いは、表のとおりである。「地方教育自治に関する法律」が1991年3月に制定され、「地方自治団体の教育・科学・技術・体育その他の学芸に関する事務」を広域自治体（市・道）の事務と定めた。そして同年6月に広域自治体の議会の直接選挙が行われると、広域議会で教育委員の選挙が、さらに教育委員会で教育監の選挙が行われた。教育監は、地方教育行政組織である教育庁を代表する。2007年から2009年にかけて、教育監の選出方法は、間接選挙から住民の直接選挙へ、段階的に変更された。

韓国では、首長と教育監をそれぞれ直接選挙で選び、地方一般行政と地方教育行政が水平に連携する動きが進んでいる。正反対に、日本では、教育長を首長の任命制にするなど、地方一般行政へ地方教育行政を組み込む動きが進んでいる。

また日本では、基礎自治体の教育委員会事務局は、広域自治体の教育委員会事務局から独立している。韓国では、ひとつまたは複数の基礎自治体を管轄区域とする「教育支援庁」が設置されているが、教育庁から独立した行政組織ではなく「下級教育行政機関」（出先機関）に過ぎず、基礎自治体とも分離している。教育支援庁を代表するのは教育長だが、教育監が任命する公務員で、教育監の指揮・監督を受ける。基礎自治体レベルでは、教育行政の独自性が弱いといえる。

（小田切督剛）

◉参考文献

趙昌鉉／阪堂博之、阪堂千津子訳『現代韓国の地方自治』法政大学出版局、2007年。
一般財団法人自治体国際化協会『韓国の地方自治』（随時更新）**https://www.clair.or.jp/j/forum/pub/**

28

地方自治の課題と成果

★多元的な代表制の定義★

韓国では、保守系と進歩系の2大政党の間で首長の政権交代を繰り返すことによって、多様な政策が試みられ、自治体の政策の幅が全体として広がった。そして、日本より「後発先進」的な制度・政策を次々実現してきた。

第一の特徴は、地方選挙への関心が高いことである。メディアの注目も高く、国政選挙並みの選挙速報で大々的に取り上げる。1995年の第1回「全国同時地方選挙」は任期3年とされ、1998年に第2回が行われた。第2回からは任期4年として、2022年の第8回まで行われている。自治体が選挙を統一して行うのは、事務量や費用を減らしたり、市民の関心を高めるためである。第8回の投票用紙は、基礎自治体と広域自治体それぞれの首長、選挙区議員、比例代表議員に教育監を合わせて7枚だった。

日本と大きく異なるのは、地方選挙を統一して行う割合「統一率」である。首長が任期の途中で亡くなるなどして辞任した場合、補欠選挙が行われるが、「当選者の任期は前任首長の残任期間」と公職選挙法に定めて、100%の統一率を維持している。さらに水曜日を投票日（公休日）にすることで、市民の関心を高めている。水曜日は土日の連休から離れているため、個人の予定などに左右されにくく、投票に集中しやすい。今後の課題は、７枚すべて同じ政党に投票してしまう「列投票《チュルトゥピョ》」になりがちで、その自治体が抱える固有の争点が埋没してしまうことである。

第二の特徴は、基礎自治体の議員選挙が小選挙区制という点である。1選挙区あたりの定数が少ないため、国政の影響を受けやすい。２０１８年の第7回のように進歩系が大勝したり、第8回のように保守系が大勝したりする。定数2なら2大政党が1議席ずつ分け合い、第3党（第三極）は埋没しがちである。課題は、2大政党では、多様な市民の声を反映できないことである。筆者が働いた富《プ》川《チョン》市の市長選挙は、開発政策（宅地開発と環境破壊）の賛否で進歩系が割れ、無所属「市民候補」として出馬し、保守系と三つ巴になったこともある。今後は、市民派の第三極の躍進が期待される。

第三の特徴は、比例代表制と女性割当制（クオータ制）である。２００６年の第4回から、基礎と広域の地方議会に導入された。比例代表の定数を、「地域区の定数の10分の1」で「最低3人」と定めている。富川市議会は、地域区が24人なので「10分の1」は2人だが、最低3人なので比例代表の定数は3人となる。女性割当制は、地域区と比例代表で異なる。地域区は、候補者の30％を女性にするよう努力義務規定がある。比例代表は、候補者の50％以上を、しかも奇数番号は女性にするよう義務規定がある。たとえば富川市議会の女性議員は、比例代表3人全員と、地域区12人を合わせ15人で、過半数（55・6％）を占めている。また、同じく第4回から、永住資格を取って3年以上たった外国人に、選挙権を認めている。外国人選挙権者に被選挙権は認められていないが、モンゴル出身で韓国国籍を取得したイ・ラが、２０１０年の第5回京畿道議会選挙の比例代表で当選した。保守系のハンナラ党に属し、「多文化政治人第一号」と注目され一期務めた。第８回の外国人選挙権者は約13万人だった。課題は、地域区の女性割当制を、努力義務規定より法的拘束力が強い、義務規定に変えることである。また、政党が民族的、性的マイノリティなどを積極的に候補者にする制度が必要だろう。

こうした特徴のある地方選挙を背景に、自治体政策も大きな成果を挙げている。第一に、２０００～10年代に大きなイシューとなった、「親環境（環境にやさしい有機農産物による）無償給食」の例である。１９９７年のＩＭＦ金融危機（アジア通貨危機）を機に、「両極化」といわれる格差問題が深刻になった。学父母（保護者）たちは、受益者負担である教育費と、そこで大きな比重を占める給食費に関心を持った。そして、農産物の輸入自由化に打撃を受けた農民団体と連携して、２００２年に「学校給食全国ネットワーク」を結成した。翌２００３年10月20日に広域自治体ではじめて、全羅南道が住民発議により「学校給食食材料使用及び支援に関する条例」を制定した。隣接する全羅北道議会も同様の条例案を同年12月19日に可決したが、なんと教育監が議会を「ＷＴＯ協定に違反する」と提訴した。教育監と議会が対立したのである。当時の教育監は、直接選挙ではなく、教育委員の間接選挙で選ばれていた。２００５年に大法院（最高裁判所）は、条例案の議決を無効と判決した。

さらにソウル特別市では、進歩系の教育監が無償給食を主張し、進歩系が多数を占める議会が２０１１年１月に条例案を可決したところ、保守系の市長が公布を拒否した。市長が、教育監や議会と対立したのである。市長はさらに、賛否を問う住民投票を同年８月24日に行ったが、投票数が投票権者総数の３分の１に届かず、開票すらされなかったため、８月26日に辞任した。結局、同年10月27

日に進歩系の市長が就任し、段階的に実施した。２０２２年からは、市内すべての幼稚園から高校までで提供されている。親環境無償給食は、首長、議員、教育監が対等に緊張関係を保ちながら、市民とともに政策を進めていく、大きな転換点となった。市民も「地方自治は、直接選挙で選んだ首長、議員、教育監による多元的な代表制だ」と認識するきっかけとなった。

第２に、２０１０～20年代に大きなイシューとなった、「マウルづくり」の例である。かつて軍事独裁政権は、邑・面・洞事務所を設け、その下に統《トン》を組織して統長会議を定期的に開き、さらに統の下に班《パン》を組織して、班常会《パンサンフェ》を定期的に開いた。市民を相互監視させ、その地域で大きな力を持つボス的存在を育ててきた。一方で１９７０年代に、地域での共同体づくりを掲げる市民活動が、都市貧民運動から始まった。民衆教会などを拠点に、子育て中の親たちが自主保育や放課後活動を行ったり、住民に開かれた図書室を設けるなど、多彩な活動を展開した。さらに１９９０年代半ばに、ＹＭＣＡの「地域づくり」、参与連帯の「アパート共同体運動」など、さまざまな市民団体が地域での共同体づくりを支援しはじめた。

マウルづくりは、自治体が、前者の住民組織に加えて、後者の市民活動と連携するきっかけとなった。基礎自治体である光州広域市北区が２０００年に支援事業をはじめ、２００４年に「美しいマウルづくり条例」を制定した。さらにソウル特別市など、広域自治体へ広がった。ソウル特別市は、マウル共同体を活性化することで草の根レベルの住民自治を強め、市民と行政、マウル企業やマウル協同組合といった多様な主体が連携する「協治」つまり民・官協力的ガバナンスを強化していく、というビジョンを掲げた。課題は、協治が容易にマンネリ化したり、骨抜きにされがちなことである。市民が行政を牽制する仕組みがなければ、首長の交代などで行政主導に陥る危険性がある。

また、マウルづくりは教育行政にも広がった。京畿道教育庁は、２０１５年に「マウル教育共同体活性化支援に関する条例」を制定した。マウル教育共同体は、基礎自治体と教育支援庁の連携にもつながった。京畿道の始興《シフン》市庁は、教育自治課を設けて始興教育支援庁との連携を進め、２０２１年に基礎自治体ではじめて「教育自治支援条例」を制定した。

今後は、市民の生活圏に近い行政組織へ、権限を移すことが課題である。教育支援庁は、教育庁の出先機関に過ぎない。基礎自治体の首長と教育監が進歩系と保守系で食い違う場合は、一層連携しにくい。教育支援庁が主導して連携できるよう、教育庁から権限を移す必要がある。また、基礎自治体も、首長に近い本庁（行政局など）がマウルづくりを主導しがちである。生活圏に近い組織が主導して庁内の各部署を調整し、教育庁や教育支援庁と連携できるよう、本庁から権限を移す必要がある。

日韓の地方自治は、共通する課題に直面している。日本ではじめて川崎市が２０００年に制定した「子どもの権利条例」は、富川市との交流を経て、２０１０年の「京畿道学生人権条例」に結実した。顔の見える関係を作り、政策の知恵と工夫、成果や教訓を学びあうことが大切である。（小田切督剛）

参考文献

梁炳贊、李正連、小田切督剛、金侖貞編『躍動する韓国の社会教育・生涯学習——市民・地域・学び』エイデル研究所、２０１７年。
アジア太平洋資料センター編／内田聖子、姜乃榮ほか著『コロナ危機と未来の選択——パンデミック・格差・気候危機への市民社会の提言』コモンズ、２０２１年。

29

迫りくる超高齢社会

★急がれる積極的で果敢な対策★

２０２２年の韓国の65歳以上高齢者数は９０１万８０００人、これら高齢者数が全人口に占める割合は17・５％である。

全人口に占める65歳以上高齢者数の割合を高齢化率といい、高齢化率が７％以上の社会は高齢化社会、14％以上の社会は高齢社会、20％ないし、21％以上の社会は超高齢社会といわれる。韓国は２０００年に高齢化社会に、２０１８年に高齢社会になり、現在に至っているが、２０２５年には超高齢社会になると予想されている。高齢化率はその後、２０３５年に30％、２０５０年には40％を超えると見込まれている。

また、主要な先進国の場合、高齢社会から超高齢社会になるまでの所要年数は、イギリスでは50年、フランスでは39年、ドイツでは36年、アメリカでは15年、日本では10年となっている。これに比べて韓国の場合は７年であるため、かなり短い。韓国は短期間に超高齢社会になる、世界でも有数の国なのである。

地域単位では、韓国国内ですでに超高齢社会になっている地域がある。２０２２年時点で高齢化率が20％を超過しているのは、全羅南道（24・５％）、慶尚北道（22・８％）、全羅北道（22・４％）、江原道（22・１％）、釜山《プサン》市（21・０％）の５地域である。２０２８

年には、世宗市《セジョン》（13・4％）を除く全地域が超高齢社会になるとみられている。

高齢化と同時に少子化も急速に進んでいる。妊娠可能な女性一人が一生のうちに出産すると予想される子どもの数のことを合計特殊出生率というが、韓国の合計特殊出生率は２０１８年には１人以下になり、２０２１年には０・81人、２０２２年には０・78人まで減少している。この数値は比較可能な国家のなかでも最小値とされている。２０２２年時点で合計特殊出生率が最も低い地域はソウル市（０・59人）で、次いで釜山市（０・72人）、仁川市《インチョン》（０・75人）、最も高い地域は世宗市（１・12人）である。

新型コロナウイルス感染症拡大による婚姻件数の減少などの影響を受けて、合計特殊出生率は２０２４年に０・70人まで減少した後、増加に変わるという見方もあるが、悲観的なシナリオでは２０２５年に０・61人まで減るとされる。韓国を含むほぼすべての比較対象国家でコロナ流行以後に出生児数は大幅に減少したが、ドイツ、スウェーデン、スペイン、チェコ、フランスなどヨーロッパ国家では、２０２１年以降は増加傾向に転じた。しかし、韓国では減少傾向が続いている。外国の流れと韓国の流れは異なるのである（韓国保健社会研究院『コロナ19グローバルパンデミック時代の韓国人口変動要因に関する研究』）。

少子高齢化によって韓国の総人口は２０２０年の約５１８４万人をピークに減少に転じ、２０２１年は約５１７４万人になっており、２０７０年には３７６６万人まで減少すると予測されている。人口減少の開始時期はコロナなどの影響によって当初の展望よりも早まっており、今後も加速化するとみられている。

少子高齢化の影響は各方面に表れている。経済面に関しては、生産年齢人口の減少の影響が大きい。

生産年齢人口は2019年の3763万人をピークに減少しており、2070年には1731万人まで減少すると予測されている。労働供給が減少し、消費と投資も萎縮、2021年から労働投入の成長寄与度がマイナスに転換するなど、生産年齢人口の減少は成長潜在力の悪化につながっている。

教育や兵役への影響も深刻である。学齢人口は2027年までに131万人減少、兵役資源は2020年の33万人から2027年には24万人に減少するとされている。

たとえば教育については、学齢人口の減少による学校消滅が地方ではすでに蔓延しているが、その危機は都市であるソウルでも現実のものになっている。ソウル市にある道峰高校は2022年の入学生数が45人にまで減ったことから、2022年8月に閉校を決定し、2024年に近隣学校と統廃合することとした。これにより道峰高校は、ソウルにある一般系高等学校のなかで最初に閉校を決定した高校となった。道峰高の近郊地区であるソウル市江北《カンブッ》区と道峰《トボン》区は、25自治区のなかで高齢化速度が1番目と4番目に早い地域である。

消滅の危機にさらされる地域も出てきた。韓国の産業研究院の分析によれば、全国228の市郡区のうち「消滅危機」に遭遇している地域は59カ所にもなるという。多くは非首都圏地域であるが、一部に首都圏地域も含まれる。

教育、兵役、地域消滅のそれぞれについて、韓国政府は対策を講じているが、広い意味での少子高齢社会対策は、2004年に「大統領諮問高齢化及び未来社会委員会」が構成されたことで本格的に始まった。2005年に「低出産・高齢社会基本法」が制定されてからは、「第1次低出産高齢社会基本計画（2006~10）」を皮切りに5カ年計画が順次策定され、それを基に対策が実施されてきた。

２０２２年12月末には低出産高齢社会委員会が関係部署次官会議を通じて「人口構造変化と対応方案」を発表している。この方案は、人口危機対応総合対策として、経済活動人口の拡充、縮小社会への適応、高齢社会への準備、低出産への対応という４分野と６つの革新課題を設定している。これを基に「第４次低出産高齢社会基本計画（２０２１〜25）」が修正・補完される予定である。

韓国政府は２００６年から２０２１年まで少子高齢化対策に約２８０兆ウォンを投入した。しかしながら、体感効果は微々たるものであるため、その対策については、部署別の関連事業を寄せ集めたデパート式（総花的）対策であるとの批判を受けてきた。そのため、今後は人口変化の影響要因を綿密に検討したうえで体系的に対応することが求められている。

図　高齢社会から超高齢社会に到達するまでの所要年数（**OECD**主要国）

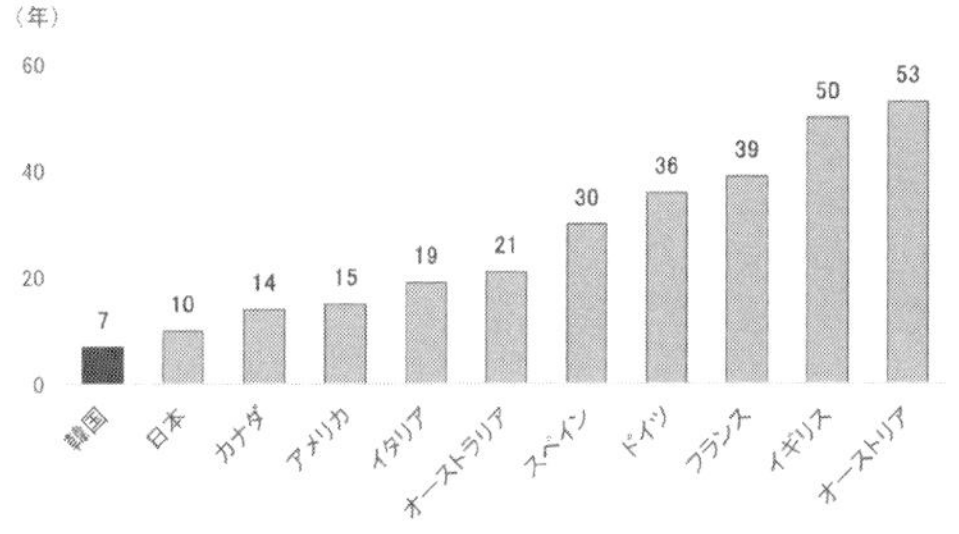

出所：韓国統計庁（2022）『2022 高齢者統計』
資料：United Nations(2022)「World Population Prospects 2022」

財政面では、ＧＤＰに占める家族関連支出は、出産率向上に成功したフランスでは２・９％（２０１８）、ドイツでは２・３％（２０１７）であるが、韓国はその半分の水準の１・２％（２０１８）である。人口政策を推進するためには、さらに積極的に財政を投入する必要がある。また、個人の価値観やＱＯＬを重視しながら、結婚と出産についてのメカニズムや各人口集団の抱える困難を把握し、個人の権利保障を目的とした政策を作り推進することが、目的達成につながるとされる。

（株本千鶴）

30

社会保険制度

★持続可能性と保障性拡大を追求する★

韓国には年金保険、医療保険、労働災害保険、失業保険、介護保険の5つの社会保険制度がある。

年金保険には特殊職域年金（公務員年金、軍人年金、私立学校教職員年金）と国民年金がある。最も加入者数の多い国民年金の内容を見てみよう。

1986年制定の国民年金法が88年に10人以上事業所被用者を対象に実施され、99年に都市地域自営業者まで適用対象が拡大されたことで、皆年金が達成された。

適用対象者は、特殊職域年金加入者を除く18歳以上60歳未満の国民で、事業所加入者、地域加入者、任意加入者、任意継続加入者に区分される。専業主婦は任意加入者になる。任意継続加入の場合のみ対象年齢が60歳以上65歳未満で、制度施行時にすでに高齢であった者や老齢年金受給に必要な加入期間を満たしていない者などが対象となる。保険料は、事業所加入者の場合、基準所得月額の9・0％で、これを労使が折半する（2023）。地域加入者・任意加入者・任意継続加入者の場合、加入者が9・0％全額を自己負担する。給付の種類には老齢年金、障害年金、遺族年金、返還一時金、死亡一時金などがある。

老齢年金のうち完全老齢年金は加入期間20年以上で60歳に達した者が受給可能なため、２００８年に初の受給者が発生した。今後、受給開始年齢は段階的に引き上げられ、２０３３年には65歳になる。２０２２年10月末現在の年金受給者数は約６２０万人、老齢年金受給者数は約５２０万人（65歳以上人口の約6割）である。社会保険以外に、老後生活に必要な最低限の所得保障を目的とした、税を財源とする基礎年金制度があり、所得下位70%までの65歳以上高齢者のうち所得認定額などの基準を満たす者に最大32万３１８０ウォンまでの現金が給付されている（２０２３）。

医療については、１９６３年制定の医療保険法の全面改正後、77年に５００人以上事業所被用者を対象とした職場保険が開始された。その後、公務員と教職員が加入する公教保険、農漁村住民と都市地域自営業者を対象とする地域保険が実施され、89年に皆保険が成立。２０００年には管理運営組織が統合され、唯一の保険者である国民健康保険公団が誕生した。

対象者は、職場加入者（すべての事業所の労働者及び使用者と公務員及び教員）、被扶養者、地域加入者（職場加入者とその被扶養者を除く加入者）に区分される。保険料は、職場加入者には報酬を基準として賦課される。保険料は報酬月額の７・09%で（２０２３）、労使が折半する（公務員と私立学校教員は拠出者や拠出割合が異なる）。農漁村住民や都市自営業者などの地域加入者には、保険料賦課点数（所得、財産、自動車などを基準に定めた賦課要素別点数の合計）に点数当たりの単価（２０２３年２０８・４ウォン）を乗じる方法が用いられる（世帯単位）。給付内容には、医療サービス自体を保障する現物給付と医療費の償還制度である現金給付がある。

労働災害に関しては、産業災害補償保険法が１９６３年に制定され、64年から５００人以上の事業所を適用対象として実施された。現在の適用対象は、一部の例外を除くすべての業種における常時被用者一人以上の事業所まで拡大されている。財源には事業主が納付する保険料が充当されるが、保険料は、当該事業所内の労働者個人別の報酬総額に保険料率を乗じて算定される。給付の種類には、療養給付、休業給付、障害給付、傷病補償年金、遺族給付、葬祭費、看病給付、職業再活給付、塵肺年金がある。

失業保険は１９９３年制定の雇用保険法で法定化され、95年に施行された。適用対象は、98年に一人以上の被用者が雇用されるすべての事業所まで拡大された。２０２０年12月からは芸術家が、２０２１年７月からは特殊形態労働従事者（契約の形式に関係なく労働者と類似の労務を提供しているにもかかわらず勤労基準法等が適用されない者、保険設計士・宅配運転手など）が適用対象となっている。保険料は、労働者の年間報酬総額に該当保険事業の保険料率をかけて算定される。たとえば、一般労働者の失業給付事業の保険料率は1・8％で（２０２３）、保険料は労使が折半する。雇用保険の事業は、失業給付事業と雇用安定・職業能力開発事業からなる。

日本の介護保険制度と類似点の多い老人長期療養保険制度は２００８年から実施されている。適用対象は全国民で、サービス申請対象者は65歳以上の者と老人性疾患を持つ65歳未満の者（6カ月以上一人で日常生活を送ることが困難で、長期療養等級判定委員会で等級判定を受けた者）である。保険料は、国民健康保険料額に長期療養保険料率12・81％（２０２３）を乗じて算定され、これを労使が折半する。給付内容は在宅給付と施設給付、特別現金給付（家族療養費）に区分される。特別現金給付は、受給者が長期療養サービスを容易に受けられない地域に居住していたり、天災や身体・精神又は性格などの事由でサービスを指定の施設で受けるのが困難であることを条件に、家族などから訪問サービスに相当する介護を受ける場合に支給されるものである。

これら社会保険の問題のひとつは、未加入の労働者がいるということである。たとえば、年金保険、健康保険、雇用保険における賃金労働者の加入状況の調査結果をみると、２０２２年８月時点の正規職の加入率は、年金保険89・1％、健康保険94・5％、雇用保険92・2％であった。いっぽう、非正規職の加入率は、年金保険38・3％、健康保険51・7％、雇用保険54・0％となっている（韓国統計庁）。厳密に加入対象であるか確認することなく世帯内のすべての賃金労働者を調査しているため、実際の加入対象を基準とした加入率は調査結果よりも低いとされるが、正規職よりも非正規職の社会保険加入率が低いという傾向を確認することはできる。この結果からもわかるように、制度の実効性を高めるには未加入者へのさらなる対策が必要である。

もうひとつの問題は、給付内容が不十分であるということである。国民年金では２０２２年10月末現在、老齢年金の平均給付月額は約58万ウォンにすぎず、老齢年金受給者の約６割は40万ウォン未満の給付額しか受

ホームページ上で閲覧できる「老人長期療養保険給付利用案内」
出所：韓国国民健康保険公団・老人長期療養保険ＨＰ（https://longtermcare.or.kr/npbs/e/d/770/openBenefitsGuid.web?menuId=npe0000002587&zoomSize=）

給していない。基礎年金を併給しても、最低限の生活をするには物足りない金額である。また、健康保険の保障率は2017年の62・7%から2021年には64・5%まで上がっているが、依然として自己負担率は高いといえる。

人口高齢化とともに社会保険の財政問題は今後さらに深刻になっていく。そのため、制度の持続を可能にするために、個別制度の改革にとどまらない、社会経済的変化を見越した包括的で構造的な改革が求められている。

（株本千鶴）

参考文献
金明中『韓国における社会政策のあり方——雇用・社会保障の現状とこれからの課題』旬報社、2021年。
崔榮駿「制度の概要」上村泰裕編『新・世界の社会福祉⑦東アジア』旬報社、2020年。

31

福祉サービス

★子ども・高齢者・障害者のニーズに応える★

福祉ニーズを抱える人のカテゴリーはさまざまであるが、ここでは子ども、高齢者、障害者のニーズに応える福祉サービスについてみてみたい。

子どもに対する福祉サービスの中心は、保育サービスである。このうち現金給付としては、児童手当制度が2018年9月に導入された。当初の対象年齢は満6歳未満であったが、2022年1月には満8歳未満まで拡大されている。保育にかかる負担を軽減するサービスに関しては、現金給付が段階的に実施された後、2013年から保育所を利用する満0～5歳のすべての児童に対して所得に関係なく保育料が給付され、無償保育が実現された。保育施設を利用しない父母については、2013年、保育料や幼児学費、終日制ケアサービスの支援を受けることなく家庭で養育される満84カ月未満就学前の全児童を対象に、所得水準にかかわらず給付する家庭養育手当制度が導入された。2022年からは家庭養育手当の受給対象である満0～1歳の児童は乳児手当を受けることになった。

2022年に誕生したユン・ソンニョル政権は、現金給付の拡充によって少子化問題に対応するという政策志向をみせており、その具体的施策として乳児手当の代わりに父母給付を実施することとした。父母給付は、満0～1歳児童を対象に、家庭養育や時間制保育などへの使用、保育所や終日制ケアサービスの利用を目的に給付される手当である。給付方法には、現金給付とバウチャーによる給付の2種類がある。

保育に関しては他に、国公立幼稚園の拡充や初等学校児童対象のケア教室の運営、初等学校・中学校の生徒を対象とした地域児童センター事業の支援などが行われている。

生活上の問題を抱える子どもに対するサービスは、児童福祉として提供されている。増加する児童虐待問題、貧困家庭児童の健康や教育問題への対応は重要な施策である。たとえば貧困に関連したものとして、欠食児童への給食サービスがある。欠食の恐れがある低所得家庭の児童に団体給食所や一般飲食店利用、弁当配達、副食支援、食品券提供、給食カード発給などの方法で給食支援が行われている。２０２１年の支援対象者数は30万２２３１人であった。

高齢者への現金給付サービスとしては、所得補てんを目的とした基礎老齢年金制度が２００８年から施行されている。財源は税金である。本制度は２０１４年に基礎年金制度に変更された。２０２２年の段階では、所得認定額が選定基準額（所得下位70％）以下の65歳以上高齢者に給付されている。

高齢者に対するケアサービスである介護サービスは、２００８年施行の老人長期療養保険制度によって提供されている。日本の介護保険制度に類似しているが、家族介護に対する家族療養費（介護サービスが容易に受けられない地域に居住するなどの条件あり）のような現金給付制度がある点は日本と異なる。介護サービス利用を希望する65歳以上高齢者は、保険者である国民健康保険公団に申請し、長期療養の要否認定と必要度の判定を受け、サービス利用が可能とされればサービスを利用できる。65歳未満で老人性疾患のある者もサービスを利用できる。

老人長期療養保険によるサービス以外に老人マッチュム（個別ニーズ対応型）ケアサービス、認知症安心センターを中心とした地域社会での認知症高齢者支援、独居高齢者・障害者対象の応急安全安心サービスなどが行われている。老人マッチュムケアサービスは、長期療養保険制度のサービス利用対象から除外された者などに提供されていた6種類の高齢者ケアサービス事業を統合改編したもので、2020年から実施されている。対象資格者は、満65歳以上の国民基礎生活保障受給者やその他低所得層である。利用者は安否確認、家事支援、病院同行、支援連携など、多様なサービスを同時に利用できる。認知症安心センターでは、認知症高齢者とその家族を対象とした相談、検診、管理、サービス連携などの支援が提供される。

介護サービスの需要が増えるなか、高齢者に対する福祉サービスの量の拡大、質の確保とともに、高齢者が地域社会で継続して生活することを可能にする、介護と医療の連携によるケア提供システム構築などをめざした政策が進められている。

障害者福祉サービスにおいては、2007年に「障碍人差別禁止及び権利救済などに関する法律」が制定されたことの意義が大きい（2008年施行）。生活の全領域にわたる差別禁止が法定化されたからである。

所得に関しては、公的年金の補てん策として1990年から障害手当制度が実施されていたが、2010年に障害者年金制度が新たに成立した。障害者年金は、重度障害をもつ低所得層に現金を給付する制度で、2022年には満18歳以上の重度障害者のうち本人と配偶者の所得認定額が選定基準

ソウル市青年活動支援センターの「ヤングケアラー・ケアリング」事業の案内（「ヤングケアラー（家族をケアする青年）を支援します」）
出所：ソウル市青年活動支援センターＨＰ(https://sygc.kr/)

（単独世帯122万ウォン、夫婦世帯195万2000ウォン）以下の者に給付された（最大約39万ウォン）。

雇用については障害者の義務雇用制度があり、2022年の法定雇用率は、国・地方自治団体は3・6％、50人以上労働者のいる民間企業は3・1％である。2021年の実際の雇用率は、政府部門で3・8％、民間部門で3・0％を達成している。

障害者の自立生活や社会参加へのニーズに応える福祉サービスとしては、2011年から障害者活動支援制度が実施されている。この制度では自己決定が重視され、障害者の利用者は一定額のバウチャーをもらい、それを用いて必要なサービスを選択して受ける。支援内容は、活動補助（身体・家事・社会活動支援）、訪問看護、訪問入浴である。このほか、発達障害者に対するリハビリテーションサービス、デイサービス、親に対する個人心理相談サービスなどでもバウチャーが利用されており、バウチャー利用方式サービスの範囲は徐々に広がっている。しかし、給付水準の不十分さや需給バランスの不均衡などの問題が残っている。

近年、韓国でも日本と同様に、孤独死やヤングケアラーの問題が政策課題として取り上げられるようになった。たとえば、ヤングケアラーについては2021年後半頃から対策施行に向けた動きが始まり、2022年2月に「ヤングケアラー支援対策策定方案」(関係部署合同)が作成された。自治体単位でも、たとえばソウル市では、2021年下半期から青年活動支援センターでヤングケアラー・ケアリングモデル事業を実施するなどの支援を行っている。

(株本千鶴)

◉参考文献
株本千鶴「福祉と社会」上村泰裕編『新・世界の社会福祉⑦東アジア』旬報社、2020年。
須田木綿子・平岡公一・森川美絵編『東アジアの高齢者ケア——国・地域・家族のゆくえ』東信堂、2018年。
崔佳榮『韓国の大統領制と保育政策——家族主義福祉レジームの変容』ミネルヴァ書房、2019年。

II
社会

32

貧困と住宅問題

★住宅権保障への漸進的歩み★

韓国の相対的貧困率（等価可処分所得が全人口の中央値の半分未満の世帯員の割合）は、2011年の18・6％から2021年には15・1％まで減少している。しかし、この数値はOECD加盟国のなかでは高い部類に入る。2020年のデータでは、韓国の相対的貧困率（15・3％）は日本（15・7％）より低いが、オーストラリア（12・6％）、イギリス（11・2％）、ドイツ（10・9％）、フランス（8・4％）などに比べると高い。特徴的なのは、高齢者の相対的貧困率が主要な先進諸国のなかで最も高く、その数値が突出していることである。韓国の65歳以上人口の相対的貧困率37・6％は、OECD平均13・5％（2019年基準）の約2・8倍にもなる。

貧困の人たちの生活保障制度として、韓国には2000年10月に施行された国民基礎生活保障制度がある。国民基礎生活保障制度の受給権者は、「扶養義務者がいないか、扶養義務者がいても扶養能力がない、又は扶養を受けることができない者で、個別世帯の所得認定額が給付種類別選定基準以下の者」である（住居給付と教育給付では扶養義務者の基準は適用されない）。給付の種類には生計給付、医療給付、住居給付、教育給付、助産給付、葬祭給付、自活給付がある。国民基礎生活保障制度施行以来、所得認定額が、国が定める「最低生計費」以下である世帯に、必要なすべての給付が一括支給されていた。しかし、2015年7月以降は、生計給付、医療給付、住居給付、教育給付では、給付ごとに選定基準が決められ、受給者は各給付を個別受給することになった（最大4つ受給可）。また、選定基準と給付支給基準には「基準中位所得」（国民の世帯所得の中位値）が用いられることになった。たとえば、生計給付は、所得認定額が基準中位所得の30％以下で扶養義務者基準を満たす者が受給できる。

国民基礎生活保障制度では、労働能力のある者も条件付き受給者として、自活事業への参加を条件に生計給付を受給できる。また、自活事業には、自活給付特例者（自活事業で発生した所得によって所得認定額が基準中位所得の40％を超えた者など）や次上位階層者（労働能力があり所得認定額が基準中位所得50％以下の者のうち非受給権者）なども参加できる。自活事業参加者は労働能力についての評価を受け、適性に合った就業プログラムに従事する。

国民基礎生活保障制度をはじめとする現在の韓国の所得保障制度には、生活困窮者の相当数を制度対象として包摂できていないなどの難点があるため、近年、それを克服する方法としてのベーシックインカムの導入について議論が盛んになっている。議論だけでなく、ソウル市や京畿道などの自治体単位では、ベーシックインカムの性質をもつ制度がすでに実施されている。たとえばソウル市は、市内居住の満19〜34歳の未就業者・短期勤労者に活動支援金（月50万ウォン、最大6カ月）を支給し、経済相談・心理相談・就業力量強化教育など、青年のニーズに適したプログラムとの連携を支援する事業を行っている。

貧困問題の重要な一部でありながら対策が遅れている分野としては、低所得者の住宅環境がある。この問題については、２０１１年制定の「ホームレス等の福祉及び自立支援に関する法律」によって対策が行われている。この法律で「ホームレス等」は、次の3項目のうちいずれかに該当する者である。①相当期間、一定の住居なく生活している者、②ホームレス支援施設を利用している者、あるいは相当期間、ホームレス施設で生活している者、③相当期間、住居としての適切性が顕著に低い場所で生活している者。保健福祉部がホームレス等の実態調査で使用している具体的な分類でいえば、路上生活ホームレス（野宿生活者、総合支援センター・一時保護施設利用のホームレス）、施設生活ホームレス（自活施設・リハビリ施設・療養施設利用のホームレス）、チョクパン住民（チョクパン相談所のサービス対象者）になる。

チョクパンは未認可の簡易宿泊所で、法的な定義はない。ひとつの建物のなかに狭く区切られた部屋の形をとっていて、広さは3㎡くらい。日雇い労働者や貧困層の男性が一人で暮らしている場合が多い。保証金は不要、家賃は月賦か日払い。台所やトイレ、浴室などの設備が不十分で、安全、衛生、保健などの面で問題がある。

２０２１年の実態調査によれば、ホームレス等の全数は1万４４０４人で、２０１６年の1万７５３２人より３１２８人減少している。路上生活ホームレスは１５９５人、施設生活ホームレスは７３６1人、チョクパン住民は５４４８人であった。実態調査の結果をうけ、保健福祉部は、ホームレス等の多様なニーズに対応するサービス（住居、雇用、医療等）を提供するために、圏域ごとに総合支援センターを設置して支援事業を実施している。

「ホームレス等」の範ちゅうには入らないが、劣悪な住居環境で生活する人の問題もある。そのひと

郵便はがき

料金受取人払郵便

神田局
承認

2420

差出有効期間
2025年10月
31日まで

切手を貼らずに
お出し下さい。

101-8796

537

【受　取　人】

東京都千代田区外神田6-9-5

株式会社 **明石書店** 読者通信係 行

お買い上げ、ありがとうございました。
今後の出版物の参考といたしたく、ご記入、ご投函いただければ幸いに存じます。

ふりがな お名前	年齢	性別

ご住所 〒　　-

TEL　(　　)　FAX　(　　)

メールアドレス	ご職業（または学校名）

*図書目録のご希望 □ある □ない	*ジャンル別などのご案内（不定期）のご希望 □ある：ジャンル（　　） □ない

書籍のタイトル

◆本書を何でお知りになりましたか？
□新聞・雑誌の広告…掲載紙誌名［　　　］
□書評・紹介記事……掲載紙誌名［　　　］
□店頭で　□知人のすすめ　□弊社からの案内　□弊社ホームページ
□ネット書店［　　　］　□その他［　　　］

◆本書についてのご意見・ご感想
■定　価　□安い（満足）　□ほどほど　□高い（不満）
■カバーデザイン　□良い　□ふつう　□悪い・ふさわしくない
■内　容　□良い　□ふつう　□期待はずれ
■その他お気づきの点、ご質問、ご感想など、ご自由にお書き下さい。

◆本書をお買い上げの書店
［　　市・区・町・村　　書店　　店］

◆今後どのような書籍をお望みですか？
今関心をお持ちのテーマ・人・ジャンル、また翻訳希望の本など、何でもお書き下さい。

◆ご購読紙　(1)朝日　(2)読売　(3)毎日　(4)日経　(5)その他［　　新聞］
◆定期ご購読の雑誌［　　　］

ご協力ありがとうございました。

ご意見などを弊社ホームページなどでご紹介させていただくことがあります。　□諾　□否

◆ご 注 文 書◆　このハガキで弊社刊行物をご注文いただけます。
□ご指定の書店でお受取り……下欄に書店名と所在地域、わかれば電話番号をご記入下さい。
□代金引換郵便にてお受取り…送料+手数料として500円かかります（表記ご住所宛のみ）。

書名	冊
書名	冊

ご指定の書店・支店名	書店の所在地域 都・道　府・県　市・区　町・村
	書店の電話番号　（　　　）

つが考試院に住む人びとの問題である。考試院はもともと受験生や就職準備をする人たちを対象に作られたワンルームの部屋で、都会に多く、１９８０年代から急増した。しかし、１９９０年代以降、保証金なしの低価格の賃貸部屋ということで、一人暮らしの低所得層が居住場所として利用する例が多くなった。考試院の部屋は個別に区画化されているため、部屋で火災が発生しても他の部屋の住人がそれを素早く認知することが難しい。避難経路が狭く複雑なことから、退避できないこともある。このような住居環境のため、人命被害が起こる可能性が高い。実際、２０１７年以降5年間に考試院で発生した火災は２４３件、火災による死亡者は9人である。

多数の考試院《コシウォン》（고시원）が存在するソウル市銅雀区鷺梁津洞
（2023年3月）

映画『パラサイト』で韓国の半地下部屋の事情が広く知られることになったが、半地下を含む地下にある部屋も不適切な居住地といえる。統計庁の人口住宅総調査（２０２０）によれば、全国の地下・半地下世帯は32万７０００世帯、このうち20万１０００世帯（61・5％）がソウル居住の世帯である。地下の生活環境は、住民にとって日常的に適切さに欠けるのはもちろん、水災や火災が起きた場合、特に大きな被害を起こしやすい。２０２２年8月にも首都圏を襲った暴雨によって、ソウル市冠岳区《クァナック》と銅雀区《トンジャク》の半地下住宅で市民が死亡する被害が起きている。

この被害の事態を受けて、韓国政府は、半地下住宅居住禁止及び住居脆弱階層に対する支援の強化を実施すると発表した。しかし、1カ月後に国会に提出された2023年度予算案では、チョクパンや半地下などに住む住宅貧困者支援のための公共賃貸住宅の予算は大幅に削減された。長期公共賃貸住宅の在庫数より住宅貧困世帯のほうが多い状態が改善されていないにもかかわらず、この問題に対する政府の姿勢は消極的にみえる。住居権の十分な保障までの道のりは長そうである。（株本千鶴）

◉参考文献
金教誠ほか／木村幹監訳、李涎美訳『ベーシックインカムを実現する――問題意識から導入ステップ運動論まで』白桃書房、2021年。

金明中『韓国における社会政策のあり方――雇用・社会保障の現状とこれからの課題』旬報社、2021年。

五石敬路ほか編『日中韓の貧困政策――理論・歴史・制度分析』明石書店、2021年。

全泓奎、志賀信夫編『東アジア都市の社会開発――貧困・分断・排除に立ち向かう包摂型政策と実践』明石書店、2022年。

33

自　殺

★対策強化は実を結ぶか★

１９９７年末の通貨危機の余波を受け、韓国の自殺死亡率（人口10万人当たりの自殺者数）は急増し、カード破産が増える騒動があった２００３年には、韓国はＯＥＣＤ加盟国のなかで自殺死亡率が最も高い国となった。２０２０年時点で、ＯＥＣＤ加盟各国の最新の自殺死亡率の平均は11・０人である。これに対して韓国の自殺死亡率は、ＯＥＣＤ平均の２倍を上回る24・１人（２０２０）となっている。第２位リトアニアの20・３人、第３位スロベニアの15・７人との差も大きい。年齢別でも、20代以上のすべての年齢層で韓国の自殺死亡率がＯＥＣＤ加盟国中で最も順位が高い。特に、80歳以上の自殺死亡率（62・６人）はＯＥＣＤ平均（21・４人）の２・９倍にもなる。

韓国の状況を「死亡原因統計」（２０２２）によって詳しくみてみよう。２０２１年の自殺者数は１万３３５２人、自殺死亡率は26・０人、１日平均の自殺死亡者数は36・６人である。自殺者数と自殺死亡率は２０１１年の１万５９０６人、31・７人から２０１７年にはそれぞれ１万２４６３人、24・３人にまで減少したが、それ以降は微増ののち微減の傾向にある。

２０２１年の性別の自殺死亡率は、男性35・９人、女性16・

図　韓国の自殺者数と自殺死亡率（2011～2021）

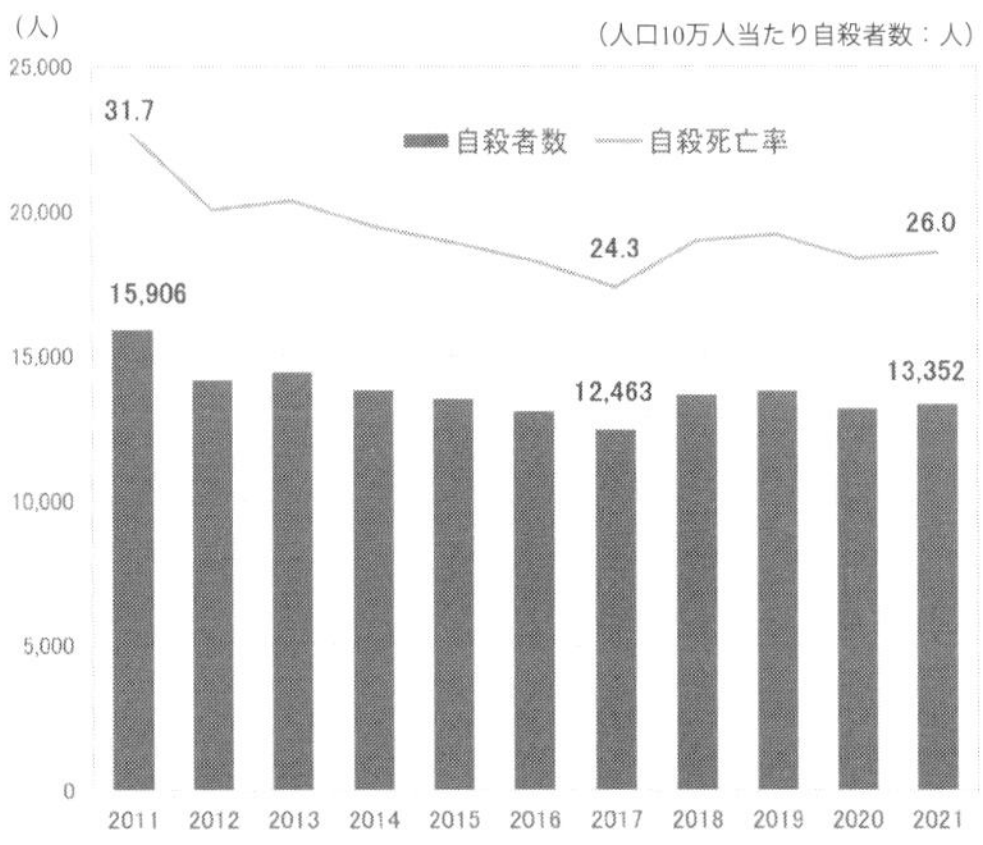

出所：韓国統計庁（2022）『2021年死亡原因統計』

２人である。過去５年の傾向としては、男性は２０１７年から２０１８年まで増加の後、２０２０年までは減少したものの、２０２１年に再び増加。女性は継続して増加傾向にある。年齢別の２０２１年の自殺死亡率では、80歳以上61・３人が最も高く、ついで70代41・８人、50代30・１人となっている。過去５年間では、80歳以上の自殺死亡率は減少傾向にあるが、70代では２０２０年まで減少していたのが２０２１年に増加に転換した。10代と20代の自殺死亡率は、５年連続で増加している。

２０２１年の死亡原因における自殺の順位は第５位で、男性では第５位、女性では第７位となっている。年齢別の死亡原因においては、自殺は10代から60代まででは５大死亡原因に含まれ、10代から30代までは第１位、50代では第２位の位置を占める。

自殺の原因は多様で複雑であるが、韓国警察庁の２０２０年の資料を分析した報告によれば、その他や未詳を除くと、精神的・精神科的問題が最も多く、次いで、経済生活問題、身体的疾病問題、家庭問題、職場・業務上の問題等となる。また、保健福祉部の報告によれば、２０２１年の自殺死亡率の増加は、新型コロナウイルス感染症流行の長期化によるうつ症状者や希死念慮者の増加、青少年・

青年層の自殺死亡率増加などが主たる要因であると考えられている。

徴兵制を持つ韓国では、軍隊内での自殺は社会問題のひとつでもある。２０１７年から２０２１年までの軍隊内自殺者数は２７１人であり、階級別では幹部（将校、副士官）が１５８人で最も多い（『Ｏｈ！ＭｙＮｅｗｓ』２０２２年11月10日）。国防部の努力によって兵士の自殺は以前よりも減少しているが、幹部の自殺者数は近年、上昇傾向にあるという。若い初級幹部の自殺の主な要因は、上司から受けるストレスや業務上のストレスなどとされるが、これらの軽減対策や軍全体での自殺予防対策の強化が求められている。

国家全体の自殺対策としては、２００４年に「第一次自殺予防5カ年総合対策」が策定されたことで、自殺死亡率減少を目標とした対策への一歩が踏み出された。２０１１年には「自殺予防及び生命尊重文化の造成のための法律」が制定され（２０１２年施行）、法的基盤が整備された。

３度目の５カ年計画は２年遅れの２０１６年に策定されたうえに、独自の課題としてではなく、精神健康総合対策の主要課題のひとつとして発表された。このことから、当時は自殺予防政策が国家の優先課題とみなされていなかったといえるであろう。この点を克服したのが、２０１８年に策定された「自殺予防国家行動計画」である。２０１７年に誕生した新政権は、歴代政権ではじめて「自殺予防と生命尊重文化拡散」を国政課題に含め、この計画によって自殺予防対策の実質的効果を上げるための体制整備を試み、総理室主導の推進体系構築、保健福祉部内での専門部署（自殺予防政策課）の新設、予算の増額などを実行した。２０２０年以降は、コロナやポストコロナに対応する自殺予防強化対策が進められている。具体的な対策事業は、自殺高危険群の発掘のためのネットワーク構築、地域社会での精神健康サービスの展開、自殺未遂者や遺族のケア、対象別の自殺予防対策、広報キャンペーンなどである。

対策事業のひとつに、自殺報道の勧告基準や映像コンテンツ自殺場面ガイドラインの作成と普及がある。「自殺報道勧告基準２・０（２０１３年改訂版）」では自殺という単語の使用を自制することが原則とされたため、自殺関連記事では「極端な選択」という表現が多用されるようになった。しかし、選択ではなく精神疾患による自殺があること、自殺を苦痛解決の選択肢のひとつとする考え方を強化する可能性があることなどの理由から、「極端な選択」という表現の適切性が議論の対象となった。このため２０１８年改訂版の基準は、「記事のタイトルに〝自殺〟や自殺を意味する表現の代わりに〝死亡〟〝亡くなる〟などの表現」の使用を勧める内容に改められた。

自治体単位でも対策が進められていて、首都圏で自殺死亡率が最も高い仁川《インチョン》市は、地域特性に適した自殺予防事業を展開している。そのひとつが、民間協力者「生命チキミ（守る人）」の養成である。「生命チキミ」は自殺の危険を示すサインに気づき、適切な対応（声かけや話を聞くなど）を図ることができる人、すなわち、ゲートキーパーのことである。仁川市ではタクシードライバーや学習塾、薬局、宗教団体などによびかけて、「生命チキミ」の人材養成や活動支援を行っている。

生命チキミの手記公募展で大賞を受賞したイ・サンギル氏は、仁川で活動するタクシードライバーである。手記には、女性客を支援に結び付けたエピソード、アプリでの呼び出しでは出発地・目的地が自動案内されるので対話の糸口を見つけにくいといった活動中の困難、苦しみを抱える人が自身のことを語る勇気を持つことの大切さなどが綴られている。イ・サンギル氏が言うように、「ある時ふと、ほんのわずかな間、生きていく理由を失った誰かに、温かい関心をもって耳を傾け、そして慰めることは、人の心を動かす大きな力になる」ことがある。国家でも自治体でも自殺死亡率減少の目標を達成することは至難である。しかし、生命を守るために努力する人たちの活動は惜しみなく続けられている。

（株本千鶴）

34

多文化政策と移住者の現状

★社会を支える人たちから目を背けるのか★

韓国は第一章で述べたように人口減少社会に突入しており、居住する外国人の比重が増している。かつては移民の送り出し国であった韓国が、今や受け入れ国になっていることに時代の大きな変遷を感じざるをえない。社会主義圏の崩壊以前、韓国は陸の孤島のような存在であったことは第9章でも述べた。

そもそも近代朝鮮に最初に外国人として定住したのは中国人であった。在韓中国人は山東省出身者が多く、韓国で中華料理店などを営んだが、南北分断後は中国出身者が大陸の故郷に往来できなくなった。国籍としても中華民国国籍とされたのである。朝鮮戦争で中国が敵側であったこともあり、植民地支配下で日本の支配層が扇動した中国人への差別意識は、イデオロギー対立と相まって、解放後も継続、再生産された。研究者のイ・ジョンヒはこうした歴史から韓国を「華僑のいない国」と呼んだ。陸の孤島だった韓国には、在韓米軍を除き、ソウルオリンピックまであまり外国人は来訪しなかった。

1980年代を通じて産業化が進んだ結果、90年代はじめには中小企業や条件の悪い職場においては労働力不足に悩まされるようになっていた。90年代以降、建設現場や零細事業所で、韓国に入国が可能になった外国人の移住労働者を「不法」であると知りながら雇用するようになったのは、それだけの理由があったのである。だが、法的保護を受けられずに労働に従事する移民労働者たちは、低賃金、長時間労働、雇用主の暴力などに苦しめられることになった。90年前後、移住労働者の最初期は中国の朝鮮族が多かった。国籍はちがっても言葉が通じ意思疎通がたやすくできたからである。その後、フィリピンや南アジアの人びとも増えていった。

韓国は90年代はじめ、急増する労働力需要に研修生制度で対応しようと試み、91年に海外投資企業研修制度、さらに93年には海外投資企業という制約を外し中小企業中央会が窓口になる外国人産業研修制度を設けた。だが、研修生は実際には労働者として働かされたうえ、最低の賃金しか支給されなかったことから職場を離脱し、より条件のましな職場を求めて流動するようになった。また、観光で入国して、在留期間を過ぎて労働に従事するケースも増えた。もはや、研修生制度ではやっていけない現実を踏まえ、ノ・ムヒョン政権は雇用許可制と非正規滞在者の合法化措置を内容とする立法をはかり、２００３年７月に「外国人勤労者雇用等に関する法律」制定にこぎつけた。

同法に基づき、雇用許可制は04年８月に施行されたが、その対象となる外国人に対し「非専門就労」という新たな在留資格が設けられた。03年９月から11月にかけて「非正規滞在外国人合法化措置」がとられ、非正規滞在が４年未満の労働者の申請を受け付けて、推計22万７０００人の対象者のうち、18万４０００人がこれを通じて合法化された。雇用許可制とともに研修生制度をなくすことには企業団体の反対が根強かったため、研修制度は07年まで存続された。

雇用許可制は一般雇用許可制と特例雇用許可制のふたつに分かれる。一般雇用許可制はベトナム、カンボジア、インドネシアなど2国間合意に基づいて中小企業、農林水産業、建設業に適用される。これに対し特例雇用許可制は中国や旧ソ連の韓国系住民に限定され、一般雇用許可制の職種に加えサービス業などが含まれる。雇用許可制は、国務総理を委員長とする外国人労働力政策委員会で受け入れ人数を調整しつつ、送り出し国とは覚書を通じて相互の権利義務について規定した上で受け入れる方式で始まった。雇用契約は1年単位だが、3年を超えない範囲で更新することができる。3年の期間を終えて再入国するまでのクーリング・オフ期間は当初1年とされたが、05年3月に6カ月に短縮され、さらに同じ雇用者が再雇用を申請する場合は1カ月でもすむことになったため、事実上、長期的雇用になるケースも現れた。労働者として認めていなかった研修生制度に対し、雇用許可制は韓国人と同様に法に定められた労働者としての権利を認めるものである。健康保険をはじめ4大保険にも加入し労働法が適用される。ただし、就業先は入国前から指定されており、家族同伴も許されていない。賃金面では最低賃金は保証されるとはいえ、韓国人労働者と比較すれば低くなっている。この他、出身国から労働者を送り出すブローカーが法外な仲介料を労働者に要求して束縛することも長い間問題になっているが、解決できずにいる。施行以来、雇用許可制は外国人移住者を労働者として受け入れる制度として韓国の労働力を支えたが、雇用主の力が強く労働者の権利が十分に守られていないのが現実である。雇用許可制も課題は少なくないのである。

韓国の登録外国人数は2002年に25万2457人だったが、03年には43万7954人と8割増であった。非正規滞在の合法化が大きかった。外国人数は2018年には124万6626人と2002年のほぼ5倍に増加した。新型コロナウイルス流行で入国する外国人は減少したが、

2022年5月現在で韓国内常住外国人は、前年比3万人減の130万2000人と統計庁が同年末に発表した。このうち経済活動人口は88万人である。留学生は16万2600人で前年比1万9200人増加したが、就業目的で入国する場合もあり、アルバイトとして最低賃金にも及ばない金額で働かされている留学生もいるという。

このほか、朝鮮族やベトナムなどから来た結婚移民も少なくない。韓国人男性の農村地域での配偶者として多くの女性たちが韓国に来た。法務部の統計によれば、女性の結婚移民者は1993年から94年は3000人台だったが、95年からは結婚移民が1万人を超し、2005年には3万719人と最高を記録した。国別でみると中国が一番多い。韓国人女性と結婚する男性の移民はこれと比べ圧倒的に少ない。以上に述べたようなことは大なり小なり日本にも当てはまることで、日本社会を顧みる意味でも、考えさせられることは多い。日本では、まだ雇用許可制も実施されていないのである。

韓国では移住者に対し農村部高齢者を中心に拒否感がまだ強く残っているのは事実だが、農村部こそ移住者の労働力がなければ村が成り立たないようになっているのもまた現実だ。一時的な出稼ぎ労働者ではなく、隣人としての移住者に向き合うことが、ますます切実になっている。

（石坂浩一）

参考文献
深川博史・水野敦子編著『日韓における外国人労働者の受け入れ――制度改革と農業分野の対応』九州大学出版会、2022年。
春木育美・吉田美智子『移民大国化する韓国――労働・家族・ジェンダーの視点から』明石書店、2022年。

35

在外コリアンの過去・現在・未来

★歴史の証人として未来の担い手に★

朝鮮半島では日本の侵略戦争から植民地時代に至るまで、多くの人びとが移民として流出した。植民地支配下では「外国」とは言えなかった日本をはじめ、中国、ソ連に移住した人びとはそれぞれの地で過酷な状況に直面しつつ生きた。メキシコ、米国への移民も多くはないが存在した。

中国に暮らす朝鮮人の一部は中国共産党のもとで抗日戦争に参加、上海臨時政府の民族主義派独立運動家は、日本軍の侵略で後退する国民党とともに重慶へと退き抵抗を続けた。こうした人びとは中国の地で日本の降伏の報を聞いたのである。中国人民軍に加わった朝鮮人は、第二次世界大戦終了後も国民党との内戦に参加、中華人民共和国建国に貢献した。そして少なからぬ者たちは１９５０年からは義勇軍として朝鮮戦争に参戦した。中国の朝鮮人は中国政府の認定する少数民族のひとつとして、吉林省に延辺朝鮮族自治州を形成し今日に至っている。黒竜江省、遼寧省にも朝鮮族は暮らしていて、その数を合わせると約２００万人とされる。自治州では中国語と朝鮮語の双方が公用語であるため、公教育でも両言語が教えられ、ふたつの言語による表示が並んでいる街並みを見ることができる。しかし、時代の困難は朝鮮族にも押し寄せ、中国において急進的社会主義化政策を取った大躍進によってもたらされた1960年前後の大飢饉や、文化大革命（1966～76）による少数民族迫害の際には、一部の朝鮮族が国境を越えて北朝鮮に難を避けた。韓中国交正常化以降は韓国の企業、機関の進出が進み、韓国に出稼ぎに行く朝鮮族が増えて、地域の空洞化が憂慮されている。ソ連では沿海州など極東に朝鮮人が暮らしていたが、スターリンは朝鮮人が日本の侵略に協力することを恐れ、1937年に17万2000人もの朝鮮人を中央アジアへ強制移住させた。また、日本の戦争遂行のためにサハリン（旧日本領樺太）に労働動員された朝鮮人約2万3000人が、戦後は日本人でなくなったという理由で故郷への帰還を拒否され、サハリンを出ることを許されなかった。在ソ朝鮮人は「カレイスキー」と呼ばれ、カザフスタンなどで独自の文化を形成した。

日本の植民地支配によって暮らしていけなくなり、日本に職を求めてやってきた朝鮮人は、日本の底辺で社会を支えた。鉄道も道路もダムも、国会議事堂までも、朝鮮人がかかわらなかった建造物はないといわれるほど、日本社会のインフラは朝鮮人労働者によってつくられた。しかし、在日朝鮮人は日本人から差別され、低賃金で働き、学校に通う子どもたちも差別に泣き悩まされた。1923年の関東大震災において、6000人ともいわれる多数の朝鮮人が虐殺されたのも、日本政府の差別政策と日本人の差別意識によるものであった。1939年に日本政府は朝鮮人を日本に動員する政策を決定し、戦時労働動員が始まった。労働者を集める方式は「募集」から「官斡旋」、そして「徴用」と変わったが、実態は企業と朝鮮総督府が一体となり朝鮮の村を回って人をかき集める、拒むことのできないものであった。形式的な契約期間は守られたことがなく、加えて「募集」で働きはじめた朝鮮人を職場でまるごと徴用の対象としてしまい、徴用と何らちがわない立場にされた例も多数あった。炭坑や鉱山のような条件の悪い過酷な労働現場に大部分の朝鮮人が追いやられた。朝鮮から日本に動員された朝鮮人の数は、日本の国会に提出された資料をみると70万人程度となっている。

第二次世界大戦終了時に約２００万人の朝鮮人が日本にいたが、多くが祖国に帰国を急ぎ、70万人程度が朝鮮に生活基盤がなかったり、祖国の様子を見てから帰国しようとしたりして日本にとどまった。その後、解放されたはずの祖国の状況はあまりに厳しく、朝鮮戦争も始まって、済州島４・３事件などで命からがら日本の親族を頼ってくる（戻ってくる）人びともいた。在日朝鮮人は１９５２年にサンフランシスコ講和条約発効により本人の意思にかかわりなく一夜にして日本の国籍を喪失させられ、朝鮮籍の外国人とされた。本書ではとても詳述することはできないが、在日朝鮮人の歴史についてはしっかりした解説書を参照してほしい。

韓国併合以前の１９０５年にメキシコに移住した朝鮮人は１０００人あまりといわれる。ほどなく、非人道的な待遇を受けていることが判明して、同様に移住した日本人、中国人は帰国できたが、外交権も失い頼るすべがなかった大韓帝国の朝鮮人は帰還できなかった。その後、１９２１年に約３００人がキューバに移住した。第二次世界大戦後、１９５９年のキューバ革命に加わり産業省大臣などカストロの政府の高官も務めたヘロニモ・イム（イム・ウンジョ）は朝鮮人移民の子孫であった。

独立後の韓国が経済的に安定する以前は、労働力輸出としてドイツへの炭鉱夫（男性）、看護師（女性）の移民が進み、ドイツに定着した人びともいた。また米国をはじめ世界に韓国からの移民が進んだ。パク・チョンヒ政権は人口の増加による貧困の継続を恐れ、移民によって人口を抑制しようとしたため、自由な海外旅行ができない時代でも移民は奨励されたのである。

その後、移住した朝鮮民族は各地で活躍している。それぞれの居住地域によって国籍に関する制度の違いがあるため、米国などのように出生地の国籍を得られる地域から、日本のように血統主義をとり外国人は何代暮らしても外国人という地域まで、それぞれの法的地位はさまざまである。在日コリアンの場合、大部分は韓国籍だが、朝鮮籍を維持している人もいる。朝鮮籍とは朝鮮民主主義人民共和国の国籍ではなく、前述のように日本で旧植民地出身者を一方的に外国人にした際の外国人登録法上の「国籍」である。国際法的には無国籍だが、南北のどちらかの政権を支持するのではなく、ひとつの朝鮮を願ってこだわりを持っている点では前向きな選択のひとつに他ならない。すでに日本国籍を取得した人も多く、その数を統計的に追うことは難しいが、100万人程度に上るものと見られる。そうした日本国籍を取得した朝鮮半島のルーツを持つ人びとまで含めるために、在日コリアンという名称を使うこともあり、民族と国籍は別だという当たり前のことをようやく日本社会でも考えるようになりつつある。

ディアスポラ800万人といわれるほど世界に離散した朝鮮民族だが、韓国政府もその存在を意識して2023年4月に国会で在外同胞基本法が可決され6月には在外同胞庁が設置された。

（石坂浩一）

◉参考文献
鄭栄桓『歴史のなかの朝鮮籍』以文社、2022年。
水野直樹・文京洙『在日朝鮮人――歴史と現在』岩波新書、2015年。

36

離散家族

★「北韓離脱住民」と社会統合★

南北におけるふたつの政権の成立と朝鮮戦争による分断固定化が生んだ離散家族、そして分断の長期化のなかで増加する脱北者の存在は、朝鮮民族にとって大きな人道問題である。米ソによる分割占領の下で、北ではキリスト教徒や旧地主などの名望家層が、南では朝鮮共産党や左派勢力にかかわった社会主義者らが、それぞれの地で弾圧を受けたため難を避けて越南／越北をしたが、朝鮮戦争で人びとはさらに複雑に引き裂かれた。北から南に、南から北に、連れ去られたという人びと、そして避難の過程や、戦火によるよりどころの消失のために互いに行方不明になった人びとが、離散家族となった。それぞれの政権では拉致されたと主張するが、その時の現実から、意に沿わない連行に従わざるをえなかった人びとから、自ら望んで北／南に行ったのだが、残された家族や関係者が弾圧されることを避けるために「連れていかれたのだ」と言う人びとまで、さまざまな事情があると考えられる。離散家族の問題は南北対立が根本から克服されない限り、本心から語りにくい問題にちがいない。

離散家族の悲劇は生き別れになった事実にとどまらない。韓国では家族の一部が敵である北側にいるというだけで、当局から監視されるなど警戒の対象とされ、社会生活を送るうえで不利益をこうむらざるをえない経験をした。そうした北半部出身者は熱烈な反共精神を行動で示すことにより、ようやく韓国社会で市民権を得ることができた。なかには北朝鮮に浸透する工作員となって功績をあげ認められようとする者もいた。一方では、済州島の4・3事件に際しては、西北青年団のような北半部出身者からなる反共青年団体が、米軍政に抵抗する人びとをひとくくりに「アカ」と決めつけて虐待、弾圧し、事実上の報復行為に走ることもあった。イデオロギー対立とともに、同じ韓国のなかにいながら家族とはぐれ、離散家族となっているケースもあった。1983年にKBSが行った離散家族探しキャンペーンが韓国での離散家族本格調査の第一歩となったが、北半部出身者がともに南にいながら再会できずにいた「韓国内離散家族」も確認された。

このようにイデオロギー対立は社会のなかに根深い葛藤を生み、日常的不安感をもたらした。韓国の、特に年配の人びとが、北から来た人びとに強い警戒心を抱くのは、現代史の現実に根差したものなのである。こうした不安感、警戒心は、1960年代から70年代にかけて、パク・チョンヒ政権の反共政策のなかで再生産された。「脱北者」への韓国人一般の対応は、こうした歴史的経緯を抜きにして語ることはできない。「脱北者」に対する態度がいまだに温かいものになっていないとしたら、その責任はイデオロギー対立や韓国の反共政策にあるのであって、すべてを個々人に帰すべきではない。

元来、韓国では北に属した人が南に助けを求めてやってくることを「帰順」とよび、これを歓迎しつつ宣伝材料としても活用した。当然ながら、「帰順」した人物が二重スパイではないかは、厳しく審査された。心から韓国に忠誠を誓ったとみなされた人だけが受け入れられた。ところが、1990

年代半ばに北朝鮮で深刻な食糧難が発生、北朝鮮当局も「苦難の行軍」と呼んだほど、人びとの生存そのものが脅かされる状況に直面し、多くの住民が中国へと流出することで、「脱北者」という言葉が生まれた。やがてその一部が韓国へやってくるようになった。かつては海外に出る機会のあるエリート層の亡命が「帰順者」であり、事実上の経済難民の受け入れは90年代末にはまだ想定されていなかった。しかし、たくさんの庶民たちが韓国へやってきたことで、韓国社会はこの人びとを受け入れるシステムを整えざるをえなくなっていく。韓国政府は急増する元北朝鮮住民の受け入れのため、1997年に「北韓離脱住民の保護及び定着支援に関する法律」を制定、統一部の所管の下、適応教育を行う施設「ハナ院」を同年7月に京畿道安城に設立、2012年には江原道に第二ハナ院も生まれた。関係機関の審問を経た元北朝鮮住民は、ハナ院で12週392時間の基礎教育、4週間80時間の地域適応教育を受け、はじめて韓国の住民として戸籍（2008年1月以降は家族関係登録簿）を作成し韓国国民となる。「脱北者」という言葉が与える否定的印象のために、ノ・ムヒョン政権期には新たな暮らしの場を求めた人という意味で「セトミン」という言葉も作られたが定着せず、同政権時代の2005年以降は「北韓離脱住民」という至極客観的な言葉が政府機関で使われている。

ハナ院での教育を受けても職を得ることができない場合も少なくない。韓国の効率重視の働き方に慣れることができず、社会的不適応で職場を辞めてしまう人もいる。韓国に来たら良い暮らしができるのではないかという期待は、現実とは距離がある。一方で、「北韓離脱住民」は元高位層の親睦団体から、人権擁護に努力する団体まで多様化しているようだ。

韓国の統一部によると、1998年までの「北韓離脱住民」数は累計でも947名にすぎなかった。

ところが、2001年以降は毎年1000人を超える北朝鮮住民が韓国に入り、06〜11年までは毎年2000人以上にのぼった。韓国のキリスト教会の一部で元北朝鮮住民の韓国入りを支援して活動するグループもあり、中国にある外国大使館などに駆け込む「企画亡命」と呼ばれた動きも現れた。中国政府は北朝鮮の状況を好ましく思ってはいなかったが、企画亡命のような動向にも頭を痛め、取り締まりを強化した。こうして、韓国入国は東南アジアやモンゴルなど、周辺地域を経由する複雑なものになっていった。やがて中朝双方が国境警備を強化し人数は減少、新型コロナウイルス流行以降は人の移動が一層難しくなり、さらに減少した。統一部の集計によると、2022年6月までの「北韓離脱住民」累計は3万3501人である。このうち、女性が七割強、男性が三割弱。累計から死亡や韓国からの流出を差し引いた現在数は2万7000人ほどという。

人はすべて、移動の権利も故郷に帰還する権利も有している。その意味では、北朝鮮を離脱した人びとが故郷に戻ることができるような対立、緊張の緩和が望ましいが、すぐには難しい。「北韓離脱住民」がいずれ現在の居住国と北朝鮮との間を往来し架橋となる時が来れば、この人びとの本当の活躍の場が生まれるのではないだろうか。

（石坂浩一）

◉参考文献
藤目ゆき監修／金貴玉著／永谷ゆき子訳『朝鮮半島の分断と離散家族』明石書店、2008年。
新保敦子編『中国エスニック・マイノリティの家族――変容と文化継承をめぐって』国際書院、2014年。

III

経　済

37

解放後韓国経済の歩み

★世界経済の中の発展★

韓国経済は、奇跡的な経済成長を遂げた。この一文が、解放後韓国経済の歩みを最も端的に表しているだろう。その辿ってきた道はドラマや映画では描き切れないほどのストーリーであり、同国の急速な経済発展をめぐる現実は私たちの想像を遙かに超える。

韓国は、日本の植民地支配からの解放を経て1948年に成立した。朝鮮半島は、戦後世界における米ソ冷戦体制に巻き込まれ、1950～53年に勃発した朝鮮戦争によって南北分断が決定づけられた。韓国は北朝鮮と袂を分かつ分断国家となり、いわば世界史に翻弄され刻まれた形が韓国経済の構造に大きな影響を与えることになった。

解放後すぐは、植民地時代に日本人が所有していた土地や工場、住宅などのいわゆる帰属財産という基盤があって経済を動かしていた。しかし、朝鮮戦争によって、これらも甚大な被害にあい、韓国の市場は荒廃してしまったのである。韓国は、世界の最貧国のひとつに数えられていた。そこで、戦後の冷戦体制という枠組みが韓国を急速な経済成長へと誘うことになったのである。米国を中心とした資本主義の政治経済の体制およびシステムに組み込まれた韓国は、その従属または依存という構図のなかで国民経済が形成されていくことになった。韓国は、米国によって社会主義諸国の進出を阻止するいわば反共の砦として位置づけられた。そのため、米国の軍需産業に必要で応答的な工業化がめざされた。解放後および朝鮮戦争後の韓国の経済復興には、米国の積極的な関与が特徴的であったといえる。

当初は、米国からもたらされた無償の援助が韓国の経済を起動させる役割を担っており、援助物資であった小麦や原糖、棉花を加工して供給・販売する、いわゆる「三白産業」（製粉・製糖・紡績工業）が興っていた。今となっては、グローバル企業に躍進したサムスンの台頭の萌芽も、これら産業を享受した影響が大きい。さらに、軍需産業に欠かせない半導体などの電気・電子部品や自動車・造船などの輸送機械の生産を自国の低賃金労働で請け負いつつ、工業化で求められる技術をキャッチ・アップしながら、それら財を米国や日本に輸出するという展開で、急速な経済成長を遂げていったのである。1960～70年代の対内直接投資額および技術導入件数は米国と日本だけで80～90％を占め、1970年代の貿易額は米国と日本だけで50～70％を占めた。こうしたなか、冷戦体制ゆえに世界に影響力を誇示したい米国は、世界のあらゆる地域に経済的にも加勢をしていたため、韓国に対する経済的な負担を担いきれなくなっていった。経済的な拠り所がなくなる懸念もされたが、工業化の基盤が整えられつつあった韓国の産業は、1960年代から80年代における次の契機と要因で飛躍することになったのである。それは、日韓基本条約による有償・無償援助や技術協力、ベトナム戦争による工業部門の特需、オイルショックを巧みに利用した積極的な中東進出（企業進出から出稼ぎまで）、プラザ合意（円高ドル安の影響に連動したウォン安）による輸出攻勢といった国際経済環境である。

韓国の発展には、軍事政権（開発独裁）による経済開発計画も強く実施されていたことを挙げるべきであろう。外資導入や輸出政策を推進するために、貿易に関する規制や関税の優遇措置を受けられる自由貿易地域を設けたりした。また、この過程では、発展に必要な産業や財閥が恩恵を受けたりもした。いわゆる政経癒着も指摘されるなか、開発独裁として国家を長らく運営していたパク・チョンヒ政権の時期（1963〜79）は、GDP成長率が10％を超える年も多く、経済成長の驚くべき勢いが評価された時代であった。パク・チョンヒ大統領の「輸出商品は国力総和の芸術品」という言葉が際立つ。他方で、開発独裁による抑圧があり、国策によって選別化された財閥の力が強く、筆舌に尽くし難い犠牲や衝突もあったが、経済発展によって労働環境の改善や教育水準の向上などが進み、開発独裁に不満をもつ民主化運動を担う階級・階層が形成された。1987年には民主化宣言、1988年にはソウルオリンピックが開催された。1993年からは文民出身のキム・ヨンサムが政権を握った。さらに、1996年には「先進国」の仲間入りとされる経済協力開発機構（OECD）に加盟するに至った。

1965〜90年のドラマチックな変貌をもってして、世界から「漢江の奇跡」や「東アジアの奇跡」と称賛され、途上国の「開発モデル」として注目をあびた。貿易（国際分業）によって経済成長できたこと、それを可能にしたのは国家の役割（政府の介入）を可能な限り少なくした市場の自由な取引によって成功したとの議論が中心であった。とはいえ、韓国における開発独裁の作用と財閥の役割を看過することはできない。また、平川（1992）が言及するように、「もっとも、この世界経済は、たんに一国経済の寄せ集めによって成り立っているわけではない。それ自体、独自の構造、一定の方向をもった『勢い』があり、NIESの成長はとくに大戦後の国際政治経済構造そのもの、つまりその枠組みのなかで実現されたというのが正確な表現であろう」といった視点が重要である。

輸出に強みを持ち世界市場を基盤に経済成長していく韓国だが、解放後から1985年までは慢性的に貿易赤字であった。継続的に貿易黒字になった画期は、1997年アジア通貨金融危機だった。1997年アジア通貨金融危機においては、外国資本が流出して通貨に対する不安が広がり、過剰な借入などで資金繰りが上手くいっていなかった企業が相次いで倒産し、金融部門の脆弱性が露呈して国家破綻の窮地に陥った出来事であった。当時のニュースなどから分かることだが、ソウル市内の地下鉄の駅にはホームレスがあふれていた。韓国は、緊急融資を国際通貨基金（IMF）に求めた。IMFが融資を条件に韓国に課した政策（IMF構造調整政策）は、金融・財閥・労働・公共部門における民営化や規制緩和などの徹底した自由化であった。グローバル・スタンダードの導入によって、市場はこれまで以上に開かれ、活発な貿易に牽引されて経済はV字型回復したものの、国内外の資本がめまぐるしく参入し、過度な競争があらゆる階級や階層で生じることになったのである。最大の貿易相手国が中国となるなか、停滞していた経済は改善されるが、貿易依存度はときに90％にもなるほどに高い。世界経済の動向によって、自国の経済が大きく左右されてしまう数値である。リーマン・ショックやコロナ・パンデミックのときも甚大な影響をうけた。

2017年には一人当たり国内総生産（名目GDP）は3万ドルを超えて、まがりなりにも先進国に肩を並べるほどの経済社会の様相となった。近年になって、平均賃金や一人当たりGDP（購買力平価）は、日本を上回っている。一方で、「失われた10年」や「雇用なき成長」ともいわれ、産業別・企業別・地域別の二極化と格差拡大は深刻である。経済成長と経済危機を驚くほどの速さで繰り返す韓国は、世界経済のなかで苦闘している。

（大津健登）

◉参考文献

平川均『ＮＩＥＳ――世界システムと開発』同文舘、１９９２年。
大津健登『グローバリゼーション下の韓国資本主義』大月書店、２０１９年。

38

財閥と経済構造

★絶大な影響力を誇る姿★

韓国は、「財閥共和国」や「サムスン共和国」と形容される。鄭章淵（２００７）によれば、「普段の国民生活において、いくつかの主要財閥が供与する物品やサービスを消費することなしに韓国での生活は一日たりとも成り立たない」のが経済社会の構造といわれている。江南駅に足を運べば、サムスングループのビル群が聳《そび》え立っており、サムスンタウンとしての威容を誇っている。サムスン電子、サムスン物産、サムスン生命、サムスン火災、サムスン証券など、いわば生産過程から流通過程まで経済成長して豊かであるはずの人びとの営みと暮らしがひとつの企業で表されてしまうほどである。４大財閥であるサムスン電子、現代自動車、ＳＫ、ＬＧの資産や売上高が、ＧＤＰなどの部門において大きな割合を占めていることは周知のことであろう。また、財閥の給与はとても高いことでよく知られている。

財閥の定義は、論者によって異なる。公正取引委員会は、公正取引法上の大規模企業集団よりも広義の概念を採用している。その特徴は、第一に、さまざまな市場で事業を展開する多数の企業で構成されていること、第二に、市場で独占的な地位を占める企業が多いこと、第三に、家族や血縁者によって支配されていること、第四に、初期の発展においては政府の保護支援によって形成された側面が多いことが挙げられている。また、同委員会では、財閥に関する議論が以下のように端的に示されている。すなわち「財閥は政府の経済発展政策に積極的に加わり、資本集積と技術開発を通じて国民経済の成長と発展に寄与した面が大きいが、過度な国民経済の比重、政府に依存する成長過程、不合理な経営方式、市場の独寡占化、不動産投機、環境汚染などの批判もされている」ことから、「公正取引法は、財閥による過度な経済力集中を抑制し、国民経済の均衡ある発展を図るため、資産総額5兆ウォン以上の企業集団に対し、相互出資および債務保証を制限した企業集団に指定し、経済力集中を抑制する施策を運用している」と位置づけている。

なお、大規模企業集団とは、企画財政部によると、「同一企業集団（グループ）に属する国内企業（系列会社）の直前事業年度の財政状態計算書における資産総額（金融・保険会社は資本金または資本総額のうち大きい金額）の合計額が5兆ウォン以上の企業集団を指す」とされている。さらに、5兆ウォン以上の資産規模であれば「公示対象企業集団」として、10兆ウォン以上の資産規模であれば「相互出資制限企業集団」として区分されており、企業経営の透明性を主としたさまざまな政策措置が講じられている。

財閥の系列会社数について、公正取引委員会によると、2022年の時点でサムスンは60社、現代自動車は57社、SKは186社、LGは73社となっている。韓国の財閥は、創業者一族による経営形態であると言及したが、たとえば、サムスングループを創業したイ・ビョンチョル（李秉喆）の三男は、その後のサムスン電子およびサムスングループの会長となったイ・ゴニ（李健熙）であり、今はその

第38章

財閥と経済構造

長男のイ・ジェヨン（李在鎔）が指揮を執っている。イ・ゴニの長女であるイ・ブジン（李富真）は新羅ホテル社長、次女のイ・ソヒョン（李叙顕）はサムスン福祉財団理事長である。このように組織される財閥の株式所有構造をみると、オーナー家の持ち株比率は少なく、系列会社や役員で保有する内部持ち株比率の高いことが分かる。財閥の経営には、少ない持ち分でも数多い系列会社の支配権を実質的にもつことのできる「循環出資」が指摘されるところである。これは、いわゆる株式持ち合いや相互保有といったものだが、何十社もあるグループ会社間かつオーナー一族でという点が特徴である。オーナー一族による経営権の独占的な行使や資金調達にもかかわり、批判的に考察されることの多いこのような循環出資に対しては、２０１４年に新規循環出資禁止法が施行された。また、公正取引委員会でも既存の循環出資を把握および公開しているため、改善の報告がされてきている。

街のあちこちで見ることができるサムスンの広告。

それでは、なぜ現在にもおよび一部の財閥の力が大きいのか。それは、解放後から開発独裁のもとで保護や特恵を受けてきたことによる「選別と優遇」、１９９７年アジア通貨金融危機に対処したＩＭＦ構造調整政策で「選択と集中」が進んだからである。同政策における財閥改革においては、第一に、財務諸表における国際基準採用などの企業経営に関する透明性の向上、第二に、社外取締役制度の導入などの株主および経営陣の責任強化、第三に、銀行に対する財閥の影響力制限、第四に、循環出資と不当内部取引の抑制、第五に、不法・変則的相続の防止、が促された。そして、経営の過剰多角化を解消し、事業の専門化を推し進めるビッグディール（大規模事業交換）や、債務の管理を徹底する財務構造改善計画として、ワークアウト（企業改善作業）が採られた。こうしたことにより、財閥のガバナンスは強化されつつも、もたらされた結果は中小財閥の解体であり、一方で巨大財閥は再編して生き残ることになったのである。

国際機関が推進する政策理念によって、世界経済の荒波に晒されることになった韓国財閥だが、経営戦略的にはグローバル・スタンダード導入の好機とした。直接投資を通じて積極的に海外進出し、国外の現地市場を次々と開拓していったのである。特に、現地市場の需要に合ったものをつくりだす現地化が特徴的である。たとえば、サムスン電子は、米国ではボタンひとつで炭酸水が出てくる冷蔵庫、ブルガリアでは数秒でヨーグルトができるオーブン、アフリカでは停電や過電圧にも対応できるテレビ、中東では気温40度以上でも耐えうるエアコンの室外機などが開発され販売されている。また、サムスン電子がつくる製品の市場占有率では、半導体産業の部門で世界トップのシェアを誇るものも多い。さらに、北米や欧州に果敢に進出する現代自動車の生産と販売は目を見張るものがある。韓国財閥のメリットとして、ファミリービジネスとしての性格が色濃いゆえに、経営戦略などにおける意思決定が速いことなどが挙げられる。一方で、デメリットとしては、創業者一族による力の支配が断行されることなどが挙げられる。

絶大な影響力を誇る財閥だが、2014年には韓進グループ副社長のチョ・ヒョナ（趙顕娥）が航空保安法違反で、2016年にはロッテグループ会長のシン・ドンビン（辛東彬）が横領・背任事件で、

２０１７年にはサムスングループ副会長のイ・ジェヨンが贈賄事件で逮捕されたりした。しかし、イ・ジェヨンは２０１８年2月に2審で執行猶予により釈放、最終的に実刑判決が確定したが半年後に仮釈放された。パク・クネ政権の不正を糾弾するなかで成立したムン・ジェイン政権でさえ、イ・ジェヨンへの処遇を「国益のための選択」だとして国民に理解を求めたのである。その後のユン・ソンニョル政権も財閥との関係を強めている。財閥改革は、いずれの政権でも大きな課題となっているのだが、国家の経済運営には不可欠のため、メスをなかなか入れられないのが実情である。とはいえ、企業規模別の雇用者数をみれば、大企業の雇用者数は数%で、その大半は中小企業となっている。そのため、大企業への就職や希望の職種を選び勝ち取るための激しい競争が生まれる。常用労働者（正規雇用）における賃金格差の広がりは大企業と中小企業のあいだで顕著となっており、財閥をめぐる対応は苦悩がつづいている。（大津健登）

参考文献
大津健登『グローバリゼーション下の韓国資本主義』大月書店、２０１９年。
鄭章淵『韓国財閥史の研究——分断体制資本主義と韓国財閥』日本経済評論社、２００７年。
公正取引委員会　**https://www.ftc.go.kr/**
企画財政部　**https://www.moef.go.kr/**
サムスン電子　**https://www.samsung.com/sec/**

39

貿易と為替

★変容する輸出主導型成長モデル★

スマートフォンにおける世界出荷台数のシェアでは、サムスン電子とアップルが競い合っている。2023年第一四半期には、サムスン電子による同シェア「1位奪還」のニュースが駆け巡る。サムスン電子は、ギャラクシーに代表されるスマートフォンやタブレットなどの新製品を市場に次々と繰り出しており、消費者を魅了している。また、サムスン電子の半導体（メモリ）における世界市場占有率は、1993年から30年間ずっと世界1位を記録しており、いわば韓国経済の記憶をアップデートし続けている。

韓国の経済発展は、半導体などの電気電子部門と自動車などの輸送機械部門の財（商品）の生産と貿易に懸かっている。それは、グローバルなサプライ・チェーンに組み込まれた形で展開されている。すなわち、自国ではなかなか産出できない製造装置・原材料などの資本財や付加価値の高い核心的な部品・素材などの中間財を輸入し、自国で加工・組立などを行い、半製品・完成品を世界のさまざまな国や地域に向けて輸出するという形である。いわゆる輸出主導型による経済成長の構造である。

この図式には、いくつかの特徴的な動向と変化がある。それは、第一に、同構造を担う主体が国家から財閥になったこと、第二に、最大の貿易相手国として中国が台頭してきたことである。このような変容の背景には、冷戦の終焉といった影響もあるが、韓国にとっては、1997年アジア通貨金融危機によるIMF構造調整政策とキム・デジュン政権の経済改革が大きな画期であった。このことによる対外経済政策では、為替自由化（自由変動為替相場制への移行）や資本自由化（外国人の投資における制限の撤廃や緩和）、貿易自由化（保護貿易にかかわる制度や補助金の廃止）が進められた。市場における経済活動の自由度がさらに高まったことで、個人や企業が主役となるさまざまな取引が盛んになり、貿易や投資の動きもこれまで以上に活発になった。自由貿易という名のもと、恒常的な貿易黒字を計上するような経済の仕組みにもなった。

加えて、近年では、韓EU FTA（2011）や韓米FTA（2012）、韓中FTA（2015）などが発効されている。FTA（自由貿易協定）によって、商品貿易にかかわる関税がなくなったり、人の移動などのサービス貿易にかかわる手続きが緩和されたりする。とはいえ、平川（2006）が述べるように、FTAそれ自体は「競争力のある産業・企業に成長の機会を与えるが、競争力のない産業・企業を淘汰し」マイナスになりうる。大国との経済関係を強めている韓国にとって、その推進による作用は十分に気をつけなければならない点である。

このように、韓国の急速な経済発展の実現には、輸出主導型の成長経路を辿ってきたことが強調されるが、その過程では保護的な政策が採られていたことも指摘しておく必要がある。国家記録院の通商・貿易政策関連資料によると、経済成長の初期段階では国内の経済基盤が脆弱だったため、自由貿易と市場原理だけでは、国際競争に打ち勝つことが難しく、政府主導の保護貿易政策によって、輸出産業の競争力が確保されてきたことが言及されている。輸出のためには輸入が不可欠であったため、輸出の勢いは凄くても、慢性的な経常収支赤字を抱えていたのである。

こうした状況の調整や改善においては、貿易に関する考え方から外国為替の在り方も議論される。国家記録院の通商・外国為替政策関連資料によると、韓国の為替相場制度は、経済発展と国際経済環境の変化に合わせた対応が、以下のように採られてきたと示されている。

１９４５年10月から１９６４年5月までの複数為替相場制度と、その後の１９８０年2月まで施行された単一変動為替相場制度のもとでは、事実上、為替相場が固定された形で運用された。この間、国際収支の不均衡を改善するために、為替相場の大幅な切り下げが何回か行われた。１９８０年2月から１９９０年2月においては、複数通貨バスケット制度を導入して変動為替相場制度に移行する段階であったが、為替変動による経済の不安定性を最小化するため、かつ輸出に有利な環境を整えるために、通貨当局による為替介入もみられ、１９８８年10月に韓国は米国から為替操作国に指定された。これに伴い、為替相場の市場機能を向上させる必要性が高まり、１９９０年3月からは市場平均為替相場制度に切り替え、為替相場の変動許容幅を徐々に拡大していった。１９９７年12月にはアジア通貨金融危機を経て、変動制限幅を完全撤廃し、自由変動為替相場制度を導入した。ここでの要点は、固定相場制から変動相場制への移行ということである。

輸出に強みも持てる局面をつくり出そうとする韓国にとって、課題として議論され続けられていることがある。それは、脱却できない日本との貿易赤字であり、硬直的な関係のまま大きな変化がないことである。対日貿易赤字は縮小する気配がなく、輸入額においては資源類を除くと圧倒的な割合を占める。韓国の輸出主導型成長モデルに必要な資本財・中間財が日本から輸入されており、半導体製造用装備に関連する部品・素材が多い。もちろん、他国や企業とのつながりで成り立つ輸出主導型経済の構造それ自体が発展を促す形であるため、その関係性を無理やり崩す必要はないが、それゆえに世界の政治経済の激変によって甚大な影響をうける。グローバル・サプライ・チェーンの寸断リスクは、近年よく指摘されるところである。

この点に対応するため、韓国は何もしてこなかったわけではない。同国では、高度な技術が必要な部品・素材の開発・生産をめざし、外国企業を積極的に誘致してきた。法人税や所得税における減額や免除の優遇措置、設立認可やビザ発給に係る規制緩和・迅速化などを行ってきた。先進国の技術や知識が導入され、これらの国産化（代替）も分野によっては可能になった。しかし、量的かつ質的な財の生産と輸出が不可欠な韓国は、日米中との関係を中心に、中間財の供給地としてグローバルな最適地でなければ成長がもたらされないことから、日本から輸入される資本財・中間財の依存を一挙に打開するほどには至ってはいない。今後もこの構図のまま進行するのか、その飛躍を語るときが到来するのか、輸出主導型成長モデルの変容が注目される。

（大津健登）

◆参考文献
小林尚朗・山本博史・矢野修一・春日尚雄 編著『アジア経済論』文眞堂、2022年。
進藤榮一・平川均 編『東アジア共同体を設計する』日本経済評論社、2006年。
韓国貿易協会　**http://www.kita.net/**
行政安全部国家記録院　**https://www.archives.go.kr/**

40

金融と資本

★危機は繰り返されるのか★

映画〈国家が破産する日〉では、1997年アジア通貨金融危機に生きる人たちの物語が細やかに描かれている。史実をもとにしたフィクションではあるが、巧みな脚本とキム・ヘスら実力派の俳優陣による迫真の演技で当時の状況が想起される。映画で展開される国家の動揺、投資家の思惑、大衆の痛み。「貧しい者はさらに貧しく」「失業が日常になる」「そんな世の中にはしてはいけない」という台詞で危機の局面が強調されるように、資金の調達や運用にかかわる金融と資本の動きを捉えることは重要である。本章では、こうした様相を現実から接近する。

物価の安定や資金の流動性を適切なものにして、経済の円滑化と活性化を図るため、政策金利を設定するなど、いわゆる金融政策を実行しているのは中央銀行の韓国銀行である。日本でいえば、日本銀行と同じような役割と機能をもつ。同銀行は金融市場の金融機関や政府を対象に、預金を受け入れたり、貸し出しを行ったりして、資金繰りにかかわる状況を注視しながら必要に応じた措置や支援を採っている。

金融機関は、銀行として普通銀行である国民銀行や新韓銀行、ハナ銀行、ウリ銀行といった市中銀行がある。最近では、カカオバンクなどのインターネット専門銀行が潮流にもなっている。また、2000年12月には金融持株会社法が制定され、都市銀行から地方銀行まで金融持株会社が設立された。金融持株会社は、事業活動を自ら直接的に行うことは実質ないものの、銀行、保険会社、証券会社などの株主となって、金融グループとしての運営と機能を強化している。金融機関には、株式や債券、金融派生商品などの取引に関連する業務を行う投資会社も挙げられる。こうして、資金の貸し借りや金融商品のやりとりについては、1年以内の取引が行われる短期金融市場や1年以上の取引が行われる長期金融市場（資本市場）などにみられる金融市場で展開される。

それでは、韓国の金融と資本をめぐって論じられる危機は、一体どのようなものなのであろうか。金融のグローバル化が進んだ1990年代から現代に至る動向をみていく。

急速な経済成長を遂げ、OECD加盟という目標もあった韓国は、キム・ヨンサム政権が掲げていた「世界化」の名のもとで、1990年代に金融・資本自由化を進ませた。高龍秀（2000）が明らかにしているように、その内容は、段階的な金利自由化措置や外国人による株式・証券投資の許容・拡大、対外借入に関する規制撤廃などである。このことによって、この間、企業の資金調達手段は、銀行などを通して取引を行う間接金融から貸し手と借り手が直接取引を行う直接金融へ移行し、株や証券の取引、金融機関の借入における短期資金の流出入が急増していった。また、いわゆる第二金融圏（財閥による短資会社、総合金融会社、信用金庫、証券会社、保険会社などの所有）による対外借入が拡大していった。

直接金融と第二金融圏という経路で資金を得たことによる財閥の積極的な事業展開とは裏腹に、さまざまな事業参入は膨大な借入にもつながり、それが異常な負債比率の高さとして表れていた。国内の監督体制や制度環境が整わないまま取引され続けた資本は、アジア通貨金融危機の影響を受ける大きな原因となった。韓国銀行が保有するいわば国家の貯金でもある外貨準備（外貨建て資産）では、対応しきれない状況になっていた。同危機によって、韓宝、三美、眞露、大農、起亜、ヘテ、ニューコアといった財閥は破綻し、ＩＭＦ構造調整政策が実行された。

同政策による金融改革については、公的資金投入による金融機関の不良債権の整理と、金融監督体制の一元化および整備（金融監督委員会の設立やＢＩＳ比率など健全性規制基準の設定）が行われた。他方で、資金を市場で上手くまわす必要もあるため、危機に対応して整えられた制度などをもって、外国人の株式投資における限度の撤廃、外国人の国内短期金融商品および会社債の買入れ制限の撤廃などの資本自由化も推し進められた。

このようなことから、金融機関における営業停止や合併、外国資本への売却、破産などが一挙に進んだ。たとえば、２００３年に米ローンスターが韓国外換銀行の資本金におよそ40％で参与し（２０１２年から韓国資本のハナ銀行金融グループへ編入）、２００４年には米シティバンクが韓美銀行を買収、ＳＣ第一銀行に対しては２００５年から英スタンダードチャータードが１００％の資本出資をした。韓国のこれら銀行は、いずれも大手銀行であった。金融と資本の面からも、韓国はグローバルな資本に包摂された経済社会の相貌となった。

１９９７年以後、会社債や株式を中心とした直接金融の比重は大きくなっている。企業貯蓄は増加し、企業の負債比率も改善されている。しかし、リーマンショックやコロナ・パンデミックのときには、先行き不透明な状況から経営環境の悪化した企業が相次ぎ、直接金融によるリスクが憂慮されたため、銀行による貸出の需要が高まり、加えて危機に対応する企業への政策支援もつづいたことで、一時的に間接金融にシフトしたこともあった。企業活動においては、リスク管理やガバナンス強化が求められるなか、短期金融市場の取引規模は委縮の傾向がみられている。また、株式市場における外国人の占める比率は年々高まっているが、コロナ・パンデミックが急襲したことによって２０２０年以降の同比率は低くなっている。これらの動向は、韓国銀行による政策金利の設定や為替相場の変動にもリンクされる。

このように、対外的な要因が金融と資本をめぐる取引の潮目をがらりと変えるのだが、それゆえに、世界の動向によって大きな影響を受ける韓国の経済社会にとって、危機は繰り返されるのかといった議論は絶えず巻き起こる。実際に、近年、営業利益で利子費用を返済できない限界企業は急増している。しかし、今では外貨準備を十分に確保できていることなどから、危機に対応する力はあるとされる。とはいえ、昨今、金融と資本のやりとりもデジタル化が進展かつ加速し、複雑化する金融取引の方法と手段に対応する力が求められている。

（大津健登）

◉参考文献

高龍秀『韓国の経済システム――国際資本移動の拡大と構造改革の進展』東洋経済新報社、２０００年。
高龍秀『韓国の企業・金融改革』東洋経済新報社、２００９年。
韓国銀行　http://www.bok.or.kr/

41

財政と経済

★健全財政の射程★

国家債務時計で刻一刻とカウントされる国の借金。同時計は国会の所属機関（立法補佐機関）である国会予算政策処のウェブサイトで示されているのだが、国家債務は予測値として1秒ごとに約80万ウォンずつ増加するとされている。

２０２３年３月の時点で、中央政府債務（国債＋借入金＋国庫債務負担行為）と地方政府純債務（地方政府債務－地方政府の中央政府に対する債務）の合計である国家債務は１０００兆ウォンを超え、国民一人当たりに換算した同債務は２０００万ウォンとなっている。企画財政部によれば、国家債務とは、国際基準（ＩＭＦマニュアル）に沿って算出されたものであり、「政府が直接的な返済義務を負う確定債務」として、「将来、政府が債務者として返済しなければならない金額を意味し、中長期の財政健全性を示す核心指標」とされている。国家財政の運用計画には不可欠なものとされている。

国家債務の対ＧＤＰ比は、２０２１年の決算基準で46・９％となっている。国家債務の同比率については、国家の政策介入が顕著な開発独裁の時代に20％ほどの水準のときもあったが、アジア通貨金融が直撃した後の１９９８年は15・０％であった。

国家債務の動向については、危機克服や景気回復のための財政支出が影響しているが、近年のその急速な増加が懸念されている。

国家債務は、その適切な度合いを導き出すことが非常に難しいため、相対的な比較によってどれだけ少ないかを判断する必要がある。世界各国と国家に関する債務を照らし合わせるときには、一般政府総債務（General Government Gross Debt）が用いられるが、これは国家債務に非営利公共機関債務（社会保障基金）が加わる。IMFの統計によれば、2021年の同債務の対GDP比では、韓国が51・3％であるなか、日本やギリシャが200％を超える状況でもあり、米国をはじめとする数多くの国で100％を上回る推移となっている。同年の平均ではG7が134・1％、G20が128・1％となっている。

こうしたことから、韓国の債務をめぐる数値は過大ではないともいえるが、企画財政部が指摘しているように、一人当たりの国民所得や高齢化率を考えると、他国に比べて韓国の国家債務が相対的に低いとは言い難く、その伸び率は、財政危機に陥っているアイルランドやポルトガル、スペイン、ギリシャ、イタリアなどの南欧諸国よりも高く、今後の財政の健全性にもっと注意を払う必要があるとされている。国家債務の増加が経済成長よりも速く進行している場合、それは国民経済に重くのしかかる可能性があるからである。

以上の点を考えるために、韓国の総支出と総収入を次に確認してみる。ここでは、1997年アジア通貨金融危機や2008年リーマンショックを経て、経済の立て直しが求められている2010年代以後の様相である。まず、政府は、どこでたくさんのお金を費やしているのだろうか。年々、膨らみ続けている総支出の特徴については、第一に、保健・福祉・労働に関する社会福祉の割合が大きく、高齢者や失業者に対する支援と手当てを拡充していること、第二に、一般・地方行政の割合が次に高く、都市における競争力の強化と地域における経済力の向上に注力していること、第三に、教育の割合も続けて大きく、無償教育の導入など教育機会の提供と教育格差の改善が喫緊の課題となっていることが分かる。

それでは政府は、どのようにたくさんのお金を集めているのだろうか。年々、増え続けている総収入の特徴については、第一に、そのほとんどの割合を占めるのが一般会計であり、税金によるものであること、第二に、税金においては所得税、法人税、付加価値税（消費税）が高い割合を示していること、第三に、税金による収入が十分でない場合は、国債を発行して収入を得ることになるが、韓国では総収入として算出するときには国債発行の収入や借入金を除外していることが分かる。このことについては、赤字を補うための借金も収入として補填すると、結局、収入と支出は同じになるからである。

ここで示されるのが、統合財政収支である。総収入から総支出を引いたその数値について、昨今では危機対応のとき以外の年代で、黒字基調となっている。こうしたなか、さらに、財政をめぐる実態に迫るため、統合財政収支から、国民年金基金（制度が1988年に施行されつつも給付がまだ全面的に展開されておらず黒字となっている）などの社会保障基金を除いた管理財政収支が財政の健全性をより明確に判断できる指標となっている。管理財政収支では、ほとんどの年代で赤字基調となる。なお、財政準則（ルール）をめぐる法制化の目標として、管理財政収支の赤字を対GDP比の3％以内で管理し、国家債務の対GDP比が60％を超える場合には、その赤字率を2％以内にすることが議論されている。

同収支の赤字の対GDP比は、コロナ禍になって5％を上回ってきている。

こうして、赤字を埋め合わせるための対応として、国債が発行されたりするのだが、それは国債を含む前述の国家債務としての借金につながる。借金が増えれば、政府は国民からより多くの税金を徴収することになる。政府が国民からどれだけ税金を徴収しているかを測る税負担率は、２０２１年の対GDP比で22・1％、これに社会保障負担金を加えた国民負担率は、29・9％となっている。年々、これら負担率は高まってきているが、OECD諸国のなかでは低い数値となっている。

ユン・ソンニョル政権は健全財政を強調するが、財政赤字は深刻化してきている。問題は、総支出の増加が続く要因が多いことである。特に、福祉部門の支出（負担）を削減することは、少子高齢化が進むなかで容易ではない。財源の確保については不安要素がある。また、同政権は減税などの規制緩和を推進しながら、財政を引き締める。市場の自由な競争を推進する同政権のいわば新自由主義的な路線は、どのような帰結をもたらすのか。財政の健全性と同時に、財政の持続可能性が問われている。

（大津健登）

参考文献
鞠重鎬『韓国の財政と地方財政』横浜市立大学学術研究会／春風社、２０１５年。
企画財政部　**https://www.moef.go.kr/**
国会予算政策処　**https://www.nabo.go.kr/**
ＩＭＦ　**https://www.imf.org/en/home**

42

地域と農業

★落日の瀬戸際★

ソウルや釜山《プサン》から郊外に一時間も車を走らせれば、そこには自然あふれる豊かな景色が眼前に広がる。澄んだ空気に透き通る清流、豊饒な大地で生み出された食材とその料理の数々に舌鼓を打つ。韓国の地域・地方には、大都会の喧騒とは異なる時間が流れている。そのように旅行や観光地として郊外は魅力ある場所とも宣伝されるが、経済的な見方をすると、どうやら穏やかでない状況のようである。

近年、韓国で「地方消滅」が議論されている。2014年に日本で報告された「消滅可能性都市」をなぞらえてのことだ。韓国でも少子高齢化による人口減少、地域からの人口流出、大都市圏への一極集中が地域衰退と地方消滅を加速させている。人口減少は地域財政を逼迫させ、人口集中によって地域格差が激化する。

統計庁によると、2020年にはソウルおよび仁川《インチョン》、京畿道の首都圏で総人口の50・1%を占めるに至った。1970年における首都圏の人口と比較すると、その伸びは184・4%にものぼる。人口移動の純流入という意味合いも含め、首都圏に住んでいるのは、特に20代の年齢層が顕著に多い。たとえば、

第42章

地域と農業

地域別にソウルと光州の月額賃金であれば、およそ100万ウォンの差がある。就業者の数も雲泥の差となっており、仕事の機会を求めて地方から都市に出るといった事由も挙げられている。とはいえ、都市の失業率などは地方と比べて高い。都市における大企業への就職は難しく、日雇いや派遣、請負いなど非正規労働者として働くほかない状況でもある。また、65歳以上の高齢者人口の割合は、2000年代から2010年代にかけて倍増しており、間もなく同割合は20％を超えて超高齢社会に入ると予測されている。韓国は、OECD諸国のなかでも、高齢者人口の割合の大きさは最も速く進行している。

なお、上述の「消滅可能性都市」は「持続可能性都市」への変革の展望としても語られており、韓国でも政府から2021年に「地域消滅の先制対応方案」が打ち出されて、2022年から10年間で人口減少地域に年間1兆ウォンを投資することが発表された。2022年には7500億ウォンが指定地域となった地方自治体に分配されたりもした。いわゆる過疎地域である自治体は、地方の自然環境や農村資源を活用した事業展開をはじめ、地方で不足している教育や文化、福祉などの整備構築に果敢に取り組んでいる。

地域経済の動向は農業危機の局面と大きく関係している。地域経済は農業が基盤だったからでもある。統計庁によると、韓国の経済活動別GDPにおける農業の割合は、1960年代で40％ほどあったものが、1990代にはわずか数％となった。また、総人口に占める農業従事者の割合は、1960年代で60％ほどあったものが、2000年代にはわずか数％へ急激に低下した。地域経済の凋落と農業の瓦解は同様の下降曲線を描いている。

それでは、なぜこのような事態に直面するようになったのか。農業構造を考えるとき、それは倉持（1994）が自身の問題関心を展開するなかで言及しているように、「工業化とは、農業を主とした社会から工業を主とする社会への転換であり、当然、工業化は農業における大きな軋轢や摩擦を引き起こしながら農業社会を変容させていく」ことから、「韓国の工業化が、韓国の農村、農業、農家をどのように変化させていくのか」という視座が重要であろう。すなわち、端的に言えば、韓国の奇跡的な経済成長は、農業の犠牲のうえに成り立って実現されたものなのである。

では、「農業の犠牲」とはどういうことだろうか。急速な経済発展をみせる1970年から工業化を経て今に至る時代にかけて、農業については以下の変化が見て取れる。第一に、農家戸数や農業従事者は減少しているのにもかかわらず、農家一戸当たりの耕地面積は増加していること、かつそれは3・0 ha以上の韓国内では比較的大きい規模の農家にみられることである。これは、情報通信技術（ICT）の進展によって、ロボットやAI、IoTなどが農業分野においても駆使されているからである。いわゆるスマート・ファームが展開されているのである。作物の栽培から収穫まで、機械化と情報化による効率化は極致にまで達している。それゆえに、農業の生産量は増大し、労働時間も短くなり、付加価値額や所得額が上がり、労働生産性の上昇につながっているのである。

しかし、第二に、付加価値額の上昇幅よりも資本投入額の増大幅のほうが大きく、資本生産性は低調になっていることが分かる。負債は膨らみ続け、経営費は高くなっており、農業を大規模化したがゆえに直面している事態である。それは、加藤（2020）が指摘しているように、冷戦体制の終焉をむかえて繰り広げられる「グローバル化はダイレクトに韓国の農村に影響」しており、そこで施行

地産地消をめざす全羅北道完州郡の有機農産物ローカルフードストア。NO GMOの横断幕が見える。撮影：田中博

される政策的支援が「一貫して農業の国際競争力をつけることに収斂」している特徴から言えることだろう。経営状況が厳しくても、政策的支援のもと、ＩＣＴを活かした生産力と輸出力の強化が図られているのである。１９９０年から２０００年の農業センサスの動向を踏まえ、同文献で明らかにされたことは、「一部の大規模専業農家育成は一定の成果を上げたが、農業・農村は解体の一途をたどっている」ということである。また、農林業の予算が国の予算に占める割合は、１９８０年には６％であったものが、１９９０年代には15％前後まで増加し、２０００年代に入ると６％ほどになり、近年では３％前後で推移している。こうしたなか、２０２２年10月に政府（農林畜産食品部）によって打ち出された「スマート農業の拡散を通じた農業革新方案」では、その目的として、農業の生産性や持続可能性の画期的な改善、スマート農業における技術とサービス産業の育成および国際競争力の確保が掲げられ、その戦略として、民間（企業）主導で、品目別に支援を図ることなどが示された。近年、農業法人のなかでも会社法人の数が倍近く増えており、これまでの農業構造とは様相を異にする。いわば企業的農業経営の傾向が一段と強まり、特定の品目に市場拡大の活路を見出そうとする動きは、農家および農業の選別化をより明白なものにしようとしている。

さらに、地域と農業をめぐる現実として、空き家や耕作放棄地の増加といった問題などもある。地域からの人材の流出抑制と農業分野における人材の創出は、経済の底上げと活性化において、喫緊の課題である。

たとえば、農業人口を増やすための施策としては、将来の農業人材を育成するための青年農業者育成政策や、農村への移住支援のための青年帰農に対する支援などがある。他方で、2004年に施行の雇用許可制によって、農業分野でも外国人労働者の受け入れも多くなった。また、コメの生産や大規模農家を中心に補助金が提供されてきた「直接支払制度」は、全面的な改編が検討されて2020年から「公益直接支払制度」となり、品目に関係なく同額が適用・申請でき、一定の要件を満たす小規模農家には一律に定額が支援され、他方で大きい農地面積であれば支給単価が低くなるなど、農業・農村地域における不均衡の解消や公平性の向上が期待される農政のパラダイムとなった。しかし、状況はなかなか好転しない。政府は、国家戦略産業の柱として、半導体分野の人材育成に力を入れており、それらに関する教育や仕事の環境など、むしろ首都圏に集中する要素を揃えているかのようである。

地域経済は苦境に立たされており、経済構造の基層に位置する農業は瀬戸際の状況である。食をものみ込むグローバル化に対応した改革は待ったなしである。

（大津健登）

◉参考文献

加藤光一『グローバル東アジア資本主義のアポリア——日韓中台の「農村」的領域から考える』大月書店、2020年。
倉持和雄『現代韓国農業構造の変動』御茶の水書房、1994年。
統計庁　**https://kosis.kr/**
農村畜産食品部　**https://www.mafra.go.kr/**

43

ICT産業

★デジタル先進国の勢い★

韓国は、ICT分野において、独自の技術と文化を発展させてきた。たとえば、ポータルサイトであるダウムやネイバーは、検索機能や情報交換の展開が充実しており、同サイトで提供されるサービスの多様さなどから、国民はGoogleやYahooではなく、それらを好んで利用している。

ダウムは1995年に設立された。ダウムの運営はカカオで、カカオはメッセンジャーアプリのカカオトークや国内初のフリーメールサービスであるハンメール（hanmail）を提供している。韓国の人たちとメッセージをやりとりするときには、そのほとんどがカカオトークであり、メールを使うときには、ハンメールのアドレスであることが多い。ネイバーは1999年に設立された。ネイバーの運営はNHNで、NHNは日本でメッセンジャーアプリのLINEやカメラアプリのSNOWなどのサービスでよく知られるところである。

また、1999年にはサイワールド（cyworld）という独自のSNSが開設された。サイワールドは、仮想空間（部屋）のなかでアバターを通じてユーザーとの交流を図るツールであった。サイワールドは、Facebook や Twitter よりも以前のもので、大衆に瞬く間に広がり、２００７年には国内加入者が２０００万人を突破したとしてニュースを連日にぎわせていた。その後、いろいろなＳＮＳが登場することによって、サイワールドは衰退していくが、その先駆けという意味では世界的にも特筆すべきものであったといえる。

ＩＣＴ産業にかかわるこうした韓国独自の文化が大衆に広まり受容されてきた背景には、開発独裁によって抑圧されてきた言論の自由が希求できる場であり、抵抗や連帯が表現できる場として醸成されてきた歴史構造的な意味合いをもつ。そのことを踏まえ、本章では、ＩＣＴ産業をめぐる変化の勢いについて、経済的な切り口から迫る。

科学技術（デジタル産業）における政策立案や制度設計、研究開発などを所管する行政機関の科学技術情報通信部によると、２０２２年の第４四半期のＩＣＴ産業はＧＤＰ（実質）の12・７％を占めている。ここでの数値と範囲は、ＩＣＴ統合分類体系により、電気電子部門における製造分野からサービス分野までカバーされたものであり、ＧＤＰの同比率から韓国経済に影響のある産業分野となっている。

次に、２０００年と２０２０年の動向（指標）をおさえることで、同産業における20年間の急進ぶりを確認してみよう。まず、輸出額は６７３億ドルから１９９８億ドルへ、輸入額は４４２億ドルから１１２７億ドルへと黒字基調で推移するなか　輸出と輸入の場面では、半導体など電子部品を含む情報通信放送機器が、その割合としてほとんどを占めている。また、生産（売上）額は１４８兆ウォンから481兆ウォンとなっており、情報通信放送機器で約7割を占めている。内需額は121兆ウォンから402兆ウォンへと国内市場における広まりをみせているなか、情報通信放送機器で約6割の比重があるものの、情報通信放送サービス、ソフトウェアおよびデジタルコンテンツもある程度の割合をもって展開されており、そのうちソフトウェアおよびデジタルコンテンツの内需額の伸びは注目される。付加価値も77兆ウォンから240兆ウォンへと、そのうち約7割を占める情報通信放送機器業（半導体業など電子部品業）で高まっている。事業体数は1万6384社から4万3169社であり、ソフトウェアおよびデジタルコンテンツの開発・製作が約7割となっていることが特徴的である。従事者数は正規雇用で20万1653人から100万7058人へと堅調に増えている。こうしたなか、障がい者や高齢者、低所得層などの脆弱階層におけるデジタル情報格差が懸念されているが、コンピューター保有率やインターネット利用率などを統計的な数値でみれば、近年では改善されていることが報告されている。

ICT産業における電気電子部門の製造分野に強みをもつ韓国だが、それはサービス分野にまで浸透するようになってきている。科学技術情報通信部と韓国知能情報通信社会振興院は、韓国における情報通信ネットワークの発展の歴史と成果について、以下の主要な契機を提示している。それは、1986年のTDX（Time Division Exchange 時分割式全電子交換機）国産化、1987年から展開された国家基幹電算網事業の政策、1996年のCDMA（Code Division Multiple Access 符号分割多元接続）世界初商用化、2004年から始まるBCN（Broadband Convergence Network 広帯域統合網）事業の推進と構築、2019年の5G（5th Generation 第5世代移動通信システム）世界初商用化などである。

こうした環境が、ＩＣＴにかかわるあらゆる産業への普及を加速させた。特に、１９９７年アジア通貨金融危機以後、経済社会の立て直しを図るために、情報通信技術の発展が国家戦略として明確に打ち出されたこともあり、ＩＣＴをめぐる政策や制度が政府のビジョンのもとで強力に推し進められた。他方で、これらの技術開発や事業展開を担っている企業は、サムスン電子やＬＧエレクトロニクス、ＬＧＵ＋（ユープラス）、ＳＫテレコムなどの財閥が中心的であることを指摘しておく。この時期に台頭してきたカカオやＮＨＮといった企業も財閥グループとの資本関係や業務提携で支えられた側面をもつ。

また、そうした技術の根幹は、主に米国を中心に軍事で使われてきたものが、冷戦体制の解体を経て民間に転用かつ応用されてきた文脈でとらえる必要がある。情報化の進展は、いつの時代でも衝撃をもって伝えられるが、それは単なる時代の流れではなく、世界経済における構造変化の過程に位置づけられるのである。

結果として、産業資源部における貿易促進・投資誘致の推進機関であるＫＯＴＲＡ（大韓貿易投資振興公社）に設置されたInvest KOREAも述べているように、スマートフォンやネットワーク機器メーカーがグローバル市場で注目を集めており、移動通信サービスも世界的なイノベーションをリードしている。韓国は、ＯＥＣＤによる「デジタル政府指数」で２０１９年に世界1位、国連による「電子政府発展指数」と「オンライン参加指数」では２０２０年に世界1位を記録した。つまり、国家の運営にあたっては、サービスも含む情報通信の基盤が整っており、国民も国家から提供されている情報通信の環境を通じて政策に参加できている水準という指標である。また、ＩＭＤ（国際経営開発研究所）による「世界デジタル競争力ランキング」では2022年に世界8位となっている。ここでは、デジタル分野に対する知識や技術、将来への備えに関する取り組みの度合いが測られている。同指標では、デンマークが1位、米国は2位、スウェーデンが3位、中国は17位、日本は29位となっている。

韓国では、行政手続きや各種証明書の発行における徹底されたオンライン化をはじめ、キャッシュレス決済の場面も多い。もちろん、情報通信技術の取り扱いには、管理の問題や寸断のリスクと隣り合わせではあるが、デジタル経済の勢いはとどまらない。その功罪を含め、「デジタル先進国」である韓国の動向から目が離せない。

（大津健登）

◉参考文献
春木育美『韓国社会の現在』中央公論新社、2020年。
科学技術情報通信部　**https://www.msit.go.kr/**
韓国知能情報社会振興院　**https://www.nia.or.kr/**
統計庁　**https://kosis.kr/**
OECD　https://www.oecd.org/
IMD　https://www.imd.org/
Invest KOREA　https://www.investkorea.org/
UNPAN　https://unpan.un.org/

44

流通産業

★激戦の飲食店業と流通・小売業★

韓国では、ペダルと呼ばれる配達文化（出前文化）が発達している。今は、スマートフォンのアプリから欲しいものを簡単に注文でき、いつでもどこでもいろいろなものを届けてくれる。例えば、みんなの憩いの場となっている漢江公園では、配達（出前）でチキンやピザを頼み、それらをほおばりながら友人たちとの時間を楽しむといった光景がよくみられる。韓国は、「配達共和国」ともいわれる。それだけ、このような業種や業体を含むサービス産業が広く展開されているということである。

２０２２年におけるＧＤＰの経済活動別の内訳では、サービス業が56・９％を占めており、それは半導体などに強みをもつ製造業の26・７％を上回るほどである。また、サービス業のうち、飲食宿泊・卸小売業の高い比重が特徴的である。こうしたサービス産業の活動が盛んな状況は、時代を輪切りにしてみえる特徴ではなく、経済発展の歩みのなかでみられる変化である。サービス業における近年の就業者数は、１９９０年代と比べてみても倍増しており、全産業に占めるサービス業の就業者数の割合は、２０２２年になって約70％になる。

全国経済人連合会（ＦＫＩ）の資料によると、韓国のサービス産業の労働生産性は2012～18年にかけて着実に上昇しているが、同国のサービス産業の競争力はOECD諸国のなかで最も低い水準にあると示されている。具体的に、同資料から、2018年におけるサービス産業の就業者一人当たりの労働生産性について、韓国は比較可能なOECD諸国33カ国のなかで28位であることが明らかにされている。また、韓国のR&D（研究開発）投資におけるサービス産業の規模は9・1％であり、その規模は米国の5・2％の水準である。さらにここでは、サービス収支が2000年からずっと赤字といった状態であることについて言及されている。韓国におけるサービス産業は、経済活動としての割合は大きいものの、同国の経済成長を牽引するものではなく、世界に先駆けて何か価値あるサービスが生まれる様子もないようである。また、サービス産業の生産性がなかなか向上しない原因として、FKIの同資料でも指摘されているように、第一に、早朝の宅配や複合商業施設の運営に関する制限をはじめ、サービス産業の新たな取り組みに対しては規制が厳しいこと、第二に、飲食宿泊業や卸小売業などにおいては自営業者の割合がOECD諸国のなかでも高く、過当競争の状態にあることが挙げられる。韓国の外食産業にかかわる業体数は人口一人当たりで換算すると中国や米国などと比較しても遥かに多いが、同業体数当たりの売上高はそれら諸国と比較すると驚くほど少ない。第三に、そのため、2011年からサービス業における規制緩和や研究開発における支援、税制の優遇などを推進する「サービス産業発展基本法」の制定に向けた議論はされているのだが、同法はサービス業全体の活性化を考えて包括的に検討されているため、医療や教育の面からコンセンサスが取れず、行き詰まって進展していないことなども影響していると考えられる。

KB経営研究所は、行政安全部の韓国地域情報開発院による地方行政許認可データ開放（LOCAL

DATA）で示されている膨大な情報をもとに、自営業の実態に関する分析報告書をいくつか出している。例えば、それら報告書から、チキン店をめぐる特徴として、第一に、２０１９年２月に全国で約８・７万もの店舗があり、第二に、２０１５年以後は創業数よりも廃業数の多い状況が続くようになり、毎年８０００を超える店舗が廃業していること、第三に、近年では面積規模の大きい店舗の廃業が増えてきていることが報告されている。また、コーヒー専門店をめぐる特徴として、第一に、２０１９年７月に全国で約７・１万もの店舗があり、そのうち41・２％はソウルと京畿地域に集中していること、第二に、２００９年以後は廃業数より創業数の多い状況がつづいているものの、近年では廃業率があがってきていること、第三に、２０１８年においては廃業した店舗の52・６％が創業３年以内であったことが報告されている。ここには飲食店業における経営の厳しさが横たわっている。

また、数多くの人たちで賑わう百貨店は、ロッテ百貨店（ロッテ系）や新世界百貨店（サムスン系）、現代百貨店（ヒョンデ系）がトップ３であり、大型マート（スーパーマーケット）は、イーマート（サムスン系）やホームプラス（サムスン系）、ロッテマート（ロッテ系）が代表的である。コンビニは、ＧＳ25（ＬＧ系）やＣＵ（サムスン系）、セブンイレブン（ロッテ系）などが市中の至るところで店舗を構えている。

国家記録院によると、韓国で大型の百貨店が本格的に登場したのは、急速な経済成長によって生活水準の向上がみられていた１９７０年代後半とされる。１９７９年にはロッテ百貨店がソウルの小公《ソゴン》洞にオープンし、１９８５年には現代百貨店がソウルの狎鴎亭《アックジョン》洞にオープンするなど、以後１９９０年代にかけて中小企業による百貨店業界への参入もみられて、同業界は隆盛を極めたが、１９９７年アジア通貨金融危機によって、競争力のない百貨店は淘汰されていった。他方で、大型マートは、イーマートが１９９３年にソウルの倉《チャン》洞にはじめての店舗をオープンした。また、ホームプラスは１９９７年に大邱《テグ》にオープンし、ロッテマートは１９９８年に江辺にオープンした。大型マートは、圧倒的な品揃えによる販売量や大衆の求める価格帯の実現と展開から、低迷する経済のなかで台頭し、２０００年代にかけて売上高も店舗数も倍増するほどになって、百貨店を凌ぐ勢いとなった。

しかし、２０１０年代は、百貨店も大型マートも売上の増減率でみると低調である。その要因は、第一に、流通政策における規制緩和から規制強化への転換である。韓国において、流通政策の基本的な枠組みとされる１９９７年制定の流通産業発展法により、大規模店舗の出店にあたって行われていた許可制を登録制に切り替えられ営業展開が容易になった一方で、中小規模の流通産業の衰退が顕在化した。１９９０年代の韓国における経済のグローバル化が、流通産業の発展にも間違いなく寄与していたが、それは言うまでもなく大企業によるものであった。そこで、伝統市場をはじめとする中小零細規模の流通産業における保護および支援を目的に、２０１０年代には大規模店舗に対するさまざまな規制が整備されることになったのである。例えば、営業時間の短縮および制限、休日数の指定といった規制が課されることになり、大型マートであっても、営業利益率があがらず、閉店に追い込まれた店舗もあった。第二に、オンライン市場の拡大である。コロナ禍によって、いわゆるＥＣ市場は急速な広がりをみせたが、第４次産業革命を通じて流通全体の効率が大幅に向上し、サービスの革新が絶えず生み出されている時代の局面は特筆すべきことである。産業通商資源部の資料によれば、２０２２年における主要な業体別の売上高の比率をみると、百貨店17・8％、大型マート14・5％、コンビニ16・2％、オンライン48・6％となっている。統計庁の数値によると、オンラインショッピングモールにおける販売額は、２０１７年94兆ウォンから２０２２年２１０兆ウォンへと伸びている。こうしたなか、ＥＣ市場でひときわ異彩を放っている企業がクーパン（Coupang）である。クーパンは、食料品から日用品までいろいろなものを取り扱っており、超短時間で消費者に購入品を届けるロケット配送を掲げて注目をあつめている。２０１０年に設立されてから、同企業の売上高は急伸しており、２０１５年には１兆ウォンを記録して、２０２２年には26兆ウォンを突破した。営業利益については、赤字が毎年のようにつづいていたが、２０２２年には黒字を達成した。クーパンの急成長は、世界における小売業のなかでも指折りで、脚光をあびている。また、韓国のＥＣ市場は、同業界の世界で最も影響力のあるアマゾンが直接参入できないほど（アマゾンはＳＫテレコムを親会社とするＥＣ企業の11番街とは提携しているが）、財閥系の大手企業から新興企業まで入り乱れており、競争が熾烈な激戦区となっている。

「クーパンはロケット配送！」と書かれたクーパンの配送車
撮影：キム・チャンウォン

変化の速いサービス産業で苦闘するのは国家や企業だけではない。職場環境に苦悩する労働者も多く、同業界で過労死に至っているケースが報告されていることも私たちの経済社会が直面している実態として向き合わなければならないことである。

（大津健登）

◉参考文献
行政安全部 国家記録院　https://theme.archives.go.kr/
ＫＢ経営研究所　https://www.kbfg.com/kbresearch/
全国経済人連合会　https://www.fki.or.kr/

45

所得格差の構造

★日々の暮らしの現実★

韓国の大学の学食は、豊富なメニューが揃い、リーズナブルな価格で提供されている。学生の財布にやさしい学食は、日韓共通だ。韓国の大学の学食では、3000ウォンから4000ウォンを支払えば、食欲は十分に満たされる。学食は大学によって特色もあり、安くて美味しいところは学生たちのあいだで話題になる。しかし、最近は、学食の値段が1000ウォンほど高くなった。コロナ禍やウクライナ危機などを背景にした物価高は止まらず、学食にも影響を及ぼしている。食費や光熱費などの物価高騰は、家計を圧迫させて負担を増加させている。統計庁の数値から、消費者物価上昇率を確認してみても、2022年下半期から月別（前年同月比）で5〜6%の上昇率を記録しているときが多く、10数年ぶりの最高値の局面にある。

他方で、ムン・ジェイン政権のときから、最低賃金の引き上げが積極的に実行され、2017年に6470ウォンだった時給は、2023年に9620ウォンへとこれまでにないほどに増えた。しかし、それでもグローバルな動向が、大衆の生活をも飲み込もうとしている。

韓国における大卒者の初任給（月平均）は、教育部によると

2021年256万ウォンである。一方で、日本における同給与は、厚生労働省によると2021年23万円である。韓国も日本も、その差はあまりみられないが、次のような特徴をもつ。

韓国経営者総協会（KEF）の資料では、大卒者で正規職の初任給が、事業体規模別で示されている。まずは、同資料から分かる韓国の初任給をめぐる特徴として、第一に、300人以上規模の大企業で働いて得られる賃金総額は、定額給与に特別給与と所定外給与（超過労働給与）を含めて、2020年（年平均）5084万ウォンにまで上っていること、第二に、300人未満規模の中小零細企業で働いて得られる同賃金は2983万ウォンであることが挙げられる。事業体の規模によって、そこには埋めがたい格差があることを指摘できる。

次に、同資料では、日本と韓国との比較も検証されている。ここでは、正規職を対象に、2019年（年平均）の所定外給与（超過労働給与）が除外された大卒初任給（韓国は定額給与と特別給与、日本は所定内給与と年間賞与金およびその他特別給与）について、物価水準を反映させた購買力平価から、韓国では500人以上規模の事業体で働いて得られる給与が4万7808ドルであること、日本では1000人以上規模の事業体で働いて得られる給与が2万9941ドルであることが明らかにされている。韓国の同給与は日本より59・7％も高い。事業体規模の比較において、統計上の限界はあるものの、同じ規模で測るとその差がさらに大きくなることは容易に推定される。韓国の大企業（財閥）における富（給与）は、日本を凌いでいることが示唆され、若者の所得の現実から目を離さないでおく必要がある。

韓国は、奇跡的な経済成長を経て、いわゆる中所得国の罠を一気に乗り越えた。1990年代半ばには一人当たりGDPが1万ドル、2000年代の同指標は2万ドル、2010年代のそれは3万ドルにまで達し、今となっては高所得国のうちのひとつに数えられる。ＯＥＣＤの統計によると、購買力平価の一人当たりＧＤＰや労働生産性では、２０１８年から日本を上回っている。また、大卒の初任給だけでなく、購買力平価による平均賃金（年収）も２０１５年から日本を上回り、その差は広がっている。

　統計庁の資料によると、賃金労働者の賃金は年々あがっているなか、２０２１年の平均所得は月額３３３万ウォン、中位所得は２５０万ウォンとなっている。平均所得で覆われがちな格差が、中位所得をみることでわかるように、大衆の半数はこの所得において位置していることが明らかにされる。平均所得の数値ではあるが、企業規模別では大企業が５６３万ウォンであり、中小企業が２６６万ウォンであることから、その違いは倍ほどになる。さらに、同数値の産業別では、金融・保険業が最も高く７２６万ウォンであり、宿泊業・飲食業が最も低く１６２万ウォンであることから、その違いは雲泥の差となっている。

大学の学生食堂も値上がりが進んでいる。ソウル・聖公会大学。

　こうした「所得の二極化」について、企画財政部によると、韓国の場合は１９９７年アジア通貨金融危機以後に激化しているものであり、経済成長率の鈍化や労働集約型産業から技術集約型産業への構造転換による雇用の減少、非正規職の増加などによるものであることが言及されている。

ＯＥＣＤの統計から、所得格差を測る基本的な指標のジニ係数（ここでは手取り収入を世帯人数で調整した等価可処分所得）において、数年前までの韓国はＯＥＣＤ諸国のなかで不平等の度合いが高い国であったが、最近ではその状況が改善されてきている。そのときの政権によって、所得格差に対処する制度や政策の運営に違いはあるものの、収入によって課される税金や支援される社会保障が機能している側面も有しているということである。

しかし、家計負債（家計信用）は、韓国銀行によると、２０２２年に１８６７兆ウォンに膨れ上がり、ＧＤＰ（名目）に対する家計負債の比率は86・8％となった。２０００年代には同負債が４００～７００兆ウォンほどで、同比率50～60％ほどであった。同数値は、昨今になって増大した。家計負債は、一般世帯による銀行など金融機関からの借り入れ（家計貸出）とクレジットカードの利用額など（販売信用）を合わせたものである。家計負債のそのほとんどが家計貸出である。その要因として、家計貸出の内訳から、近年では不動産の取引をめぐる住宅ローン（住宅担保貸出）によるものであることが特徴的な動向となっている。絶え間なく増え続ける家計負債は、家計負担と国民経済への影響から、その中長期的なリスクとして、消費の委縮・低迷や成長の抑制・鈍化につながるものであり、景気後退の可能性が一段と高まる。ＯＥＣＤの統計から、可処分所得（手取り収入）に対する家計負債の比率は、２０１０年に１４７・５％であったものが、２０２１年には２０６・５％へと急増した。この高さは、ＯＥＣＤ諸国のうち比較可能な34カ国のなかで6位であることが明らかされている。加えて、国際決済銀行（ＢＩＳ）の算出によると、２０２２年12月末時点における韓国の家計の債務返済比率（ＤＳＲ）は14・3％となっている。近年、韓国のＤＳＲ（可処分所得に対する利子と元本の債務返済額の比率）の増加は顕著であり、日本の同比率が7・5％である状況と比較しても、主要国のなかで高く、その負担の大きさが懸念されている。

こうして、所得と家計のギャップとジレンマは、日々の生活のなかで大衆を疲弊させる。本章では、その点を考えるための全体像に迫ってみたが、ここには第37章をはじめとする経済の章で述べられてきた韓国経済の変容が背景にあること、また若者をはじめとする数多くの人たちのストーリーがあることを忘れてはならない。

（大津健登）

参考文献
韓国銀行　**http://www.bok.or.kr/**
韓国経営者総協会　**https://www.kefplaza.com/**
企画財政部　**https://www.moef.go.kr/**
教育部　**https://www.moe.go.kr/**
厚生労働省　**https://www.mhlw.go.jp/**
統計庁　**https://kosis.kr/**
BIS　**https://www.bis.org/**
OECD　**https://www.bis.org/**

46

不動産問題の構図

★増幅する格差の要因★

経済格差の根本問題は、住宅や土地の所有に大きく関わる。例えば、仕事には場所が必要であるし、寝食には空間が不可欠である。私たちの日々の営みや暮らしには、それらが決定的な意味合いをもつ。

映画やドラマなどのロケ地として知られている城北《ソンブク》洞や平昌《ピョンチャン》洞に行ってみると、高い塀に囲まれた立派な門構えの一戸建て（単独住宅）が建ちならぶ。緑があふれた閑静な街並みとなっており、ソウルであるはずなのに都会の喧噪を離れたかのような独特の雰囲気を醸し出している。ここは財閥の人たちや芸能人たちが居住しているところでもあり、高級住宅街となっている。他方で、市中には見慣れた住宅が所狭しにひしめき合っている。それは、日本でいえば高層マンションにあたるアパートをはじめ、低層マンションのヴィラ、家具つき物件が多いオフィスとホテルを合わせたようなオフィステル、光熱費なども家賃に含まれ費用がおさえられるコシウォン（考試院）やハスク（下宿）などである。

２０２０年、韓国では、アパートに住む人たちは約６割となっている。ここに、その他ヴィラのような連立住宅や多世帯住宅を含めると、それは約7割となる。この割合は、統計庁の「住宅総調査」から、全国でもソウルでも同じような傾向となっていることがわかる。ちなみに、日本では、同年の国勢調査によると、アパートやマンションに住む人たちは約4割となっており、こうした点から日韓の違いも垣間みられる。

韓国でアパートなどに住むためには、その家賃制度として主にウォルセ（月貰）とチョンセ（伝貰）といった契約形式がある。ウォルセは、日本と同じように月々決められた額の家賃を支払う制度である。ウォルセの賃貸契約にあたっては、ある程度（チョンセと比べて）少額の保証金が必要となるが、家賃の滞納や部屋の修繕等が生じなければ、その保証金は契約期間を終えたら全額もどってくる。チョンセは、その賃貸契約にあたり、まとまった高額の保証金を支払うことで月々の家賃を支払う必要がなく、その保証金は契約期間をおえたら基本的に全額もどってくる韓国独特の制度である。チョンセの賃貸契約においては、借りる側からすれば、資金を用意できれば家賃は実質タダであり、貸す側からすれば、保証金を運用して利益を出せば資産を増やしていくことができる。チョンセが広まった背景には、資産運用の面で、急速な経済成長に伴ってみられていた高い預金金利の動向も影響していた。1960年代から1990年代までの預金金利は10数％を上回ることも多く、銀行に

近年古いアパートは再開発と高層化が進んでいる。富川市の新築高層アパート

お金を預けるだけで資産が膨らんでいったのである。こうしたことから、以前はチョンセを利用する人たちが多かったのだが、近年の不動産価格の高騰によって、借りる側はチョンセに必要な数億ウォンもの保証金が準備できなかったり、金利の変動によって、貸す側は保証金の運用の難しさに直面したりして、昨今では、ウォルセの利用が増え、チョンセの利用が減ってきている。

それでも、住宅の建設や土地の開発は止まらない。売れるからだ。マンションのブランドとして有名なサムスン物産のレミアンをはじめ、現代建設のヒルステート、ロッテ建設のロッテキャスル、GS建設のジャイ、大宇建設のプルジオなど、財閥による建物の需要は高い。また、龍仁市などのソウル郊外では区画整理が進められ、一戸建ての連なるタウンハウスが、いろいろなところでつくられている。さらに、ソウルとソウル郊外の主要都市を短時間で結ぶ首都圏広域急行鉄道（GTX）の計画も進行する。

しかし、韓国には、こうした開発に追いやられて、生活環境がままならない人たちも数多くいる。統計庁の「住宅総調査」から、2015年から2020年にかけて、住まいに関するいくつかの特徴的な変化と状況がわかる。ソウルを対象にしてみると、第一に、全体的な傾向として、世帯人員が減っているなか、居所数および世帯数は増えていること、第二に、単独住宅の居所数、世帯数、世帯人員がいずれも減っているなか、アパートのそれはいずれも増えていること、第三に、オフィステル、ホテル・旅館など宿泊施設の客室、寄宿舎や社会施設、半地下・ビニールハウス、その他を含む住宅以外の居所においては、居所数、世帯数、世帯人員がいずれも増えていることが考察できる。もちろん、住宅以外の居所は、全体の住宅総数に対する比率で一瞥すれば少ないのだが、段々と増えていることに留意する必要がある。

それでは、土地は誰がどれだけ所有しているのだろうか。国土交通部の「土地所有現況」から、2012年から2021年にかけて、ソウルにおける土地の価格規模別の所有者数を確認すると、50億ウォン以上の土地を所有する個人も法人も倍近く増加していることがわかる。また、経済正義実践市民連合（経実連）の資料から、5大財閥（サムスン、現代自動車、LG、SK、ロッテ）が所有している土地資産額（帳簿価格）は、2007年から2018年にかけて、数倍にまで増大していることが明らかにされている。こうしたことから、大都市と大企業における土地所有（富）の偏在がみてとれる。

このような歪みが教育や就労、福祉などの環境の違いになる。そして、次第にその亀裂は広がり深くなっていく。住まいにかんしていえば、いわゆる地屋考（地下室・屋上部屋・考試院）に押し出されていく人たちもいる。また、チョクパン（第32章参照）はなくなっていない。これまで、低所得層向けの住宅の建設・供給や、政府保障などによる支援策・改善策は施されてきてはいるものの、問題は山積している。都市でも地方でもあらゆるところで社会の分化と解体が進んでいる事態は、対応しなければならない喫緊の課題である。その連鎖と構造の一幕については、迫真かつ果敢なルポルタージュである『搾取都市、ソウル』で繊細な文脈で描写されている。局地的で選別化された暮らしがソウルの取り巻く姿になっている。

それでは、どのような対策が必要なのだろうか。不動産価格の変動は、投機目的だけではなく、ソウルへの人口集中、ソウルおよびソウル郊外の止まらない開発、財閥グループによる土地所有など、複合的な要因が重なっている。大泉（2022）が述べるように、「1990年代以降の歴代政権は、住宅市場の変動に対して金融の引き締めと緩和、増税と減税とをくりかえしてきた。こうした政策は住宅市場の格差と不安定をいっそう深刻化させるだけ」であり、以上の局面を解決するためには、「大土地所有による土地市場支配を規制して住宅市場への土地供給を促進すること」と「ソウル一極集中の都市構造を改革して住宅需要の分散を図ること」が提起される。これまでの政権は主として住宅供給の拡大で対処しようとしてきたが、土地所有といった根本問題にはメスをなかなか入れられなかった。今、新しいビジョンが問われる時にきている。

（大津健登）

◉参考文献

加藤光一、大泉英次編『東アジアのグローバル地域経済学──日韓台中の農村と都市』大月書店、2022年。
イ・ヘミ／伊東順子訳『搾取都市、ソウル──韓国最底辺住宅街の人びと』筑摩書房、2022年。
国土交通部　**http://molit.go.kr/**
経済正義実践市民連合　**http://ccej.or.kr/**
ソウル研究院　**https://www.si.re.kr/**

Ⅳ

文　化

IV
文化

47

現代韓国語の形成

★表記法の確立に向けて★

現代韓国語の形成には大きくふたつの要因が作用している。ひとつは「文字」という内的要因（漢字かハングルか、ハングルをどう表記するか）、いまひとつは植民地支配という外的要因である。

現在、韓国語に用いられている文字ということでいうなら、その歴史はハングル創制（1443）にまで遡らなければならないだろう。万一ハングルが生み出されていなければ、いま私たちが目にしている韓国・朝鮮の書物はすべて漢字で埋め尽くされていた可能性が高い。しかし、ハングルが「国文」として表舞台に登場するのは、それから数世紀を経た1894年のことである。これと前後するように韓国語を書き表す文字は国漢文を間に挟み、漢字からハングルへという流れが、行きつ戻りつしながら展開していく。

国漢文とは漢字・ハングルの混用体で、通常は漢文調の文体を指す。「漢城旬報」（1883、近代的な意味で韓国最初の新聞）の後身にあたる「漢城周報」（1886）ではじめて公に用いられた。しかし、それは口語とはかけ離れたものであった。国漢文創始者の一人・ユ・ギルチュン（兪吉濬）が『西遊見聞』（1895）で試みた文体も、未だ漢文調を色濃く残していた。

及其國中의多聞博學의士를從ᄒᆞ야論議唱酬ᄒᆞᄂᆞᆫ際에其意를掬ᄒᆞ고新見奇文의書를閲ᄒᆞ야（序文）
（及其國中の多聞博學の士に従い論議唱酬する際に其意を掬し新見奇文の書を閲し）

それに対し、「独立新聞」（１８９６）は、文体もかなり口語に近いものとなっている。

독닙신문이 본국과 외국ᄉᆞ졍을 자세이 긔록ᄒᆞᆯ터이요 졍부속과 민간 소문을 다보고ᄒᆞᆯ터이라（創刊号冒頭）
（独立新聞は本国と外国の事情を詳細に記録し、政府内および民間の消息をすべて報じよう。）

韓国ではこの「独立新聞」をもって最初の純ハングル文、言文一致体とする認識が一般的である。しかし、聖書翻訳の世界ではこれより10年以上も前に純ハングル、言文一致の試みが行われていた。ロス宣教師による「路可伝」（１８８２）ほかの翻訳は非母語話者という限界に加え、漢文的な表現をそのままハングルに移したもので言文一致とはいい難いが、イ・スジョン（李樹廷）が日本で出版した「馬可伝」（１８８５）は漢字・ハングル混用文ながらも文体は平易で、漢字にハングルで説明的なルビを振るなど、画期的なものであった。

言文一致体による最初の小説は「血の涙」（１９０６）であるが、この作品も新聞連載時は漢字・ハングル混用文で、漢字にハングルでルビが振られていた。それが後の単行本ではハングルのみで書き改められており、ここにも漢字からハングルへといった大きな流れを見てとることができる。

ハングルが韓国語を表記する文字として重要性を増すにつれ、その表記法の統一が喫緊の課題として浮上する。ハングルは表音文字（字母）でありながら音節ごとに1文字を構成するという世界でもまれな構造をもつ。そのため表音主義か形態主義かという問題は宿命的なものであった。単純化していえば、〝머거씀니다〟か〝먹었습니다〟かということである。書き手からすれば発音どおりに綴る前者のほうがはるかに楽で、読み聞かせを前提とする社会ではそれでも問題はない。しかし、読み手にとって意味がとりやすいのは明らかに後者である。

表記法統一の試みとしては、聖書翻訳のための内部規定のようなものは早くより存在した。また、1896年にはチュ・シギョン（周時経）（1906「國文講義（大韓國語文法）」）が独立新聞社内に国文同式会を組織し正書法の研究に着手するなどの動きも見られたが、公式に発表されたものとしてはチ・ソギョン（池錫永）の「新訂國文」（1905）が最初である。しかしこの表記法に対しては、ㆍ（アレア）に代わる記号の是非などをめぐり識者や教育現場から異論が噴出し、その解決をめざして設置された国文研究所も成果の公表に至らぬまま、1910年の日韓併合を迎えることになる。

統治の効率性という側面から表記法の統一を重視した日本は、朝鮮総督府主導で1912年に「普通学校用諺文綴字法」（第一回改正）を公表。1921年の「普通学校用諺文綴字法大要」（第2回改正）を経て、1930年には「諺文綴字法」（第3回改正）がまとめられた。これらの綴字法では京城のことばを標準語とし、表記は表音主義に拠ることなどが定められた。一方、朝鮮側にとって自らのことばをどう表記するかは、開化期に意識された「近代化の必要」に加え、民族的アイデンティティの問題として大きな関心事となっていった。当時、「語文運動」を主導していたのは、朝鮮語学会（ハング

ル派）と朝鮮語学研究会（正音派）であった。両派は、①濃音を現行のようなㄲ、ㄸ、ㅃ…で表記（各自並書）するか、ㅺ、ㅼ、ㅽ…のように表記（合用並書）するか。②「訓民正音　解例」の定める8パッチム以外（特に二重パッチムとㅎパッチム）も用いるか否か。③語尾活用で、たとえば먹다の連用形を먹어と解するか머거と解するか、などの問題をめぐり見解が対立していた。먹어と解するなら먹が語幹で어が語尾、語幹の形態は不変ということになり、머거と解せば머が語幹、거が活用した語尾ということになる（各々、前者が朝鮮語学会、後者が朝鮮語学研究会側の主張）。

１９３２年、東亜日報社の主催で両派による、いわゆる「ハングル論争」が繰り広げられた。１９３３年の「朝鮮語綴字法統一案」および１９３６年の「査定した朝鮮語標準語集」は、この論争に勝利した朝鮮語学会側の説に沿ったものである。１９８８年に制定された現行「ハングル正書法」および「標準語規定」も、後者で읍니다→습니다とするなど一部修正を除けば、ほぼ「統一案」と「標準語集」を踏襲するもので、現代韓国語の表記法は１９３０年代に確立したといってよいであろう。

一方、朝鮮語学会事件（１９４２）に象徴されるように、朝鮮語の使用、研究は次第に弾圧の対象となっていき、日本語から大きな影響を受けることになる。植民地期に受容された日本語語彙は、다마네기（玉葱）、다라이（たらい）、구루마（荷車）、다시（出汁）など枚挙に暇がない。これらは解放後の醇化運動により順次置き換えられてきてはいるが、꼬붕（子分）、나와바리（縄張り）、시다（下）、함바（飯場）와쿠（枠）など、いまなお日本語由来の語彙が少なからず用いられている。

このように負の遺産を留めつつも、韓国語は目を見張る速度で変化し続けている。팩트체크（fact

check）、쿨（cool）하다、웨이팅（waiting「行列、順番待ち」）といった外来語表現が大量に流入し、ネットの普及ともあいまって略語（ㅅㄱ〈수고「！」「お疲れ！」〉、악플〈악성리플「中傷リプ」〉、치맥「チキン&ビール」）、新造語（갑질「パワハラ」、집콕「巣ごもり、おうち○○」、내로남불「ダブスタ」）の類が急速に増加している。

変化は語彙だけに留まらず해 주다（〜してあげる・くれる）や、보여지다、쓰여지다、읽혀지다などのように아/어지다形による重複表現、것 같아のような断定を避ける表現が多用され、하실게요（〜なさってください）のような指示表現も広がりを見せている。そして多様な表現を楽しむ文化の一環として、일없다（괜찮다「大丈夫だ」）、곽밥（도시락「弁当」）、꼬부랑 국수（라면「ラーメン」）など一部、共和国のことばも認知度を高めてきている。ちなみに、ドラマを通じて共和国のことばとして一躍有名になった후라이（거짓말「嘘」）はflyの日本語式発音で、후라이보이（fly boy）を名乗った韓国のコメディアンに由来するとの説が有力である。

韓国内の国語政策としてはことばの「乱れを正す」ことに意を用いる一方、겨레말큰사전〈同胞語彙大辞典〉南北共同編纂事業（2004〜）に象徴される、南北の言語統一に向けた努力が持続的に行われてきている。今後、南北の公的機関による「規範」と人びととの文化的営みを通じて、朝鮮半島のことばがどのような姿で立ち現れることになるか注目される。

（中西恭子）

◉参考文献

金成恩『宣教と翻訳——漢字圏・キリスト教・日韓の近代』東京大学出版会、2013年。
金敏洙、河東鎬、高永根編『歴代韓國文法體系』塔出版社（ソウル）、1986年。
申昌淳『國語近代表記法의展開』太學社（ソウル）、2003年。

48

テレビドラマの変遷

★面白さの背景にあるもの★

今や、韓国のテレビドラマはなくてはならない日本の大衆消費文化のひとつになった。

韓国でテレビ放送が始まったのは日本よりも若干遅く、1956年のことである。最初は民間人がHLKZ－TVを開局したが、軍事クーデターが起きた1961年に国営放送KBS（1973に公営化）に引き継がれ、翌年、KBSテレビが本放送を開始した。その後、TBC（東洋テレビ）やMBC（文化放送）もテレビ放送をはじめ、60年代末には3局体制となった。

テレビドラマが社会的に話題となるのはテレビ受像機が普及しはじめる70年代からである。放送局3社は視聴率を競ってドラマを放映するようになった。この頃は各戸にテレビ受信機があったわけではないので、面白い番組を観るためにはテレビのある家に行って観たものだった。そのため、ドラマの放送前には「火の元や戸締りに気を付けて」というナレーションが流れたという。

当時の人気ドラマとして有名なのが「若奥様」（253話、TBC、1970）、「女路」（211話、KBS、1972。「旅路」との説もある）、「新しいお母さん」（411話、MBC、1972）である。

「若奥様」と「女路」は、植民地時代から朝鮮戦争に至る激動の時代を背景に、家族のためにひたすら耐え、自分を犠牲にして生きた女性主人公の生涯を描き、視聴者の涙を誘った。当時は脚本家のほとんどが男性であり、彼らが描いたのがこのような韓国の〝典型的な女性像〟だった。

一方、「新しいお母さん」は、後妻として大家族の一員になった女性が、いろいろな人間関係に揉まれながらも愛情と知恵で周囲の信望を得て、幸せに生きてゆく姿を描いた。過去の女性ではなく、いまを生きる女性の姿に焦点をあてて人気を得たのである。脚本を書いたキム・スヒョン（金秀賢）は新人で、数少ない女性作家だった。このドラマは継母や再婚に対する社会的偏見を覆すものとして評価され、第1回韓国放送大賞脚本賞を受賞した。

キム・スヒョンは女性の繊細な心の内を巧みに表現することで定評があった。キム・スヒョンはその後も精力的にドラマを書き続け、ヒット作を連発した。その内容は、大家族中心のホームドラマのみならず、メロドラマや不倫もの、出生の秘密や復讐を含むものなど、のちの韓流ドラマでお馴染みとなるエッセンスが含まれている。キム・スヒョンの登場が「女性ドラマ時代の幕開け」と評される理由がここにある。

１９８０年代のテレビは、カラー放送の導入と新軍部による言論統制の強化によって幕を開けた。ＴＢＣがＫＢＳに統合されて3社とも事実上公営化したのをはじめ、毎日放送される日日連続劇の編成が削られ、一話ものの短幕劇や週2回放送されるような週間連続劇が増えた。政治・経済・企業ドラマやメディカルドラマなどの新たなジャンルも登場する。女性作家の活躍が少しずつ目立ちはじめるのもこの頃からである。１９４０年代生まれの第一世代の女性作家たちに加えて、50年代生まれの女性作家たちが頭角を現した。その傾向は、民主化時代が訪れる80年代後半以降、より顕著になってゆく。

経済的にもゆとりが出てきた90年代はテレビ受像機がほぼ全戸に普及し、大衆文化が以前に増して盛んとなりドラマ人気は一層高まった。ＳＢＳが新たに開局して視聴率競争が再燃するなか、かつてなく多くのドラマが制作され、放映された。後に中国に輸出されて韓流の先駆けとなったキム・スヒョン脚本の「愛がなにさ」（１９９２）、植民地期の抗日パルチザンや日本軍「慰安婦」、済州島４・３事件など歴史的タブーを描いた「黎明の瞳」（１９９１〜92）、光州事件を背景とした「砂時計」（１９９５）、暴力が支配する世の中から法が支配する民主的な世の中への庶民の希望が込められた「初恋」（１９９７）など、数多くの高視聴率ドラマが生み出され、ドラマの黄金時代を迎えた。

それを支えたのは視聴者、とりわけその多くは女性たちだった。テレビドラマは外でお金を払ってみる映画とは違って家で手軽に楽しめる。家父長的な性役割分業意識が根強く、結婚すれば家庭に入るものとされた女性たちは、男性よりもテレビを観る時間が長くなりがちだ。とりわけ長編の連続ドラマは日常生活を微に入り細に入り描く傾向がある。家事をしながら観ることも可能だ。ストーリーも勧善懲悪や因果応報など分かりやすく、時には髪の毛をつかみ合って喧嘩をしたり、ものすごい悪態をついたりする。女性たちはこのようなドラマを観ながら喜怒哀楽を感じ、共感し、生きるパワーを養っていたのではないだろうか。

世界的なフェミニズムの流れが韓国にも波及し、ドラマにも影響を及ぼした。韓国で女性として生きることの大変さを描いたイ・キョンジャ（李璟子）の小説『半分の失敗』（１９８８）は、同名のタイトルで翌年放映された。また、チュ・チャノク脚本の「女は何によって生きるのか」（1990）や「女の部屋」（1992）も女性主義（フェミニズム）ドラマと呼ばれて注目された。批評家シン・ジュジンによれば、これらの作品には、女性の生活や人生に対する真摯な思索が込められている。テレビドラマといえば低俗で批評の価値もないともの思われていたのが、これらのドラマをきっかけに批評の対象となり、大衆芸術として認められるようになったという。

2000年代以降のドラマには、女性の高学歴化を背景とする〝女風〟（男性中心職業群への女性の進出）の活気が反映されている。2000年代前半、男女平等放送賞（1999年に設置。現・両性平等メディア賞）で大賞を受賞したドラマ（「黄色いハンカチ」2003、「宮廷女官チャングムの誓い」2004、「がんばれ、クムスン」2005など）は、男性中心的な性規範や家族制度下での生きづらさ、女性のリーダーシップの可能性などを描き、女性たちをエンパワーした。

2010年代には総合編成チャンネル（総編）が開局し、ドラマの放送チャンネルが増えた。演出や映像、OST（劇中歌）を含めた総体的な質はますます高まり、ジャンルや素材の多様化も急速に進みはじめる。こうしたドラマ制作や放映の環境的変化を背景に、質の高いドラマが続々と放映されるようになった。筆者のおススメドラマの例を挙げるとすれば、「妻の資格」（JTBC、2012）、「太陽の末裔」（KBS2）、「「秘密の森」（tvN、2017）、「マイ・ディア・ミスター〜私のおじさん」（tvN、2018）などである。

新型コロナで幕を開けた2020年代は、巣ごもり生活によってOTT（インターネット配信）によるドラマ視聴が一気に普及した。ネットフリックスで放映された「愛の不時着」（tvN、2019〜

2020）は190カ国で配信され、日本に新たな韓流ドラマブームを巻き起こす。翌年には「イカゲーム」（Netflix オリジナル、2021）が世界中を席巻し、グローバルな視聴者を意識したK－ドラマ時代の到来を告げた。それにつれて映画監督がドラマに参入するケースも多く見られ、既存の韓国ドラマ的特徴を揺るがす地殻変動が起こりつつあると言えそうだ。

また、コロナ禍の2020年8月、キム・スヒョン作家の生まれ故郷である忠清北道清州市にその名を冠したドラマアートホールが開館した。ここではキム・スヒョンドラマの紹介、資料展示をはじめ、ドラマ作家養成講座や有名脚本家の講演会、市民による〈今年の良いドラマ〉の選定作業など、多彩な活動を行っており、ドラマファンの新たなメッカとなっている。（山下英愛）

キム・スヒョン ドラマアートホールの外観
©Kim Soo Hyun Drama Art Hall

参考文献
キム・ファンピョ『ドラマ、韓国を語る』人物と思想社（ソウル）、2012年。

シン・サンイル、チョン・ジュンホン、オ・ミョンファン編『韓国TVドラマ50年史』（通史・年表）韓国放送演技者協会（ソウル）、2014年。

シン・ジュジン『29人のドラマ作家を語る――**Drama**、作家vs作家』ナムモク（ソウル）、2009年。

山下英愛『女たちの韓流――韓国ドラマを読み解く』岩波書店、2013年。

49

韓国映画の多彩な高揚

★世界が認める水準に★

韓国映画は１９６０年代後半に第一次全盛期を迎えたが、その後はテレビの普及に押され、下降線をたどった。今では信じがたいことだが、１９９８年には韓国映画は43編しか制作できなかった。韓国・外国映画を合わせて韓国人一人当たりの映画鑑賞本数は96年には0・9と最低を記録し、この時期韓国人が見る映画に占める韓国映画の割合は20％台だった。１９８７年に民主化宣言がなされたものの、朝鮮戦争当時のパルチザンを描いた〈南部軍〉（１９９０）、韓国のベトナム派兵の悲惨さを描いた〈ホワイトバッジ〉（１９９２）を撮ったチョン・ジヨン（鄭智泳）監督は、ことあるごとにシナリオを変更させる検閲当局と必死に闘わねばならなかった。96年10月、憲法裁判所は光州闘争を描いた独立映画〈5月　夢の国〉への検閲に対する製作者側の訴えを認め、検閲である事前審査を違憲とする判断を示した。韓国映画はようやく検閲のくびきから解放されることになった。

１９９０年代半ばまでは検閲が続くなか、韓国映画界はよい作品をなかなか生み出せずにいた。97年にチャン・ユニョン監督の〈接続〉が新しい感覚と巧みな音楽をもって人気を集めて、メロドラマのブームへとつながり、98年にはパク・キヒョン監督の〈女子高の怪談〉が新時代のホラーを世に問うて、ようやく韓国映画に観客が戻りはじめた。〈女子高の怪談〉はこの後、シリーズ化されるが、特にこの第一作は学校内のセクハラやパワハラが明確に描かれ、若い女性の共感を呼んだ。そして、1999年に公開されたカン・ジェギュ監督の〈シュリ〉が620万人といわれる史上最高の観客動員数を記録し、新時代を開いたのである。韓国の情報機関員が北朝鮮の工作員と愛し合ってしまうという物語は検閲があった時代には考えられなかったし、この作品をきっかけに北朝鮮

表1　韓国歴代映画20位ランキング

順位	タイトル	封切日	興行収入（ウォン）	観客動員数（人）
1	バトル・オーシャン（명량）	2014-07-30	135,753,322,310	17,615,057
2	エクストリーム・ジョブ（극한직업）	2019-01-23	139,651,845,516	16,265,618
3	神とともに一罪と罰（신과함께-죄와 벌）	2017-12-20	115,706,188,137	14,411,525
4	国際市場で逢いましょう（국제시장）	2014-12-17	110,933,990,730	14,262,199
5	ベテラン（베테랑）	2015-08-05	105,169,264,250	13,414,200
6	10人の泥棒たち（도둑들）	2012-07-25	93,667,250,500	12,983,841
7	７番房の奇跡（7번방의 선물）	2013-01-23	91,431,950,670	12,811,213
8	暗殺（암살）	2015-07-22	98,463,522,781	12,705,783
9	犯罪都市２（범죄도시2）	2022-05-18	131,297,440,478	12,693,415
10	王になった男（광해, 왕이 된 남자）	2012-09-13	88,909,157,769	12,323,555
11	神とともに一因と縁（신과함께-인과 연）	2018-08-01	102,619,449,509	12,268,421
12	タクシー運転手（택시운전사）	2017-08-02	95,868,830,649	12,189,195
13	新感染（부산행）	2016-07-20	93,171,555,048	11,566,874
14	弁護人（변호인）	2013-12-18	82,872,264,800	11,374,861
15	ＴＳＵＮＡＭＩ（해운대）	2009-07-22	81,025,734,000	11,324,545
16	グエムル　漢江の怪物（괴물）	2006-07-27	66,716,104,300	10,917,221
17	王の男(왕의 남자)	2005-12-29	66,015,436,400	10,513,715
18	パラサイト　半地下の家族（기생충）	2019-05-30	85,883,963,645	10,085,275
19	犯罪都市３（범죄도시3）	2023-5-31	104,686,752,332	10,682,707
20	華麗なるリベンジ（검사외전）	2016-02-03	77,316,248,964	9,706,696

出所：韓国映画振興委員会による（2023.7現在）

にかかわる新しい表現が可能になって、南北兵士の禁断の友情を描いた〈ＪＳＡ〉をはじめ、〈シルミド〉〈ブラザーフッド〉などが生まれるのである。また、韓国映画史上最高の30億ウォンを投じて製作した映画が成功したことで、その後の大作志向を促すことにつながった。韓国において映画の興行は観客動員数で計られることになっている。しかし、１９９０年代まではソウル以外は観客数を正確に集計するシステムが整っておらず、〈シュリ〉上映当時は過渡期といえる。上映当時は「ソウルで２４４万人」のヒット作とされたものである。

さて、韓国映画のヒットの法則とは何だろうか。韓国ドラマに親しんだ日本のファンたちにとっては、ラブストーリーがヒットしているのではないかと思うかもしれない。ところが表1にあるように韓国映画の興行トップ20を見ると恋愛映画はひとつも入っていない。現代史の事件を描いた4、7、12、15、20、歴史劇である1、8、10、19が目につく。コメディ色の強いアクション作品も多く、2、5、6、9がそれにあたる。14、16、17はパニック物としてくることが可能だ。およそヒット作は社会性が強いものが第一で、歴史劇でもそうした風刺性が強い。近年はつらい世相の反映でコメディ的な作品の人気が高まっている。そして、韓国の映画はテレビドラマでは見られないようなテーマ性を持った作品が好まれる（この頃はネット配信でかなり凄惨なドラマもあるが）。

ランキング2位の〈エクストリーム・ジョブ〉は、張り込みのためにチキン屋を偽装して開業した刑事たちが、チキン屋がはやりすぎて本業と両立させるのに苦労する物語だ。なかなか商売がうまくいかず厳しい現実を生きる人びとに笑いと励ましを送る作品で、新鋭のイ・ビョンホン監督（俳優のイ・ビョンホンとは別人）の大ヒット作である。ランキングは観客動員数によるので、2位になっているが、

興行収入は1位を上回っていて、これを一番の人気作と見る関係者も多い。キム・ハンミン監督の〈バトル・オーシャン〉（原題명량）は豊臣秀吉の朝鮮侵略における海戦の指導者イ・スンシン（李舜臣）将軍を描いた作品で、公開当時の政治指導者への失望から「こんな指導者だったらよかったのに」という思いで鑑賞した人が多かったともいう。キム・ハンミン監督はこの後、２０２２年夏に〈ハンサン〉、23年年末に〈ノリャン〉を公開しイ・スンシン三部作を完結させた。

ところで、国際的に評価の高い作品は必ずしもヒット作のランキングには入っていない。何より世界中の映画祭で賞を与えられたキム・ボラ監督の〈はちどり〉（２０１８）は１９９４年当時の韓国社会を生きた女子中学生の目から韓国社会を描いたもので、韓国社会で抑圧される女性の抗いが自然と浮かび上がる。また、イム・スルレ監督の〈リトル・フォレスト〉（２０１８）は進路に悩み恋愛もうまくいかずにソウルから田舎の家に戻ってきた女性主人公をキム・テリが好演した作品である。このふたつの作品は女性監督によるものだが、韓国から日本に移ってきた在日韓国人女性と韓国で娘と暮らす女性の秘めた思いを、周囲の女性たちが感じ取り再会へと導くイム・デヒョン監督の〈ユンヒへ〉（２０１９）や、裕福ではない家庭の女子高校生が「未来なんて自分にも予測できない」といっ

『すずめの戸締り』韓国公開時の宣伝パネル

てプロ野球に挑戦する主人公を「梨泰院クラス」のイ・ジュヨンが演じた、チュ・ユンテ監督の〈野球少女〉(2020)は、いずれも男性監督によるもので、韓国映画界の新風を感じさせる。

もうひとつ注目したいのは、近年顕著な韓国映画の国際的な広がりである。日本にとってなじみ深いのは是枝裕和監督が韓国のCJ - EMIの制作で撮った〈ベイビー・ブローカー〉(2022)だろう。ソン・ガンホ、カン・ドンウォン、ペ・ドゥナら韓国の名だたる俳優たちが是枝監督らしい作風の映画を作り上げた。また、独立映画の世界ではよく知られたミン・ヨングン監督が〈短い記憶〉(原題혜화、동、2010)以来の待望の長編〈ソウルメイト〉(2023)を公開したが、これは中国映画〈ソウルメイト－七月と安生〉のリメイクで、小学生時代から共に育った2人の女性の歩みが元の作品より一層抒情的に描かれる。海外作品のリメイクである点も興味深い。〈短い記憶〉は高校生で妊娠してしまったヘファが子どもを産もうとするが、相手の男子が姿を消してしまい、その5年後に再び姿を現して彼女を動揺させるという物語。男性監督の作品も見逃せないものがある。近年、韓国映画が中国、台湾映画に与える影響も大きく、韓国側でも交流が進んでいる。K - POPに限らず、韓国文化は今や国際的で普遍的な魅力を放っている。韓国で日本映画として〈すずめの戸締まり〉にこれまでで最大の観客が足を運んだことも2023年の朗報であった。

(石坂浩一)

◉参考文献
鄭琮樺／野崎充彦、加藤智恵訳『韓国映画100年史――その誕生からグローバル展開まで』明石書店、2017年。
キム・ミヒョン責任編集／根本理恵訳『韓国映画史――開化期から開花期まで』キネマ旬報社、2010年。

50

韓国大衆歌謡の道のり

★米軍ショーから広まった洋楽★

韓国に西洋音楽が入ってきたのは1880年代、米国人宣教師がキリスト教の布教とともに讃美歌を広めたのが始まりといわれる。1897年に国号を大韓帝国と改めた朝鮮は、西洋文明の導入を急ぎ1900年に新式軍隊の下に洋楽隊を創設、初代指揮者としてドイツ人のフランツ・エッケルトを招聘した。エッケルトは日本で「お雇い外国人」として君が代の編曲にあたり、採用はされなかったが大韓帝国の愛国歌の作曲も試みた人物で、韓国併合を目撃した後、朝鮮に骨を埋めた。

植民地下の学校教育で教えられる唱歌は日本語の文部省唱歌であった。これに対し、日本留学で近代音楽を身につけた若き知識人たちは、朝鮮の子どもたちに明るく希望の持てる歌を与えたいと願って1920年代に朝鮮語童謡の創作にいそしんだ。そのなかでもユン・グギョン(尹克栄)作曲の「半月」やホン・ナンパ(洪蘭坡)作曲の「故郷の春」は、今日に残る歌となっている。一方、知識人の間では西洋音楽的教養をあますところなく発揮する歌曲が多く歌われた。ホン・ナンパは童謡も歌曲も多数作曲したが、童謡では歌いやすく広めやすい曲を志向し、日本の唱歌が活用したいわゆるヨナ抜き音階により作曲している。それに対し歌曲を作ると朗々たる7音音階の世界を作り上げ、朝鮮の近代化におけるジレンマがうかがえる。植民地下では日本の大衆歌謡と融合した新民謡やトロットが大衆的人気を得て広がった。これらの曲は1910年代以降、レコードを通じて普及した。

独立後、大衆歌謡に洋楽を持ち込んだのは、米軍のショーで実績を積んだ歌手やバンドだった。7音階3和声の基本にのっとった歌が韓国でも広がったが、なかでも単純な旋律と和声を持つ曲が韓国で好まれ、5音階に慣れた感覚は70年代に至るまで残ることになる。これは小泉文夫が指摘する日本流行歌のあり方とよく似ている。こうした時代に登場して「ソウル賛歌」や「離別」などで人気を博したのがパティ・キムだが、彼女もまた米軍のショーで経歴を重ね米国で修行をした歌手だった。一方、1959年にデビューしたイ・ミジャ（李美子）は、韓国最高のトロット歌手になった。

世界的なフォーク、ロックの流行の流れのなかで、韓国でも70年代になると、フォークのキム・ミンギやハン・デス、ロック第一世代のシン・ジュンヒョンなどが登場してくる。フォークは純粋さや観念性を持ちつつ学生運動などを通じて知識層に影響力を広げていったが、当局から厳しい弾圧を受け、キム・ミンギやハン・デスはレコードを押収、発売禁止にされ、ハン・デスは失意のうちに米国へと出国、キム・ミンギは80年代にミュージカルへと転身していく。これに対し、ロックは米第8軍のショーから生まれてきたこともあり、ソウルの夜の繁華街やテレビの歌謡ショーに居場所を見出し、知識層青年文化とは結びつかなかった。

1980年代はチョ・ヨンピル（趙容弼）の独壇場というべきかもしれない。トロットからロック、イージーリスニングまでを取り込んだ音楽世界を作り出したチョ・ヨンピルは、韓国大衆音楽の活性化、多様化の前夜を彩るスターであった。日本では「釜山港に帰れ」が知られ、ほとんど演歌歌手のように思われているが、それは日本だけの一面的な見方である。80年代後半になると、大学生の文化のなかで民主化運動にかかわる歌のグループや歌手が登場した。「歌を求める人びと」や「うたのむら」「コッタジ」などのグループが、大学やいろいろな集会で歌った活動は「歌《ノレ》運動」と呼ばれた。シン・ヒョンウォンやアン・チファン、チャン・ピルスンらソロ歌手も活躍した。

韓国の大衆歌謡が新たな局面に入ったのは、民主化宣言以降の１９９２年に「ソテジと子どもたち」という男子３人組が「ぼくは知ってるよ」をひっさげて登場してからのことだ。ソテジはバラード中心の当時の韓国ミュージック・シーンにダンスミュージックを大胆に定着させ、ラップは韓国語には合わないといわれていたが、それが偏見だったことを証明、韓国の伝統楽器まで時に駆使しながらそれまでの常識を打ち破った。教育問題など社会的なテーマに触れる歌作りもソテジの真骨頂であった。１９９５年のラストアルバムに収録された「時代遺憾」は同年の三豊百貨店崩壊事故を批判的に歌ったが、過激な歌詞で現実を否定的に歌ったという理由で音盤事前審議制度によって歌詞の修正を求められたが、ソテジはこれを拒否し歌詞を入れずに曲を発表、かえって事前審議という名の検閲に問題を投じ、96年にこれを廃止に導いた（金成玟『Ｋ-ＰＯＰ　新感覚のメディア』）。これ以降、ユーロビートのイ・ジョンヒョン（彼女は俳優としても活動）、レゲエのキム・ゴンモなどが登場した。いずれにしても、ソテジは韓国のミュージックシーンを書き換えた大きな存在である。

２０００年前後からは、韓国の音楽業界はプロダクションによる歌手やグループの育成とプロデュースに左右される面が強まった。１９９５年に設立されたＳＭエンタテインメントはＨＯＴのマネジメントで台頭し、BOA、東方神起、スーパージュニアなどを送り出して芸能プロダクションの頂点の地位を築いたが、その原動力はアイドルグループにあるといっていい。ソテジのメンバーだったヤン・ヒョンソクは96年にヒョン企画を設立。これが発展して2001年にYGエンタテインメントとなり、BIGBANGなどを輩出していく。YGは個性的で自由なアーティストを集めている。

K-POPは1990年代末に中国への進出を果たし、日本へはドラマよりも遅れて2000年代後半になってKARA、東方神起、スーパージュニア、BIGBANGなどが人気を博した。それまで海外では無名だったPSY《サイ》が2012年7月に「カンナムスタイル」をユーチューブに発表すると、2カ月で再生回数1億回を突破、世界的な話題を呼んだ。

しかし、アイドルグループとは異なる次元でみずからの音楽を追い求める韓国の歌い手たちも少なくない。日本のギタリスト長谷川陽平が参加したことでも知られるようになったロックバンド「チャン・ギハと顔たち」は韓国でも評価が高い。日本でも韓国のインディーズの魅力は知られるようになっており、日本のいろいろなブログを見ると、たくさんの「推し」が語られている。韓国の大衆音楽は知れば知るほど面白さが増すはずだ。

（石坂浩一）

◐参考文献
金成玟『K-POP――新感覚のメディア』岩波新書、2018年。
植村幸生『韓国音楽探検』音楽之友社、1998年。
古家正亨／**INTERM**編『**K GENERATION**――KPOPのすべて』DHC、2005年。

51

K-POPの世界化

★デジタルを通じた時代性★

Ｋ－ＰＯＰの文字通りの世界化は、厳しい競争で生き残ったアーティストたちの努力の結果であるとともに、それを支えた時代的条件が反映していることを見逃すわけにはいかない。

日本では２００３年以降のテレビドラマを中心とした第一次韓流ブームに続いて、２０１０年頃から拡散した東方神起やＫＡＲＡ、少女時代などの歌謡グループへの注目が第二次韓流ブームとみなされている。この時、韓流ブームは単に韓国から押し寄せてきたというよりも、日本でもその人気を受け入れる受け皿があって成立した。韓国発の国際展開をリードした芸能事務所、ＳＭエンターテインメントは東方神起、少女時代、Ｂｏａなどを送り出して世界的に注目を浴びたが、日本でその受け皿となったのはエイベックスであった。当時、エイベックスも次世代アーティストとしてアジアの新しい人材を探していた。小室のプロデュースでヒットを狙った台湾出身の女性は成功しなかったが、Ｂｏａはすでに韓国でデビューしていた人気歌手で、日本でもすぐにヒットメーカーとなった。

一方、すでに第二次韓流ブームと時を同じくして、韓国では先を見据えた動きが始まっていた。ひとつは国際的なＫ－ＰＯ

Pグループによる世界展開である。2012年にデビューしたEXOは韓国と中国のメンバー11人からなり、中国系メンバーの脱退はあったものの、デジタルの波に乗り世界に支持層を広げていった。これがまさにSMの戦略だったのである。一方でSMタウンと呼ばれる世界各地での公演を行えば、SUPER JUNIORやSHINee《シャイニー》など、所属する人気グループを登場させて盛り上げ、他方でファンに「推し」を選択させデジタルのストリーミングなどを通じた楽曲の普及をスタンダードにしていったのであった。韓国では男子に兵役の義務があり2005年デビューのSUPER JUNIOR、2008年デビューのSHINeeなども兵役に行けば、ソロ活動への分化など節目を迎えざるを得ない。後継グループを養成しつつ、大々的に世界のファン層を掘り起こすというのは、ビジネスとしてかなりの手腕であろう。いずれにしろ、こうした世界化戦略によりK－POPはアジアのみならず欧州、南北の米大陸にまで広く認知されるようになった。インターネットの動画配信がなければ考えられなかったことである。この影響で遠い国から韓国を訪れ韓国語を学ぶ人も増えた。

日本での韓流の拡散も、第二次韓流ブームからはYouTubeを通じてその音楽が伝わるようになった。2000年代後半に台頭した女性グループの少女時代やKARAの活躍が知られて、注目を浴びるようになったことが大きい。よく指摘されているように、CDという物の売り上げに指標を置いて2010年代までを過ごしてきた日本のポピュラー音楽は、世界展開で、遅れを取っていたと言わざるを得ない。新型コロナウイルスの流行で、日本でもデジタルを通じた音楽の普及がより広がり、K－POPのおかげもあって拍車がかかっている。

もうひとつはオーディション番組を通じた話題作りと人材発掘である。韓国の音楽専門チャンネル

Ｍ－ｎｅｔで放送された公開オーディション番組「プロデュース１０１」のシーズン１では女性グループのＩ・Ｏ・Ｉ《アイオーアイ》が、シーズン２では男性グループのＷａｎｎａＯｎｅ《ワナワン》が選ばれた。ＷａｎｎａＯｎｅはさまざまな事務所の練習生を参加させ投票によって選ばれたメンバーでグループを構成したことから、大いに注目され、投票行動が過熱したこともあった。ＷａｎｎａＯｎｅは当初から時限的な活動を宣言していて、２０１９年1月のラストコンサートで解散した。ＷａｎｎａＯｎｅは所属事務所がＹＭＣエンターテインメント、18年からは専属のＳＷＩＮＧエンターテインメントだった。

魅力的なダンスを披露し、歌唱力も秀でているということがＫ－ＰＯＰの世界的ヒットの原動力だ。デジタルで広がるだけの訴求力に満ちていたのである。日本との関係においては、政治的関係が悪化するなかでも、デジタルの世界で伝播されることを誰も妨げることはできなかった。「いい音楽で1度、パフォーマンスで2度魅了する」ということから名前が付いたというＴＷＩＣＥは９人のうち、日本人メンバーが３人いることもあり、日本で親しみを持たれた。ＹＧエンターテインメント所属で個性的なＢＬＡＣＫＰＩＮＫは２０２０年に米国の『ブルームバーグ』において世界でもっとも影響のあるポップスターに選ばれた。男性グループでは２０１５年にＰＲＥＤＩＳエンターテインメント所属でデビューしたＳｅｖｅｎｔｅｅｎが根強い人気を保っている。

そうしたアイドル戦国時代とも呼ばれる２０１３年、人びとに知られていない事務所に所属しながら登場したのが７人のメンバーからなる防弾少年団（ＢＴＳ）だった。もはやＢＴＳについては説明するまでもないが、ＪＹＰエンターテインメントから独立したパン・シヒョクが設立した事務所から生まれたのがＢＴＳである。ＢＴＳは米国のヒットチャート、ビルボードのメインシングルチャート

「HOT100」で6曲が17回1位に輝いた。メンバーが兵役を果たすためBTSとしての活動は一時停止することが2022年に明らかにされ、JINが12月に軍に入隊、23年末までにはその他のメンバーもすべて入隊した。23年4月にはJ-HOPEも入隊したが、23年4月にはソロデビューしたジミンのLike Crazyがビルボード・ソング・チャートで初登場1位を記録する快挙を成し遂げた。

2020年代に入るとK-POP第4世代といわれる新しい世代も登場してきた。第4世代は特に女性グループに勢いがあり、LE SSERAFIM《ルセラフィム》、IVE《アイブ》、TWICEは2022年年末の紅白歌合戦に登場した。このほか、ITZY《イッチ》、aespa《エスパ》、NewJeans《ニュージーンズ》もよく知られている。韓国文化の影響は、日本社会のさまざまな領域に浸透している。韓国で広がった毎日短時間の尺で配信されるウェブドラマは日本でも定着してきた。2021年10月から12月にかけては、地上波テレビ(TBS系列)でも秋元康のプロデュースで1回15分の深夜帯ドラマ「この初恋はフィクションです」が40回で放送され、Paraviで配信された。この番組は出演者の公開オーディションをテレビ放送するなど、韓国の影響がありありとしていて、ドラマにも新大久保が登場し、面白いものであった。

(石坂浩一)

参考文献

田中絵里奈『K-POPはなぜ世界を熱くするのか』朝日出版社、2021年。

52

韓国ミュージカルの台頭

★拡大する人気と課題★

２０２０年以降の新型コロナウイルス流行により、直接観覧することに意義を見出す演劇、ミュージカルといった公演芸術は苦境に陥った。当初は公演の中止、早期終了などが続発し、韓国最大のインターネットチケットサイトであるインターパークの集計では、２０２０年の演劇・ミュージカルの売上は前年比65％減を記録した。２０２０年はそれでもいくつかの海外劇団の韓国公演が行われ、「オペラ座の怪人」ワールドツアーは出演者の感染で何度かの中断を経ながらも、この年最大の興行を記録した。同時に、この年にはウェブ・ミュージカルともいうべき配信によるミュージカル鑑賞も盛んになった。20年前半は主としてこれまでの公演を録画したものの配信が主だったが、後半には新たに配信用に工夫して収録されたミュージカルが増えた。２０２１年はじめまで影響は深刻だったが、春以降座席をひとつおきにして観覧する方式で公演が徐々に再開され、観客が劇場に戻りはじめた。それでも、移動制限が続いたため、資材輸送の航空便が間に合わず、涙を呑んで公演を中止したこともあった。21年は公演芸術全体で５２４億ウォンの興行収入をあげ、前年の48億ウォンの11倍を記録した。

２０２２年1月には小劇場の公演が事実上解禁され、４月には夜10時以前の公演終了という規定もなくなり、ひとつおきの座席配置も公演場の判断に任されることとなった。こうして、ミュージカルにおいては22年上半期のチケット売上が１８２６億ウォンとなり、２０２０年同期８５３億、21年同期９１０億の2倍以上を記録した。コロナ以前と比較しても歴代最高の売り上げだったという。２０２２年のミュージカルのチケット総売上は４０００億を超すものと見られている。実はこの２０２２年、公演芸術の売上におけるにミュージカルの割合は80％に達した。韓国の公演法ではミュージカルは演劇、音楽、舞踊、国楽（韓国の伝統音楽）、曲芸などに並ぶ公演芸術の1ジャンルと規定されていなかったが、この間の韓国ミュージカル協会と韓国ミュージカル制作者協会の働きかけにより２０２２年1月にはついに公演法が改正され、ミュージカルは独立したジャンルとして認められるようになった（7月施行）。さらに同年9月には文化芸術振興法改正でゲーム、アニメーションとともに文化芸術の1分野として明示されることとなった。業界ではミュージカル産業振興法制定に向け活動を活発化させている。

韓国のミュージカルでは、海外劇団の公演は「来韓公演」、海外作品の韓国語での公演は「ライセンス公演」と分類され、創作ミュージカルと区別されている。外国の著名な劇団の来韓公演が人気を保っていることはもちろんだが、一定規模の劇場では大部分の演目がライセンス公演に限られてきた。韓国での海外ミュージカルの翻案公演は１９８０年代から90年代に始まり俗に海賊版と呼ばれた。しかし、著作権の概念が共有されるにつれこの状況を是正する動きが始まり、１９９５年に設立されたサムスン映像事業団が「ブロードウェイ42番街」の版権を獲得、韓国で公演したのを嚆矢としてライセンス公演が始まった。2000年には「シカゴ」、2004年には「マンマ・ミーア」がライセンス公演され、韓国でも人気を集めてこの方式は定着した（『客席』電子版2018年11月5日）。ライセンス公演は主として韓国の演出家、俳優によって作り出されている。

近年目覚ましいのは韓国の創作ミュージカルが続々と作られている点である。キム・ミンギの演出で1994年に始まった「地下鉄1号線」、97年に初演され世界でも公演したクッキング・ミュージカルの「NANTA」をはじめ、韓国の創作ミュージカルの面白さはよく知られてきたが、その後の勢いもやまない。法的には韓国の企業が著作権を持つミュージカルについて創作ミュージカルと呼ぶ。したがって、外国人の演出家や俳優が起用されていても、著作権が韓国にあれば韓国の創作ミュージカルである。創作ミュージカルには、韓国のウェブトゥーンを原作とした「神と共に」、映画からミュージカルになった「あなたの初恋探します」（映画・ミュージカル共に原題「キム・ジョンウク探し」）、テレビドラマからきた「美男ですね」「黎明の瞳」、日本では「閔妃」と呼ばれ日本人に虐殺された朝鮮王朝の明成皇后を描いた歴史物語として多くの観客を動員した「明成皇后」（1995年初演で2023年現在も公演がある）、日韓合作の「デスノート」など枚挙にいとまがない。2013年に初演された「女神様が見てる」は、韓国のマンガファンにも知られている日本のマンガ『マリア様が見てる』のパロディと誤解されたという（実は筆者もそのように誤解していた）。日本のマンガは女子高の日常を描いたコメディだが、韓国作品は朝鮮戦争のさなか、生き残ろうとした兵士たちの物語である。

韓国のミュージカルにも映画における〈シュリ〉登場のように、大きな転換点があった。2001年のライセンス公演「オペラ座の怪人」である。それまでの韓国におけるミュージカルの市場規模は

シャルロッテシアター
撮影：イ・ハンビ

１４０億ウォン程度で、大作でもミュージカルの製作費は5億程度にすぎなかった。ところが、「オペラ座の怪人」は１００億近い制作費で公開、７カ月間の公演で１９２億ウォンの興行収入をあげた。ミュージカル市場全体の興行収入を凌駕する勢いで、純益も20億に上ったという。ミュージカルはほかの公演芸術と比較して製作費がかかり、損益分岐点を超えるためにはロングラン公演が必須となる。もちろん、ビッグステージやオーケストラピットなどミュージカルに欠かせない設備は少なくないが、何より長期公演が可能なミュージカル専用劇場が求められるのは必然なのである。こうしてソウルの蚕室、ロッテワールドの隣に２００６年、はじめてのミュージカル専用劇場である１２００席あまりのシャルロッテシアターが誕生した。これにより韓国内のミュージカル関係者の期待は膨らんだが、シャルロッテシアターのオープニング作品は日本から来韓する劇団四季の「ライオンキング」に決まり、相当な反発を呼んだ。結局、「ライオンキング」は韓国で最長の公演記録を打ち立てたが36億ウォンの赤字を出したという。一方、対抗するミュージカル関係者は韓国各地にミュージカル専用劇場を建設することに努め、次つぎに専用劇場が生まれていった。ただ、関係者の期待ほどロングランは実現せず、シャルロッテシアターに「オペラ座の怪人」が２００９年９月から翌年９月まで1年間続いたほかは、２、３カ月の公演が大部分という（『ミュージカル』２１８号）。さまざまな課題を抱えつつ、韓国ミュージカルはコロナ後の興行に向け走りはじめている。

（石坂浩一）

参考文献
『連合年鑑』聯合ニュース、2021・2022年版。

53

美　術

★時代とともにある美術★

韓国の美術に接することは、朝鮮半島の激動の時代変遷を視覚的に体験することといっても過言ではない。この国の美術ほど時代状況の波を真っ向から受け、「時代とともにある」美術はほかにあるまい。

ここで韓国美術の変遷を辿ってみよう。朝鮮王朝の滅亡と日本の植民統治下で近代化を迎えた朝鮮では、自国の伝統と芸術的発展を制約されながら、日本を通じて西洋の「ａｒｔ＝美術」を受容する屈折から始まった。近代的な美術教育を学ぶために日本へ渡った東京美術学校（現東京芸術大学）留学生第一号のコ・ヒドン（高羲東）や女子美術学校（現女子美術大学）留学生のナ・ヘソク（羅蕙錫）は西洋画を導入した嚆矢だ。当時、朝鮮総督府管轄の「朝鮮美術展覧会」（１９２２〜44）が作家たちの登竜門だったが、１９３０年代に東京へ留学したイ・ジュンソプ（李仲燮）やキム・ファンギ（金煥基）らは独自の画風を試みた。

解放後は「植民地残滓の払拭と民族美術の建設」を掲げるも、南北のイデオロギー対立と朝鮮戦争の混乱を受け、韓国現代美術が出帆をみるのは１９５７年になってからである。

以降、１９５０年代後半はアンフォルメルの時代、60〜70年代は概念的傾向と単色派（モノクローム絵画）の時代といわれ、パク・ソボ（朴栖甫）はその開拓者であり、クァク・インシク（郭仁植）やリ・ウファン（李禹煥）は日本の「もの派」を導いた。

80年代は軍事独裁政権打倒の民主化運動と呼応して生まれた「民衆美術」によるリアリズムの時代といえる。抵抗の詩人キム・ジハ（金芝河）が「芸術は現実の反映である」と説いた「現実同人第一宣言」（１９６９）は民衆美術の理論的支柱となった。何より80年光州民衆抗争は美術家たちを抵抗運動へと駆り立てた。オ・ユン（呉潤）、シン・ハクチョル（申鶴澈）、イム・オクサン（林玉相）、キム・ボンジュン（金鳳駿）、ホン・ソンダム（洪成潭）、ノ・ウォニ（盧瑗喜）らが美術運動を展開、87年6月抗争時には多数のグループが結成され民主化運動を高揚させた。90年代に入ると、冷戦構造の崩壊、民主化の達成にグローバリズムが加わり、弾圧されていた民衆美術も公的に認知された。

90年代後半から２０００年代には、世界的なビデオアーティスト、ナムジュン・パイク（白南準）のように、さまざまな材料や情報を混合させ表現する脱ジャンル・多文化主義的傾向が顕著となる。またキム・デジュン政権下日本の大衆文化開放は、アニメーションの洗礼を受けたイ・ドンギ（李東起）ら新感覚の表現を生み、日韓美術交流を盛んにさせた。

一方で、東アジアの歴史的葛藤を可視化するアン・ソングム（安星金）、イ・サンホ（李相浩）など民衆美術家たちも健在だ。キム・ウンソン（金運成）、キム・ソギョン（金曙炅）夫妻が日本軍「慰安婦」を表した「少女像」（正式名「平和の少女像」）は、韓国以外にも米国やドイツ等に市民によって設置されてきたが、２０１９年日本のあいちトリエンナーレ「表現の不自由展」に展示されるや「反日の象徴」として右翼の標的になり展示が中止された。他にも２０１４年セウォル号沈没事件時のパク・ク

ホン・ソンダム（洪成潭）
《夢》キャンバスにアクリル 160×260**cm** 2016年 （図版提供本人）
セウォル号事件時のパク・クネ政権を批判した作品が光州ビエンナーレ2014で展示拒否となるも、ムン・ジェイン政権下で再展示を勝ち取ったホン・ソンダムは、民主主義を問い直し、犠牲となった高校生たちが生還する夢を描く。

ネ政権を批判した作品が同年光州ビエンナーレで展示拒否になるなど検閲が露わになった。だがこれに抗し、疲弊した民主主義を問う作品も生まれた。その後２０２２年の梨泰院惨事を追悼し、若者たちの閉塞感を共有する表現も生まれている。一見華やかな韓国アートの対極では、歴史修正主義の跋扈と社会の不正へ異議を唱える表現が展開されている。現在でも見られる「ろうそくデモ」はこうした抵抗の表現といえる。

　ところで韓国のフェミニズム・アート（女性美術）は民衆美術の女性作家たちにその種を見出せる。ユン・ソンナム（日本ではユン・ソクナムとも、尹錫男）、キム・インスン（金仁順）、チョン・ジョンヨプ（鄭貞葉）、ソン・ヒョスク（成孝淑）などが儒教社会で抑圧されてきた女性や労働者を描き先駆的な役割を果たしてきた。ジェンダー意識の高まりとMeToo運動の隆盛は、他方、若い世代に男女の分断やミソジニー現象も招いた。そんななか、日本のアニメのような「癒し系可愛いアート」もお目見えし、若いコレクターがこれを支持している。

　近年このミレニアム世代のコレクターたちが投資対象として作品を購入し、韓国の美術市場を活性化させている。とくにイギリスの代表的アートフェア「フリーズ

尹錫男（ユン・ソクナム）《ピンク・ルームⅣ》
ミックストメディア 1995年（図版提供本人）
フェミニズム・アートの先駆者ユン・ソクナムは、母の姿や抑圧されてきた女性たちの痛みを無意識の次元から掘り起こし、日常の空間に表し出す。

（Frieze）」が２０２２年ソウルで韓国版アートフェアＫｉａｆと同時開催を試み、アートマーケットに好況をもたらした。さらに欧米の有力なギャラリーがソウルに次々とスペースを設け、イ・ゴニョン（李健鏞）、チェ・ジョンファ（崔正化）やソ・ドホ、イ・ブルらを所属作家として後押ししている。

このようにソウルがホット・スポットとして注目された背景には、２０１３年に開館した国立現代美術館ソウル館の力も大きい。現代自動車などの大企業が美術館とタイアップでチェ・ウラムやキム・スージャ（金守子）など個人作家を支援し、集客を集めている。２０２０年サムスンのイ・ゴニ（李健熙）会長の死後公開された「李健熙コレクション展」（国立現代美術館、国立中央博物館等に寄贈）には観客が殺到し、芸術全般への関心を高めた。地方も負けてはいない。これまで光州ビエンナーレ、釜山ビエンナーレ等アジア発の国際展が誘致されてきたが、公立美術館の数は多くはなかった。そこで昨今は地方自治体が競い合って地域性を生かした美術館づくりに挑んでいるという。

そんな国内の動きだけが「韓国美術」ではない。侵略や植民地、分断の国難を経てきた朝鮮民族は世界へと離散するほかなかった。ディアスポラ・アートが生まれるゆえんだ。だがたとえば在日朝鮮人美術が固有の出自や独自性を持つように、いまやディアスポラ自体が世代交代やグローバリズムにより変容している。

北朝鮮美術の研究も進展中だが、越北作家リ・ケデ（李快大）やチョ・ヤンギュ（曺良奎）など近代に制限されがちであり、体制の違いが美術の文脈を乖離させている。それでも中国延吉出身朝鮮族の韓国美術史研究者や、北朝鮮からの「脱北者アーティスト」ソンム（Sun Mu）らも登場している。またムン・ジェインとキム・ジョンウンの首脳会談が実現した2018年の光州ビエンナーレでは、在米コリアン美術家ムン・ボムガン（文凡綱）の企画で北朝鮮の朝鮮画が紹介され話題を呼んだ。

分断状況という切迫感を抱えながら重層的な構造を帯びる韓国美術は、必然的にグローバルでダイナミックだ。その底にはイデオロギーの葛藤と文化の断絶がよぶ「暴力性」、そして民族的痛みの「悲哀」が滲んでいる。この両者の拮抗が生む逆説的美学こそが、時代を反映する視覚的スペクタクルを花開かせているのではないだろうか。

（古川美佳）

◉参考文献
古川美佳『韓国の民衆美術――抵抗の美学と思想』岩波書店、2018年。
洪善杓／稲葉真以、米津篤八訳『韓国の近代美術史』東京大学出版会、2019年。
野間秀樹・白永瑞編『韓国・朝鮮の美を読む』クオン、2021年。

＊文化庁アートプラットホーム事業（日本現代アートの情報プラットホーム）「日本・アジアの論文アーカイブ」には日韓美術交流に関する論文（古川「近年、日本における韓国美術の受容とその意識」等）も日本語・英語で掲示されているので参照されたい。 **https://artplatform.go.jp/ja/resources/readings/R202202**

54

40年の韓国プロ野球

★発展に影を落とす国際大会での不振★

1982年、韓国のプロ野球が誕生した。日本のプロ野球より半世紀近く遅れてのスタートであったが、いまや韓国内最高の人気スポーツとして、すっかり定着した。

韓国のプロ野球が隆盛期を迎える契機になったのは、2006年の第1回WBC（ワールド・ベースボール・クラシック）でのベスト4、09年の第2回大会での準優勝、08年の北京オリンピックでの優勝といった国際大会での輝かしい成績だった。91年以来8球団制を続けていたプロ野球は、国際大会での好成績を契機に起きた野球ブームを追い風に、13年に9球団、15年に10球団と拡大した。日韓共催のサッカー・ワードカップが開催された02年は239万人だった年間の総観客数が、17年には840万人にまで増加し、1000万人時代も近いと思われた。

コロナによる減少はあったものの、23年は810万人となり、観客はまた戻りつつある。ただそこに、国際大会での成績不振が懸念材料として浮上している。13年の第3回、17年の第4回に続き、23年の第5回WBCでも韓国は、1次ラウンドで敗退した。21年の東京オリンピックではメダル獲得も逃している。

かつて世界有数の実力を誇った韓国が、なぜ急速に弱くなったのか。その理由を考えるにはまず、韓国はなぜ、国際大会に強かったかを考える必要がある。

韓国はもともと、選手層は薄かった。高校のチーム数は近年増えたとはいえ約90。減ったとはいえ約3500の日本とは、歴然とした差がある。ただ競技人口が少ない分、選手たちの多くは子どものころから顔見知りであり、代表チームとしての一体感を作りやすかった。また韓国には、代表チームの長い歴史に基づく国際大会を戦うためのノウハウと、代表チームに対する強い誇りがあった。

1954年、マニラで第1回アジア野球選手権が開催された。日本はこの年の都市対抗野球大会で優勝した八幡製鉄を中心に補強メンバーを加えて臨んだが、韓国は、代表チームを組んで戦った。韓国代表はその時以来の歴史を持つ。82年にソウルで開催された世界アマチュア野球選手権で韓国は優勝し、国民を熱狂させた。優勝の功労者であるソン・ドンヨル（宣銅烈）は、誕生間もない韓国プロ野球最高のスター選手になり、「野球国宝」とも呼ばれた。ソンは96年に中日に移籍し、抑えの切り札として活躍した。98年にオリンピックなどの国際大会にプロ選手も参加できるようになった。99年のシドニーオリンピックのアジア予選や、翌年のシドニーオリンピックでも韓国は、プロ中心のメンバーで臨んだ。

一方日本は、こうした大会がシーズン中であることから、プロ選手の参加に消極的だった。シドニーオリンピックの予選や本大会では、プロのトップ選手で参加したのは、基本的にパ・リーグ

サムスン監督時代のソン・ドンヨル

だけだった。しかも捕手がパ・リーグだと投手の情報を盗まれるとして、捕手だけは、セ・リーグから出すことになり、アジア予選ではヤクルトの古田敦也が、本大会では中日の控えであった鈴木郁洋が出場した。代表選手は大会が始まればひとつになったが、日本球界としての一体感は乏しかった。

03年のアテネオリンピックのアジア予選で、日本球界で絶対的な存在である長嶋茂雄が監督に就任したことで、ようやくプロ選手も国際大会参加に本腰を入れるようになった。しかし日本のプロ野球は、どんな選手が国際大会に向いているのか、大会での戦いを想定して、どんなメンバーでどう戦うかといった、ノウハウや知識がほとんどなかった。

韓国側は、プロの選手の参加が認められるといち早くプロも参加し、選手も指導者も、アマチュア時代から受け継がれた国際大会の戦い方を心得ていた。WBCでは、第1回、第2回とも日本が優勝したが、韓国との直接対決では、韓国が互角以上に戦った。特に大会の中盤までは韓国の勝利により日本は窮地に追い込まれたこともあった（別表参照）。そして北京オリンピックでは韓国が金メダルを獲得した一

表　WBCにおける日韓の成績と直接対決の結果

年度	回数	日本	韓国		
2006	1	優勝	４強	１Ｒ ２Ｒ 準決勝	●日２－３韓○ ●日１－２韓○ ○日６－０韓●
2009	2	優勝	準優勝	１Ｒ ２Ｒ 決勝戦	○日14－２韓● ●日０－１韓○ ●日１－４韓○ ○日６－２韓● ○日５－３韓●
2013	3	４強	１Ｒ敗退		
2017	4	４強	１Ｒ敗退		
2023	5	優勝	１Ｒ敗退	１Ｒ	○日13－４韓●

※Ｒはラウンド

方、日本はメダルを逃した。こうした国際大会での韓国の強さは、国際大会の経験の差によるところが大きかった。

古くから野球の国家代表の意識が強かったのは、韓国とキューバくらいであったが、WBCが始まったことにより、日本をはじめ多くの国が代表チームを意識するようになり、韓国の優位性は弱まった。

そのうえ韓国では、代表監督の人選が常に問題になっていた。プロ選手が参加するようになり、国民の関心も高まった。その分、成績に対する重圧は、想像以上に大きくなっており、有力候補者の多くが監督就任を固辞した。第1回、第2回のWBCは、1947年生まれで、選手としてはプロの経験はないものの、プロ・アマを通じて豊富な指導経験を持つ、キム・インシク（金寅植）が務めた。脳梗塞の後遺症があり、監督職は酷であったが、「なり手がいないならば」と引き受けたキム・インシク監督を、「申し訳なさもあって、全力で支えました」と、第2回大会でヘッドコーチだったキム・ソンハン（金城漢）は言う。

いざという時のキム・インシクカードであったが、第4回のWBCでも韓国代表監督を務めたものの、1次リーグで敗退し、キム・インシクは代表監督の勇退を宣言した。後を任せられるのは、「野球国宝」と呼ばれた輝かしい実績、サムスンの監督としての2度の優勝、コーチとして数多くの国際大会を経験しているソン・ドンヨルしかいなかった。

ソンは代表監督として、18年にジャカルタで開催されたアジア競技大会に臨み、優勝した。アジア競技大会で優勝した選手は、兵役が免除される。そこで一部の若手選手に対し、兵役免除のための情実選考ではなかったかという疑惑が提起された。話は野球ファンの間だけで収まらず、ソンは国会の国政監査（聴聞会）に召喚された。そこで監督の仕事を理解しない国会議員から、「勤務時間は何時から何時までか」などといった質問をされた挙句、「優勝は難しくない」という罵声まで浴びせられた。この大会に日本は、プロ選手は参加しておらず、韓国が優勝候補の筆頭であったことは確かだ。それでも野球は波乱が多いスポーツであり、勝って当たり前の試合を戦う難しさもある。これでソンの気持ちが切れ、代表監督を辞任した。と同時に、韓国野球が長年築いてきた、代表チームへの誇りは、大きく傷ついた。

この10年ほどの間に、映像技術、計測機器の発達、選手、若者の気質の変化などにより、野球そのものも、選手の指導法も変化した。韓国はそうした変化にうまく対応できていないこともあり、世代交代が進んでいない。そこに代表チームの地位の低下も重なり、国際大会での不振が続く。プロ野球のさらなる発展のためには、球界が総力を挙げて、不振から抜け出す必要がある。

（大島裕史）

55

曲がり角のスポーツ強国

★豊かになった韓国で国威発揚の役割も変わる★

韓国はスポーツの国際大会を非常に多く開催する国であるが、そうしたスポーツ大会のうち、1988年のソウルオリンピックと2002年の日韓共催ワールドカップは特にインパクトが強い。ソウルオリンピックは韓国の名を一気に世界に広め、02年のワールドカップは、韓国が準決勝に進出したこともあり、「ダイナミックコリア」という韓国の躍動感を世界に知らしめた。

ただ韓国におけるスポーツの役割の変化については、86年のソウル、02年の釜山《プサン》、14年の仁川《インチョン》という3つのアジア競技大会が象徴的に表している。

86年のソウル大会は、韓国で開催されるはじめての総合スポーツ大会であった。当時韓国はチョン・ドゥファン政権の下、日本に追いつけ追い越せという「克日」のスローガンを掲げていたが、経済成長をしているとはいえ、日本との差は歴然としていた。けれども、このアジア競技大会で、韓国が獲得した金メダルは93個。58個の日本を大きく引き離した。総合スポーツ大会で、韓国の金メダルが日本を上回ったのははじめてだった。

2年後のソウルオリンピックでも韓国は12個の金メダルを獲

界に誇示した。

得。日本の金メダルは、わずか4個だった。韓国はスポーツを通して「ウリナラ（我が国）」の力を世界に誇示した。

02年の釜山《プサン》大会では、北朝鮮は選手団に加え、「美女軍団」と呼ばれる応援団も派遣した。韓国で開催されるスポーツ大会に北朝鮮が参加するのははじめてだった。競技関連施設に限定されたものの、韓国で北朝鮮の国旗が掲揚され、国歌が演奏された。競技会場のあちらこちらで、「ウリヌンハナダ（我々はひとつだ）」の大合唱が起きた。あまりに南北融和が全面に出たため、他の参加国から不満の声もあったが、この大会は、「ウリ民族」の大会であった。

この大会以降スポーツは、南北融和の手段として注目されるようになった。その流れは、18年のピョンチャン冬季オリンピックにも受け継がれた。

14年の仁川大会に関しては、筆者は韓国で開催されるさまざまなスポーツの国際大会を取材しているが、拍子抜けするほど静かだった。ある韓国のスポーツ記者は、「我が国は、もうアジア競技大会ぐらいでは、騒がなくなったのです」と語っていた。

それでも、大会が進むにつれて徐々に盛り上がってきた。大会を盛り上げたのは、中国をはじめ、ベトナム、モンゴル、インドネシア、イランなど、アジアの人たちであった。観光で来た人もいたが、大部分は韓国に在住する人たちだった。仁川大会は、仁川のほか、安山《アンサン》など、首都圏南西部の地域を中心に行われた。この地域は、労働者を中心に、外国人が多く暮らしている。アジアのさまざまな国の人たちが、競技会場で声援を送っているのを見て、韓国は3回目にしてはじめて本当の意味でのアジア競技大会を開催したと感じた。

韓国が経済発展を続けている時は、その先導役ともいえるスポーツの国際大会の成績に国民は大きな期待をかけた。しかし、経済的にも日本との差がほとんどなくなった今日、スポーツの結果にそれほど関心がなくなってきた。

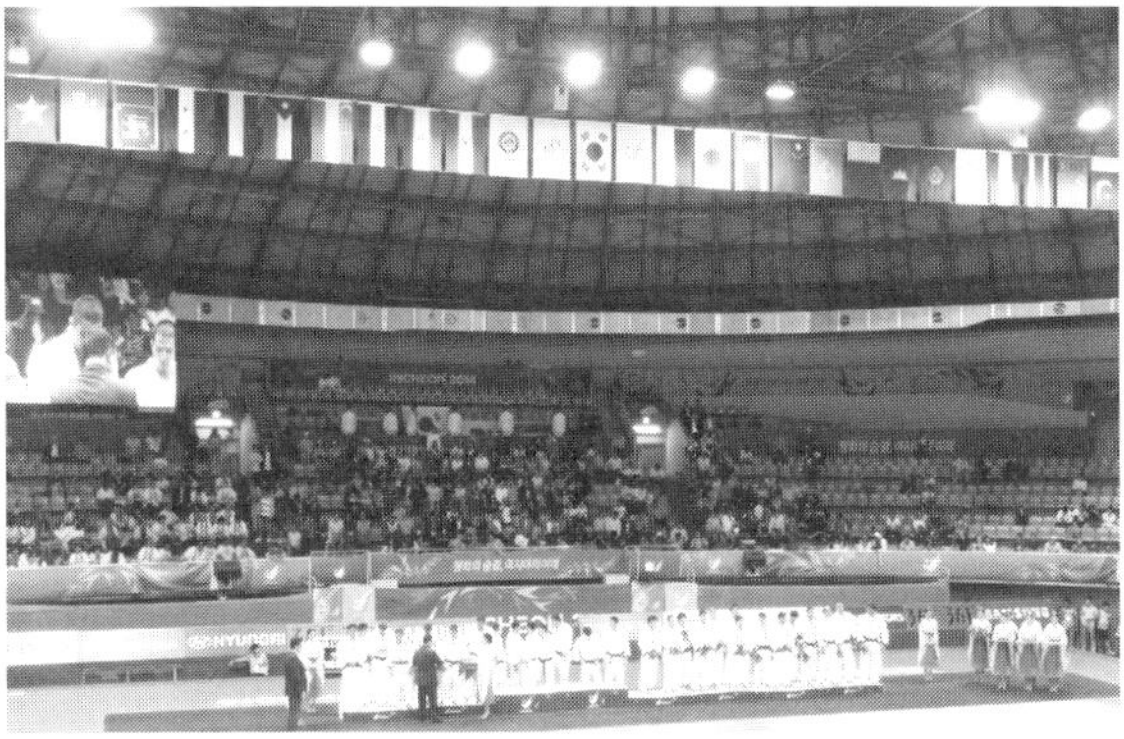
仁川アジア競技大会の柔道会場

18年にジャカルタなどで開催されたアジア競技大会で、日本は75個の金メダルを獲得したが、韓国は56個だった。アジア競技大会の金メダル数で日本が韓国を上回るのは、94年の広島大会以来である。ただ94年の時は、大会が終わった後、ドーピング違反により中国選手のメダルがはく奪され、日本が繰り上げて獲得したことで韓国を上回ったが、大会が終わった時点では、韓国のほうが多かった。そのため韓国では、94年の大会では日本に負けたという意識は薄い。

けれども18年の大会では韓国は完全に敗れ、金メダルの獲得順位では中国、日本に次ぐ3位になった。18年9月3日付の「スポーツチョソン」では、「20年ぶりに日本に押され、24年ぶりに総合3位に再び落ちたが、世の中は静かだ。総合3位よりつらいのは〝沈黙〟だ」と書いている。筆者もこのころ韓国に滞在していたが、韓国の成績不振は、ほとんど問題にならなかった。従来であれば、大変なバッシングを受

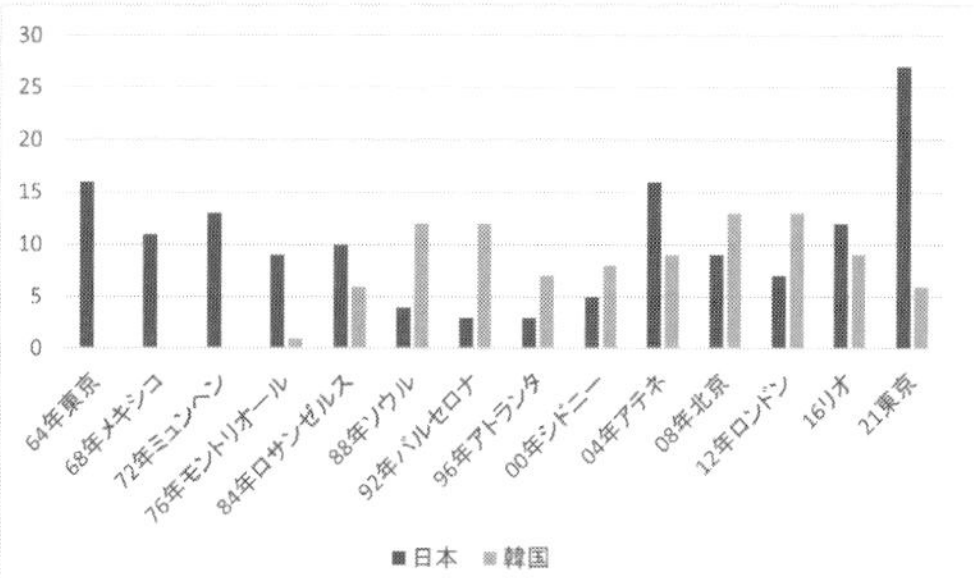

図1　64年から21年までの日韓五輪金メダル数比較

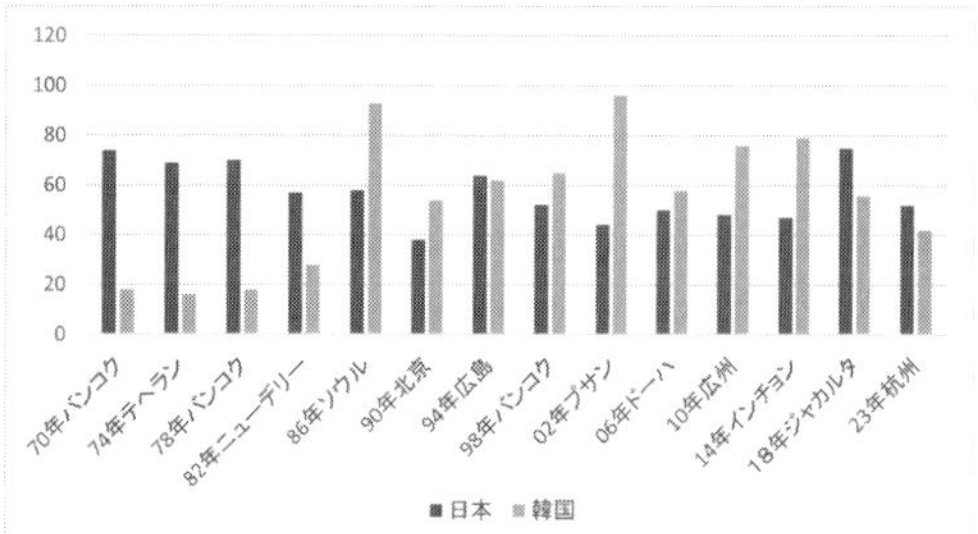

図2　1966年から2023年までの日韓アジア競技大会金メダル数比較

けたはずだった。22年の杭州大会でも日本の金メダルは52個で、42個の韓国を上回った。韓国のスポーツ関係者は、こうした状況に危機意識を持っている。けれども韓国全体としては、前回同様、それほど問題になっていない。ただバッシングを受けるということは、関心を持たれているということでもある。バッシングを受けないということは、それだけスポーツの存在感が薄くなったということだ。そこで新たな問題が生じる。

これまで韓国のスポーツ選手は、国際大会の成績上位者に与えられる生涯年金やオリンピックのメダリスト、アジア競技大会の優勝者に与えられる兵役免除の恩恵をモチベーションにしてきた。

韓国では長く「体力は国力だ」と考えられてきた。世界で勝負できるのがスポーツくらいしかなかった時代、自分たちが地獄のような猛練習に耐えてつかんだ栄光が積み重なった結果のメダル獲得順位は、アスリートの誇りであった。国家に貢献しているという誇りと自信をもって兵役免除などの恩恵を受けていた。

ハングリースポーツの時代の70年代や80年代、いまは豊かでなくても、努力すれば未来が開ける。スポーツはそんな希望を持たせてくれた。97年末に始まる金融経済危機の時代も、スポーツは国民に希望を持たせた。

ところが今や、その役割は終わろうとしている。と同時に、兵役免除の恩恵が問題になってくる。特に決定的なのはBTSであった。いま韓国のイメージアップに最も貢献しているのは韓流エンタメである。その代表であるBTSが兵役免除でないのになぜスポーツは、となる。

スポーツ選手の競技者としての寿命は短い。兵役による約2年の時期はあまりに痛い。でもほかの人も、程度の差はあれ、20代は貴重である。それでなくても、社会の特権層はさまざまな手段を使って兵役逃れをしているという疑惑があり、社会の不公平感の象徴にもなっている。スポーツ選手の兵役免除についても、国会などで問題提起されている。しかし、スポーツ選手の兵役免除の恩恵をなくせば、モチベーションは下がるに違いない。

スポーツのメダルに関して、社会の関心が低くなるにつれ、これまで結果さえ残せばと見過ごされてきた、暴力、派閥争い、セクハラ、いじめなどの問題が浮き彫りになった。これまで結果だけに関心が集まり、スポーツ本来の良さなどは、目を向けられてこなかった。アスリートもメダルを取ること以外、なぜスポーツをするかを考えてこなかった。スポーツを取り巻く環境が変わろうとしている今こそ、スポーツの価値を見直す時だ。

（大島裕史）

56

マンガとウェブトゥーン

★ドラマ、映画にも影響力★

10年前、本書の第2版を出した当時は、まさかここまで日本にウェブトゥーンが広がるとは思っていなかった。マンガの電子書籍化を含め、日本のマンガ界も時代の波のなかで未来を模索している。その意味で、韓国のマンガの歩みと未来はとても興味深いものがある。

パク・イナとキム・ナコの『韓国現代マンガ史 1945〜2009』(第2版、2012)によると、解放後の韓国では子ども向け雑誌を中心にマンガ掲載が始まり、1940年代後半にはマンガ専門誌も現れた。だが、雑誌の出版は安定せず、何号か出すと消えてしまうものがほとんどだった。朝鮮戦争(1950〜53)による甚大な被害を受けたため、出版物を安定的に販売することも容易ではなく、解放後の10年程度は新聞での1コマ漫画、4コマ漫画、子ども向け雑誌の1〜2ページのマンガなどが主だった。1950年代半ばになると、それまでは20ページほどしかなかった単行本が200ページほどの厚さの単行本らしい姿を備えるようになっていった。この時代以降、マンガの普及を支えたのが「マンガ屋」(만화방)である。1950年代は人が集まる公園や市場の片隅にゴザを敷いてマ

ンガを並べ、その場で読ませたり貸したりしたという。その後、社会が安定してくると店を出す形に定着していった。今日の日本ではマンガ喫茶があるが、それよりもはるかに雑然とした場所である。

日本において第二次世界大戦が敗戦に終わったのが1945年であるのに対し、韓国の朝鮮戦争停戦が1953年であることを考えると、日本と韓国の戦後はほぼ10年のタイムラグを置いて始まったということができる。韓国でテレビが一般家庭に広がったのは60年代後半以降であるが、マンガと合わせてテレビアニメーションの人気が一般化したのもこれ以降で、『テックォンV』は韓国の代表的なアニメーション作品である。もちろん、マンガも当局の検閲の対象であったため、自由な制作環境があったわけではなく、『テックォンV』は反共的情緒にあふれた勧善懲悪ものであった。また、日本のマンガが多数、韓国風に改変を経て出版、放送された。1960年代から70年代に放送された永井豪『マジンガーZ』はロボット物の代表作品で、もともとは東映動画制作だった。

韓国でも創作されたマンガはあったが、その人気や認知度は限定されていた。最も大きな要因は、日本のように多種多様なマンガ雑誌が存在し、たくさんの作品を送り出せる環境が韓国にはなかったということだろう。また、表現の自由がなく自由な発想で作品を生み出すことができなかった点も見逃せない。それに加えていくつかの企業でカルテルを作りマンガ屋へのマンガの流通を独占する状況が1980年代前半まで続いた。しかし、これが破れてカルテルが崩れていくなかで登場したのが1983年から84年にかけて刊行されたイ・ヒョンセ（李賢世）『恐怖の外人球団』（30巻）である。はぐれ者のヒーローを中心とした野球マンガはプロ野球が始まった韓国の状況にマッチしてこれまでにないヒット作になった。その後、いくつかのマンガ雑誌が現れては消え、個別作品でもテレビドラマ化されたパク・ソヒ『宮』（日本語訳タイトル『らぶきょん LOVE in 景福宮』）のような作品もあるが、突出したマンガを見ることはできなかった。

その状況を打ち破ったのがウェブトゥーンの登場である。ウェブ上に公開されたマンガ（cartoon）という意味の造語であるウェブトゥーンは、当初は1コマ漫画に個性的な語りが付くような形態でウェブ上に登場した。１９９８年のクォン・ユンジュ『スノーキャット』が始まりといわれる。その後、２００２年から連載されたシム・スンヒョン『パペポポメモリーズ』が人気を得て単行本化、ウェブ上のマンガに注目が集まりはじめた。スマートホンで縦スクロールしながら読むマンガはインターネットの発達に伴い若者の日常に入り込んで定着した。こうした作品は次第にストーリーを持つ長編作品へと進化、注目度を高めた。韓国で紙のマンガ雑誌が多種多様に存在するわけではなかった事実も、ウェブトゥーンにとってプラスに作用した。２００３年に登場したカンプル『純情漫画』は連載が始まると総ページビュー数が３２００万回、１日の最大訪問者数が２００万回を記録するなど、大ヒット作となり、２００８年にリュ・ジャンハ監督により映画化された（単行本では2冊）。こうした人気に勢いを得た韓国の大手ポータルサイトでは、ダウム（DAUM）は２００３年、ネイバーは２００５年と、次々にウェブトゥーンのコーナーを設置して連載作品数を増やしていった。

こうしてウェブトゥーンが注目の的になってからは人気作の枚挙にいとまがない状況になった。初期の作品ではカンプルの『アパート』（２００６）、ユン・テホの『苔』（２００７、映画邦題は〈黒く濁る村〉）、HUNの『ひそやかに、偉大に』（２０１０、映画邦題〈シークレット・ミッション〉）などがあり、いずれも映画化された。人気の高まりとともに、ウェブトゥーンは有料化が始まり、２０１４年にはネイバー、

ＮＨＮエンターテインメントがラインを基盤として海外に翻訳版を提供するようになった。特にネイバーはラインを通じてウェブトゥーンを拡大、人気を広げていく。日本でも紹介されたテレビドラマ「チーズインザトラップ」「キム秘書はいったい、なぜ」などウェブトゥーンを原作とした作品は多いし、インターン社員の哀歓を描いて日本でリメイクされた「未生」も記憶に新しい。映画でも〈神と共に〉は２部作で製作され大きな成功を収めた。その一方で、過当競争や製作者の著作権保護、労働条件保障など問題も山積している。

『韓国マンガ産業白書２０２２』によると、韓国人の71・6％がマンガをウェブでのみ見ており、紙媒体と合わせて読むという人は25・9％、紙媒体だけで読む人はわずか２・５％に過ぎない。どのサイトで見るかを重複可で問うと、ネイバーウェブトゥーンが87・4％、カカオページが35・0％、カカオ（ダウム）ウェブトゥーン25・7％、ネイバーシリーズが22・3％でネイバーとカカオが双璧であることがわかる。日本の出版界にもウェブトゥーンは大きな影響を与え、マンガの電子書籍化にとどまらず、日本発のウェブトゥーンのプラットフォーム設立や新たな試みが始まっている。韓国のマンガ産業は日本に良い刺激となって発展しているのである。

（石坂浩一）

人気のあるウェブトゥーンは単行本化される。『ムービング』単行本

◎参考文献

パク・イナ、キム・ナコ『韓国現代マンガ史１９４５～２００９』（第2版）（韓国）２０１２年。
キム・ソンフン『面白い感動のある教養のあるウェブトゥーン』（韓国）２０１８年。
『韓国マンガ産業白書２０２２』２０２２年、韓国コンテンツ振興院。

57

〈朝鮮文学〉から〈K-文学〉へ

★世界に広がる文学の韓流★

1991年に留学生として来日したキム・スンボク（金承福）がショックだったのは、韓国では村上春樹や村上龍など同時代の日本の小説が翻訳されて広く読まれていたのに、日本人は現代韓国文学をほとんど知らないということだった。2003年頃の第一次韓流でも韓国ドラマの人気が文学に波及することはなかった。出版社に韓国の小説を紹介しても出してはくれない。それなら自分で出版しようと2007年に東京で設立したのがクオンという弱小出版社だ。ハン・ガン『菜食主義者』（きむふな訳、2011）を第一弾として始まった〈新しい韓国の文学〉シリーズは現代韓国の諸相を反映した新鮮な作品を瀟洒な装丁に包んで届け、部数は多くなくとも好評を博した。

2015年にはクレインから刊行されたパク・ミンギュ『カステラ』（ヒョン・ジェフン、斎藤真理子訳）が第1回日本翻訳大賞を受賞した。現代の若者が直面する問題を村上春樹風のタッチで描いた作風は、深刻なリアリズム作品を主流とする20世紀の〈朝鮮文学〉とはひと味違う、明るくポップな〈K-文学〉を印象づけた。2017年には晶文社が〈韓国文学のオクリモノ〉（全6冊）シリーズをスタートさせ、その後も書肆侃侃房〈韓国女性文学〉〈韓国文学の源流〉、亜紀書房〈となりの国のものがたり〉、新泉社〈韓国文学セレクション〉などシリーズを出す出版社が現れ、大手出版社も韓国文学を扱うことが増えた。

２０１１年に発足したＫ－ＢＯＯＫ振興会（２０２２年から一般社団法人）は日本の出版社に作品を紹介し、韓国文学翻訳院や大山《テサン》文化財団の支援制度を案内するほか、〈Ｋ－ＢＯＯＫフェスティバル〉や〈翻訳コンクール〉などを開催している。神田神保町の韓国書籍専門書店〈チェッコリ〉をはじめ全国各地の書店でも最近は韓国文学関連のイベントがよく開催される。

世界的なフェミニズム運動に後押しされつつ日本のＫ－文学ブームを決定づけたのはチョ・ナムジュ『82年生まれキム・ジヨン』（斎藤真理子訳、筑摩書房、２０１８）で、日本で20万部以上売れた。この他にもフェミニズム小説が多数出版されて人気を呼んだ。２０２０年と翌年にはソン・ウォンピョン『アーモンド』『三十の反撃』（いずれも矢島暁子訳、祥伝社）が連続して本屋大賞翻訳小説部門１位となった。キム・スヒョンのエッセイ『私は私のままで生きることにした』（吉川南訳、ワニブックス、２０１９）も50万部を突破した。ヒットの起爆剤はＫ－ＰＯＰ人気で、ＢＴＳのメンバーが読んだという噂が流れた本は瞬時にベストセラーになる。

世界に目を向けてみると、２０１１年にシン・ギョンスク（申京淑）の『母をお願い』がアメリカでベストセラーになったのは異例の出来事に見えたが、今では映画、Ｋ－ＰＯＰ、ドラマ、ウェブトゥーン、料理など新しい〈韓流〉の波にようやくＫ－文学も乗りはじめ、年間２００種以上の作品が海外で出版されている。韓国語学習者が増加して翻訳者も増えた。

韓国文学翻訳院の調査では、『82年生まれキム・ジヨン』は11の言語圏で30万部以上、『菜食主義者』

は13の言語圏で16万部以上売れた。この頃、発行された作品の中には販売部数が2万から10万部に達するものが数十種ある。ミステリーやファンタジー、SFなどの翻訳出版も増えた。現代の作家はフェミニズム、ジェンダー、地球温暖化など世界的なテーマを扱うことが多いために共感を呼ぶのだろう。アラブ語、クロアチア語、アムハラ語など、従来あまり翻訳が出なかった言語からも翻訳出版支援の申請がある。ここ数年はミン・ジン・リー『パチンコ』(2017)がアメリカでベストセラーになるなど、英語で執筆する韓国系移民作家の活躍も目立つ。

韓国国内では近年、SFも含め女性作家の小説がよく売れている。キム・ホヨン『不便なコンビニ』、イ・ミエ『ダラグート夢の百貨店』、現代史をリアルに描くチョン・ジアや都会で挫折した人びとを描くファン・ボルムなどが最近の注目株だ。セウォル号事件のトラウマを詩のテーマにするチン・ウニョンや貧しい若者の心情を描くパク・チュン、言語遊戯を詩に採り入れるオ・ウンなど人気詩人の作品も少しずつ海外に紹介されている。

海外の文学賞受賞のニュースも多い。『菜食主義者』がブッカー賞国際部門を受賞(2016)したのに続き、2019年にはキム・ヘスン(金惠順)の詩集『死の自叙伝』がカナダのグリフィン詩賞を受賞した。絵本作家ペク・ヒナは2020年にリンドグレーン賞を、イ・スジは2022年にアンデルセン賞を受賞した。2022年にはパク・サンヨン『大都市の愛し方』、チョン・ボラ『呪いのウサギ』がブッカー賞国際部門候補作となった。日本翻訳大賞は『カステラ』以後も2018年にキム・ヨンハ『殺人者の記憶法』が、2022年にキム・ソヨン『一文字の辞典』が受賞している。

K－文学の海外進出を支えているのは大山文化財団や政府系機関である韓国文学翻訳院などの団体

だ。教保生命保険と教保文庫の創立者シン・ヨンホ（慎鏞虎）が設立した大山文化財団の〈大山文学賞〉は最も権威のある文学賞として知られる。同財団は１９９２年から韓国文学の海外翻訳出版支援をはじめ、ソウル国際文学フォーラム、東アジア文学フォーラムなどの交流イベントを支援してきた。１９９６年に設立された韓国文学翻訳院（当初の名称は韓国文学翻訳金庫）も韓国文学の海外紹介と文学交流を応援している。２０２２年秋に同院主催で開かれた第11回ソウル国際作家フェスティバルには10カ国35名の作家と韓国の評論家や翻訳家など50数名が出席した。近年は海外の出版社に版権情報を提供し、インターネットで作品や作家を紹介するなど新しい戦略を打ち出す一方、翻訳者養成にも力を入れている。

2023年の**K-BOOK**フェスティバル。2023年のテーマは「こえる一冊」

　韓国文学翻訳院の最終目標は〈世界文学としての韓国文学〉を定着させることだが、院長クァク・ヒョファン（郭孝桓）によると韓国文学は現在、〈文学韓流導入期〉から〈文学韓流成長期〉への移行段階にある。２０２２年にドイツなどヨーロッパの国々を歴訪したキム・ヘスンは、韓国の現代詩に関心を寄せ、若い詩人の名前も知っている現地出版社の編集者に出会って驚いたという。K-文学ブームの波が世界に広がってはいるのは確かなようだ。商業的に成功する本だけでなく、人文関係の良書が刊行されることも増えた。とはいえ、日本でもその他の国でも古典文学の翻訳、文学史や本格的な評論の紹介は概して少ない。韓国文学の全体像を伝えるためには研究者の養成も必要だろう。

（吉川凪）

◉参考文献
クォン・ヨンミン（権寧珉）編／田尻浩幸編訳『韓国近現代文学事典』明石書店、2012年。
波田野節子、斎藤真理子、きむふな編『韓国文学を旅する60章』明石書店、2020年。
斎藤真理子『韓国文学の中心にあるもの』イースト・プレス、2022年。

58

宗　教

★多宗教が変容と共存を探る★

２０１５年の韓国の宗教人口は43・9％で、２００５年の53・1％から10％近く減少している。全人口に占める宗教ごとの信仰者の割合は、仏教15・5％、基督教（プロテスタント）19・7％、天主教（カトリック）7・9％であり、その他に儒教、新興仏教の圓仏教、民族宗教の天道教・大倧教などの信者がいる（韓国統計庁）。宗教人口は減少傾向にあるものの、多様な宗教が混在する多宗教社会の特徴は変わらない。

全国調査では把握されないが、民俗宗教として古代から存在するシャーマニズムである巫俗もある。巫俗は朝鮮王朝時代に儒教が国教となってからは抑圧されたが、儒教では救われない女性が頼る信仰として命脈を保ってきた。ムーダンと呼ばれる巫人には女性が多く、かれらは除災招福のための宗教的儀礼であるクッを行う。クッは目的によって、財数クッ（祈福祭）、憂患クッ（治病祭）、死霊クッ（慰霊祭）に類別される。現在はムーダン自身やクッに文化財的な価値も付与されるようになっている。

仏教は、『三国史記』によれば３７２年にはじめて高句麗に伝来した。新羅時代、７世紀末から８世紀末にかけて護国宗教として盛んになる。高麗時代にも太祖王建《ワンゴン》が仏教を保護し、多くの寺院が建立されたことで、仏教は栄えた。しかし、朱子学が国教とされた朝鮮王朝時代には弾圧を受け、日本の植民地時代には寺刹令によって規制を受ける。また、植民地時代、日本から妻帯僧制度が輸入された。解放後、妻帯僧を否認する大韓仏教曹渓宗が誕生し、妻帯僧を認める太古宗は分立。仏教は1960年代に信者数を大幅に伸ばしたが、当時パク・チョンヒ政権の執権党であった民主共和党が庇護したことがその理由のひとつである。1990年代には、軍事独裁政権との癒着による腐敗や曹渓宗内部での権力闘争などに対する改革が唱えられ、革新的な取り組みが行われた。

儒教は、朝鮮王朝が朱子学を国学として採用したのち、政治理念、社会倫理として民衆に教化され、その生活に浸透した。儒教の教義を学ぶことの他に民衆生活で厳格に実践されたのは、祖先祭祀である。儒教の祖先祭祀での死者儀礼には特色があり、それは、正常死した死者しか扱わないということである。したがって、早死や未婚死、客死、事故死など異常死した死者には、巫俗による死者儀礼が対応する。キリスト教や仏教とは異なり、現在、儒教は宗教としてというよりも生活倫理や文化的慣習として受け継がれている。

キリスト教については、16世紀末、豊臣秀吉の朝鮮出兵の際にカトリックがイエズス会の宣教師によって伝わった。ただし、韓国では韓国教会の起源はこの時期とは考えられていない。ヨーロッパの学問が西学として17世紀半ば以降に中国から朝鮮に伝わり、それがキリスト教の受容につながったとされる。1784年にイ・スンフン（李承薫）が北京で受洗し、その2年後にソウルに天主教会が組織された。カトリックは祖先崇拝を禁止する立場から儒教社会を否定したため、その後19世紀のカトリックの歴史は、弾圧と殉教の歴史となった。プロテスタントは1885年、アメリカ人宣教師によってもたらされた。病院や学校経営に力を入れたプロテスタントは中産階層に受容され、村の教会として広まる。日本の植民地時代には、キリスト教は総督府によって「公認宗教」とされ統制されたが、総督府と宣教師たちは協調関係にあったため爆発的な成長をみせた。その一方で、多くの朝鮮人キリスト教信者たちは日本への抵抗精神を持っていた。たとえば、伊藤博文を暗殺したアン・ジュングン（安重根）はカトリック信者である。

韓国解放後、イ・スンマンの自由党による庇護もあり、キリスト教信者は増加した。朝鮮戦争後には、産業化に伴う都市化の進展のなかでキリスト教は都市で急速に勢力を広げ、キリスト教信者は１９６０年に１６７万人だったのが１９８０年には８５０万人、全人口の25％にまで急増した。布教活動では土着化が図られ、これによって教会はさらに信者を増やしていった。プロテスタントでは巫俗の要素を取り入れた礼拝や儒教思想の注入が行われた。たとえば、礼拝での祈福的な病気治しやカリスマ的リーダーが「理」の体現者として活動することなどである。カトリック教会は第二次ヴァチカン公会議（１９６２〜65）以降に変化した。教会や聖職者の社会参与は正当なものとされたため、現実の社会問題に積極的に関与するようになり、伝統文化にも寛容になったのである。たとえば、ソウルの明洞聖堂は民主化闘争の砦となり、労働運動や市民運動に協力的な存在となった。信仰生活と祖先祭祀の両立も可能になっている。

現在、韓国では、数ある宗教のなかでもキリスト教信者が最も多い。韓国社会にキリスト教が深く浸透した要因には、韓国人の精神性とキリスト教との類似性（韓国の原信仰における一神教要素と一神教であるキリスト教、朝鮮王朝の朱子学の理気二元論とキリスト教の世界観、儒教の倫理を重視する姿勢とキリスト教

世界有数のメガチャーチである汝矣島純福音教会（2023年3月）

の論理）、植民地時代にキリスト教が抗日独立運動の精神的支柱になっていたこと、政治・経済・科学などの西欧化、などがあげられる。社会人類学者の崔吉城は、とくにシャーマニズム的要素が大きな役割を果たしているという。キリスト教とシャーマニズムは儀礼面で類似しているだけではない。イエスは社会的に偉大なことをしたが死刑となったため宗教的崇拝の対象になっている。巫女はこのような不幸な死を遂げた人を慰め祀らなければ祟り・禍がもたらされるという。不幸な人格神を中心に形成される倫理観・宗教観においても二者は類似しているのである。

　プロテスタント教会の大きな特徴は、大型教会主義と個別教会主義である。多くの教会で、教派よりもひとつの教会の拡大を志向する傾向がみられ、この個別教会主義が極度に顕在化した現象が大型教会といえる。個別教会主義では国内外で積極的に宣教活動が行われるが、ときに強引な宣教は、社会的に問題視されている。例としてセンムル教会のアフガニスタンでの宣教があげられる。その宣教では、現地の状況に配慮が足りなかったため、２００７年、信者たちがタリバーンの人質になり牧師が殺害されるという事件がおきた。

新型コロナウイルス感染症の拡大に伴う政府と医療界の防疫措置に対して、宗教界は受動的ではあるがおおむね協調的な態度をみせた。しかし、プロテスタントの一部でソーシャルディスタンスを教会に適用する措置や感染病予防法自体に対する反発的な態度が示された。中小規模の個別教会で財政や運営維持のために対面礼拝や食事会が強行された場合もあれば、末世の兆候での宗教的救援のためには対面礼拝が必要であるという教理的見解が強調される場合もある。プロテスタント界は自己中心的な一部教会の行為について謝罪を表明しているが、社会変容に応ずる、さらなる変化が求められるものと思われる。

（株本千鶴）

●参考文献

浅見雅一、安廷苑『韓国とキリスト教――いかにして〝国家的宗教〟になりえたか』中公新書、2012年。

小倉紀蔵『朝鮮思想全史』ちくま新書、2017年。

鎌田茂雄『朝鮮仏教史』講談社学術文庫、2020年。

金龍泰／蓑輪顕量監訳、佐藤厚訳『韓国仏教史』春秋社、2017年。

佐藤厚『はじめての韓国仏教――歴史と現在』佼成出版社、2019年。

徐正敏『韓国カトリック史概論――その対立と克服』かんよう出版、2015年。

崔吉城『キリスト教とシャーマニズム――なぜ韓国にはクリスチャンが多いのか』ちくま新書、2021年。

59

食文化の変遷

★外食産業の発展と食生活の未来★

食習慣の変化は単なる食だけの問題ではなく、生活パターン全般の変化に連動している。特に新型コロナウイルスの流行は、人びとの外出を制約し、もともと盛んだった配達文化を一層進展させ、家族で食卓を囲む機会も減少させた。実は食文化は周縁の諸条件とのかかわりが広い問題だが、興味深い点を簡単に論じてみよう。

統計庁によると韓国人の一人当たりコメ消費量は1980年には年間132・4キロだったが、2018年には61キロと半分以下に減少した。反対に肉類の消費量は1980年に11キロにすぎなかったものが2014年に51キロに増加した。韓国では民主化措置、労働運動の活発化で労働者の賃金が上昇し、可処分所得も上昇したために、1世帯当たりの消費支出は2006年に194・5万ウォン、2016年に254・97万ウォンに上昇した。所得の上昇に押されて韓国の食生活は豊かになり、かつてのコメで腹を満たすことができればいいという時代は過ぎ去ったのである。主食の代わりになる食べ物も豊富になった。韓国農村経済研究院の2023年発表では、豚・牛・鶏肉を合わせた肉類の消費量は22年推定値で58・4キロにのぼり、同年のコメ消費量55・6キロをついに上回った(『ハンギョレ』2月6日)。

韓国は日本と同様、第二次世界大戦後に米国の余剰農産物流入で小麦を原料とする食品の普及が進んだ。元来コメを主食としてきた韓国でも、人口の都市集中により事務労働の割合が増え、小麦を原料とするラーメンやパンの消費が増え、食習慣は一層変化していった。とりわけ貧困層は、安価なラーメンを主食とする生活に追いやられることも多く、調理の手間がいらないラーメンの需要は増えた。

見逃せないのは、韓国の世帯構成における、1人/2人世帯の急増で、1人で食事をすることも当たり前になって、食が簡便化している点だ。2020年1月の時点で総世帯数は2148万世帯だが、1人世帯が31・7%と最も多く、次いで2人世帯が28・0%、3人世帯が20・1%、4人世帯が15・6%となった。2005年以前は4人家族が最も多かったのに対し、2010年からは2人世帯が、2015年以降は1人世帯が最大を占めるようになっている。当然、食事に手間をかけることは少なくなり、食生活も変化せざるをえなかった。

人びとの嗜好が多様化しパン食が普及することで、韓国のパン消費はこの間増加してきた。1945年10月に今は北朝鮮である黄海道で生まれた食品メーカー賞味堂は、南側に来て事業を続け、59年に三立食品に商号変更、61年にパン製造を開始し、韓国を代表するパンメーカー、シャニーを分社した。だが、パン生産では最大手でありながら独自の店舗を持たなかったシャニーは、小売店舗設立に乗り出し、88年に光化門にパリバゲット1号店を出店以降、食生活の変化に乗って店舗拡張の快進撃を進めパン小売業の最大手に成長した。パリバゲットはパン商品を多様化したほか、カフェも兼営し、夏には日本のかき氷に近いパッピンスも販売するなど、事業拡大に力を入れている。テレビド

どこの都市でも見ることができるパリバゲット

ラマ『製パン王キム・タック』（2010年放送）はパリバゲットをモデルとしている。ただ、近年は製パン労働者の安定的雇用を保障せず労働争議が継続、社会的批判も出ている。

ベーカリーチェーンとして業界第2位のトレジュール（Tous Les Jours、フランス語で「毎日毎日」という意味）は1997年に1号店を出し2009年には1000店を展開、2004年に米国、05年に中国、07年にベトナムに出店し、事業拡大に邁進してきた。元来がサムスン系列のCJから生まれた企業で、その後分社しCJフードビルとして今日に至っている。ソウルに行けば、街にパリバゲットかトレジュールを必ず見ることができる。コンビニはパンについてあまり自社の工夫をしていないためか、パンはベーカリーチェーンに買いに行く人が多いように見受けられる。

一方、パンはご飯と比べれば高価で、おなかがいっぱいにならないので、やはりのり巻きなどを食べたいというのは、若い人たちの欲求である。韓国の外食店で多いのはのり巻きや軽食を出すのり巻き屋さんだろう。首都圏を中心に展開するキムパップ・チョングク（のり巻き天国）はいたるところで目にできる。1995年に仁川《インチョン》市朱安《チュアン》で開業したのが始まりで、2000年ごろからチェーンを拡大、首都圏を中心に最も店舗数の多い飲食店となった。いわゆるフランチャイズ制をとっていて、小売店主への不公平な取引条件などが問題になったりしたが、店ごとに多少異なるメニューなどで経営の工夫を凝らし、金融危機後の韓国社会で手ごろに食事をすることができる店として拡大した。メニューとしては、かつて粉食店《ブンシクチブ》と呼ばれた小麦を原料とするウドン、ギョウザなどに加え、中高校生のおやつとして下校時に食されるのり巻き、トッポッキ、それに簡単なご飯ものがある。手軽に食事ができるという点では、のり巻き屋に勝るものはない。

しかし、新型コロナウイルス感染拡大後は外食事情が大きく変化した。外出できなくなった人びとはこれまで以上に配達によって食事、食材を入手するようになった。元来韓国ではスマートホンの普及を背景に公園などでチキンやピザの配達を頼むことが当たり前になっていたが、コロナ以降、オンラインで注文すれば、ほとんどあらゆる飲食物が配達されるようになったのである。通商産業資源部の統計によると主要流通企業の2021年の業績は前年比で1・3％増加した。特にオンラインは15・7％の伸びを記録し、オフラインでも7・5％増加した。この年はコンビニが6・8％、デパートが24・1％の業績を伸ばした半面、マートと呼ばれる大型スーパーは2・3％減にとどまり、上位コンビニ3社の売上ははじめて上位マート3社の売上を上回った。Eマートは比較的好調だったがホームプラスとロッテマートが不振だったという。日本と同様に、こうした配達代行業者から委託を受け配達にあたる個人事業者の権利が弱く、配達遅延等や交通事故などの場合の保障が十分に行われないなどの問題も生じている。コロナ後に外食産業は業績回復が期待されているが、物価上昇なども影響して人びとの節約志向は簡単には変わらないと思われる。日本と同様に物価高が進んでいるのも食の将来に影を差している。ともあれ、韓国のほうが賃金が上昇しているためか、物価は相当に上がった印象が強い。コロナ以降に韓国を訪問していない人は、次の訪問で物価上昇を考慮しておくべきだろう。

（石坂浩一）

◉参考文献
『連合年鑑2022』2022、聯合ニュース。

60

新聞・放送

★メディア報道の多様化と対立★

韓国の新聞・放送は、日本の植民地時代、朝鮮半島の分断とその後の軍事独裁政権時代まで言論の自由が制限されていたこともあり、民主化を勝ち取るまでの長い道のりのなかで多くの記者、ジャーナリストが言論の自由のために闘ってきた。

１９１０年に日本の植民地となり、言論の自由は完全に失われた。だが、日本からの独立を求めた１９１９年の３・１独立運動以降、日本の統治スタイルにも変化が訪れ、従来の武断政治から文化政治へと移行した。現在も発行されている『朝鮮日報』『東亜日報』はこうした日本の植民地政策の下で１９２０年に創刊された。朝鮮総督府の検閲による記事の差し替えや停刊に対し、記者たちは発行を続けるために抵抗精神を示しながら闘ってきたが、１９３０年代末になると、内鮮一体や総力戦に賛同する論調の記事を掲載せざるを得なくなり、結局１９４０年に廃刊に至った。

一方、放送の場合、１９２７年に京城ラジオ局「ＪＯＤＫ」が開局し、「モダン」な文物の魅力が朝鮮半島に広がったが、徐々に帝国日本の政策を支持するプロパガンダになっていった。２００８年に制作された映画『ラジオデイズ』には、この時期の雰囲気がよく描かれている。皮肉にも、昭和天皇による日本の無条件降伏の宣言がなされ、玉音放送がラジオを通じて朝鮮半島に流れ、朝鮮の民衆は光復を迎えた。

日本の植民地支配から解放された1945年、朝鮮半島は南北に分断され、朝鮮戦争が勃発し、1953年に休戦協定が結ばれた。その後、韓国ではイ・スンマンの独裁政権時代（1948〜60）につづき、パク・チョンヒ軍事政権（1961〜79）、チョン・ドゥファン新軍事政権（1981〜87）と軍事独裁政権時代が長期にわたり、新聞、放送に対する「事前検閲」「報道指針」などが行われた。なかでも1970年代、パク・チョンヒ政権の維新独裁に立ち向かい、市民の権利を守るために抵抗した『東亜日報』の言論民主化闘争と、1988年に市民たちの出資で作られた『ハンギョレ新聞』の登場は、言論民主化の結実のひとつといえる。だが、民主化以降、1〜3位の販売数を誇る『朝鮮日報』『中央日報』『東亜日報』は保守的な論調の新聞に、『ハンギョレ』『京郷新聞』は進歩的な論調の新聞になり、政治と同様、言論も明確な進歩と保守のポジションを担うようになった。

その後、1997年に起きたIMF経済危機以降、政府は国家戦略として情報化政策を掲げ、韓国ではいち早くインターネット新聞が登場した。なかでも、世界初のインターネット新聞である「オー・マイ・ニュース」は、「市民は皆記者である」をモットーに創刊された。職業記者のみが書くというこれまでの新聞のあり方を見直し、職業記者と生活人記者の融合、専門分野のニュースと市民生活体験ニュースの融合をめざし、読者自ら記事を載せるページも設けられた。その後、ネット新聞にはネチズンが積極的に参与するようになり、数多くのネット新聞が創刊され、現在に至っている。

昨今は、オンラインの利点を活かし、言論と表現の自由の拡大という点で肯定的な部分も見られるものの、記事に対するクリック数、閲覧数によって経営が成り立つため、センセーショナルな記事や検証されていない事実を伝える記事などが大量に生産され、全体的に記事の質が大きく低下したという批判を受けるようになった。２０１４年に起きたセウォル号事件の際に、政府の主張だけをそのまま掲載し、誤報を作り出し、遺族の意見を無視する行為を行い、「キレギ（記者＋ゴミという意味で悪質記者）」という言葉が作られたのである。

放送の場合、１９７３年に国営放送であったＫＢＳが公営放送となったが、常に政権の顔を伺う論調を堅持している反面、ＭＢＣの場合、放送文化振興会という機構を通じて政府が間接的に経営に関与しているものの、報道やドキュメンタリーなどで政府の政策の問題点を厳しく批判する論調を堅持してきた。２００９年のアメリカ産牛肉の輸入をめぐり、30カ月以上のアメリカ牛に牛海綿状脳症（ＢＳＥ）の発生可能性があり、輸入を慎重にすべきだと政府側を批判した報道が代表的な例である。

一方、１９９１年はＫＢＳ、ＭＢＣに加え、ＳＢＳのみならず、各地方に地域を代表する放送局が、事実上最初の民間放送局として数多く誕生するなど特筆すべき年であり、民主化以降、韓国が消費社会になったことを示す象徴的な出来事でもあった。さらに、この時期ジャンル別ケーブルＴＶ（有線放送）が徐々に開通し、チャンネルが多様化した点で、２０１０年には放送の転換期を迎えた。韓国の場合、長らく新聞と放送の兼営を禁止する法律・文化が存在してきたが、２０１０年に「総合編成ＴＶ（番組編成は地上波と同様だがケーブル・衛星を通じて放送）」をめざしていた巨大新聞社の要求を当時のイ・ミョンバク政権が受容し、「ＴＶ朝鮮（朝鮮日報系列）」「チャンネルＡ（東亜日報系列）」「ＪＴＢＣ（中央日報系列）」「ＭＢＮ（毎日経済系列）」の放送を許可した。なかでも、ＪＴＢＣはＭＢＣのニュースキャスター出身であったソン・ソッキを迎え入れ、「ニュースルーム」という報道番組を作り、2010年代の主要な報道シーンを作り上げた。この報道番組は、世間のニュースをすべて伝えるのではなく、重要なニュースを選択し集中的に扱う、雑誌型のニュース報道を実現する、いわば「選択と集中」という手法をとった。記者が直接スタジオで深層報道を行い、専門家インタビュー、ファクトをチェックするコーナーなど「マガジン」の形式を用いている。こうした斬新な企画が実を結び、「ニュースルーム」は、「パク・クネ、チェ・スンシルゲート事件」をはじめて報じ、総合編成チャンネル史上視聴率が10%を超えた。さらに、2018年1月、検察庁の検事であるソ・ジヒョン氏の検察局長による性暴力被害の暴露や、同年3月、アン・ヒジョン忠清南道知事から繰り返し性暴力を受けた女性秘書の暴露など、韓国社会に #MeToo の拡散をもたらしたのもJTBCの「ニュースルーム」であった（第19章参考）。

このように、昨今ニュースの主導権は、地上波に加え、インターネットやモバイルによってリアルタイムのニュースが瞬時に入ってくる時代となった結果、テレビの視聴率が低迷している。こうした状況に対応するために、見逃した深層報道や討論、トークショーをホームページやユーチューブで見られるようにし、スマートフォン時代に見合った対応を行っている。誰もが記者となり、スマートフォンを片手に現場を撮影・編集し、オンラインのプラットフォームにアップロードすることができる。こうしたいわゆる「潜在的な記者」は、報道局の記者を圧倒するようになった。

さらに、昨今の変化のひとつとして、ネットフリックスに代表されるOTT（インターネットを通じて見ることができるテレビ番組）の出現があげられる。OTTは映画やドラマ、バラエティーだけではなく、ドキュメンタリー、報道番組なども制作している。これまでテレビ局が行ってきた分野にまで浸透しているのである。

伝統ある地上波や大手新聞のメディアとしての力が弱まるなかで、昨今、これまでの新聞と放送が導いた「公論の広場」がその力を失っていき、大衆は見たいものや、聞きたいものだけに耳を傾ける傾向がみられ、メディアによって社会が分断されていく傾向もみられる。なかでも、２０２３年度の大統領選挙はその状況が端的に表れた事例といわれる。女性がより活躍できるようさまざまな女性政策が推進されるなかで「20代男性は被害者である」というフレーズが話題を呼び、ユン・ソンニョル候補は「女性家族部廃止」「兵士の給与２００万ウォン」など、20代の男性に向けたアピールを行った。その結果、０・７％の僅差ではあるが、大統領に当選した。

従来のマスコミが力を失い、ＳＮＳやユーチューブが日常化するなかで、世代やジェンダーによる分断が徐々に深刻化している。こうした分断の状況やその要因に目を向け、さらにニュースの内容と発信者の関係性を適切に見極めるなど、今後の社会に必要なメディアリテラシーを学んでいく時代になりつつあるといえる。

（福島みのり）

◉参考文献
玄武岩『韓国のデジタル・デモクラシー』集英社新書、２００５年。
森類臣『韓国ジャーナリズムと言論民主化運動――『ハンギョレ新聞』をめぐる歴史社会学』日本経済評論社、２０１９年。

61

SNSと市民社会

★SNSの光と影★

社会や国家、ひいては世界が危機に直面したときに一般の市民がどのように連帯し、その危機を救うかという点において、近年SNSは大きな役割を果たしている。「アラブの春」「アメリカウォール街占領デモ」から、東日本大震災におけるボランティア、脱原発デモの参加にいたるまでさまざまな事例があげられる。韓国の場合を振り返ってみると、2011年には、高騰する大学授業料に対し、学生らが大学や政府に抗議する「授業料半額デモ」、韓進重工業（釜山にある造船業・建設業企業）による大量解雇問題に対する市民の抗議活動、そして、2014年にはセウォル号沈没事故の真相究明を求める活動などが記憶に新しい。こうした事例は、当時メディアでは積極的に取り上げられてこなかったが、市民自らがSNSを通じて他の市民に連帯を呼びかけ、社会問題化していった。だが、韓国社会の場合、市民の連帯や政治参加はSNSが登場する以前からインターネットを通じてなされてきた。

IMF経済危機以降、国家戦略としてIT産業を育成してきた韓国では、ダウム、ネイバーなど韓国独自のエンジンが検索・ポータルサイトをリードするのみならず、自発的な市民記者の参加による『Ｏｈ！Ｍｙ Ｎｅｗｓ』、主流メディアで活躍していた記者が新しい視点から作った『プレシアン』など、オンライン独立型のインターネット新聞が、その信頼性と斬新性において一般市民の支持を得てきた。イギリスの新聞『ガーディアン』（２００３年1月14日）と称賛した。『Ｏｈ！Ｍｙ Ｎｅｗｓ』について「世界で最も成功をおさめたインターネット新聞」は、韓国においてインターネットは経済的な効率性のみでなく、大衆の政治意識を高め、政治参加を促し、新しいディスカッション空間を作り出す場＝「インターネット民主主義の実践の場」として機能してきたのである。その点で、かつて民主化運動を担った86世代を中心にＩＭＦ経済危機以降、ＩＴ産業を推進したことが結果的に「インターネット民主主義」の実現につながっていったといえる。なかでも、弘益大学の清掃労働者の争議を支援するなど大きな役割を果たした。

さらに、「インターネット民主主義」はオンラインというインターネット空間のみならず、オフラインでの政治参加へとつながるケースを生み出してきた。米軍装甲車により女子中学生２人が死亡した際、米兵の無罪判決とその背景にある不平等な韓米軍事協定に対して抵抗運動を行ったろうそくデモ」（２００２）、韓国初の政治家ファンクラブといわれる「ノサモ（ノ・ムヒョンを支持する人びとの集まり）」、インターネット政党であり、市民参加型政党である「改革党」の後押しにより当選を果たしたノ・ムヒョン大統領と参与政府の登場（２００３）、「ＢＳＥ」の危険性が高い「アメリカ産牛肉の輸入反対デモ」（２００３）などは、オンライン・オフラインの相互作用による市民の政治参加の代表的な例といえる。

２０１０年頃からはＳＮＳの普及とそれに伴う新しい政治参加の動きにより、「オンライン民主主義」から「ソーシャルネットワークに基づく民主主義」へと移行した。ＳＮＳは私的な性格を備えていると同時により多くの人びとに開かれたツールであり、容易さと迅速さが特徴とされる。その点で、これまでのメディアが積極的に取り扱ってこなかったテーマがSNSを通じて即座に拡散し、より多くの市民に伝達され、社会問題化されるようになった。

なかでも、女優のキム・ヨジンは弘益大学の清掃労働者の争議を支援するなど大きな役割を果たした。清掃労働者たちは賃金を法定最低賃金の水準に引き上げることと休憩時間を確保することを要求したが、大学は労働者を不当解雇し、厳しい闘いを強いられた。このことを知ったキム・ヨジンはSNSを通じて清掃労働者の争議を知らせ、支援の輪が広がった。その結果、解雇された労働者は大学で復職を勝ち取り、待遇も改善されるようになった。こうしたなかで、20代の若者とコメディアンのキム・ジェドンによる「授業料半額デモ」（2011）は、最も印象的な結果をもたらした。2011年に行われたソウル市長補欠選挙でパク・ウォンスン候補はソウル市立大学の授業料を半額にするという公約をあげ、若者の支持を集め、当選を果たした。ソウル市長に就任した翌年、パク・ウォンスン市長は公約通り、ソウル市立大学の授業料を半額にしたのである。

このように、ソーシャルテイナーが「第3の市民勢力」と呼ばれるほどに影響力が高まった背景には、ツイッター（2023年7月より「X」に名称変更した）、フェイスブックなどSNSの影響力がある。市民の要求がなかなか反映されず、政治に対する不信感が高まるなかで、市民らはSNSを通じて新たな連帯に基づく市民運動を展開していったのである。延世大学のキム・ホギ教授は、ソーシャルテイナーの社会運動としての位置づけについて、「事実上、社会の公論場では、社会問題化されない事柄を芸能人らが積極的に復活させる、いわば『議題の敗者復活』を先導した」と評価した（『京郷新聞』

2011年8月2日より)。

2010年代半ばになると、SNSに「ハッシュタグ」の機能が拡大し、新たな社会運動へとつながっていった。2015年、フランスで週刊風刺新聞『シャルリ・エブド』の本社がイスラム急進派に襲撃された後、「#JeSuisCharlie」(私はシャルリだ)のハッシュタグが世界中に広がっていった。韓国の場合、2016年にソウルの江南駅で若い女性を狙った無差別殺人事件が起きた際には、「#私も被害者だったかもしれない」というハッシュタグが広がり、ソ・ジヒョン検事の性暴力告発をきっかけに「#私はフェミニストだ」というハッシュタグが広がっていった(2017年、第19章参照)。なかでも、ソウルの九宜《クイ》駅でスクリーンドアを修理していた非正規職の若者が死亡した事故(2016)、泰安市の火力発電所で仕事をはじめたばかりの若者が死亡した事故(2018)は、同年代の若者に大きな衝撃を与えた。彼らはあまりにも早すぎる同年代の死を悼むとともに、こうした無念の死の背景には利益だけを追求する企業側の経営方針があると糾弾する内容のハッシュタグをつけ、発信し続けた。同時期、日本政府による韓国への輸出規制強化に反発する韓国市民による「#NO JAPAN」「#NO安倍」ハッシュタグ運動(2019)も広がっていった。

一方、「ネトウヨ現象」や「ポスト真実」、そして有権者に向けて行う政治家によるワン・イシュー型の呼びかけなどにより、SNSの影も見えはじめた。SNSは、自分が見たいもの、聞きたいことだけに耳を傾け、同じ価値観を共有する人とのつながりにこだわる「エコチェンバーの時代」となり、ソーシャルメディアはもはやその「社会性」を失いつつある。事実、2022年度の大統領選挙において、ユン・ソンニョル候補は20代男性の支持を集めるために、Facebookに「女性家族部の廃止」「兵士の月給200万ウォン」とシンプルなフレーズだけをアップした。女性差別の是正のために設立した「女性家族部」を廃止し、兵役期間中67万ウォン程度であった兵士の月給を「200万ウォン」に引き上げることを掲げたのである。投票の結果、20代女性の約6割がイ・ジェミョン候補に、20代男性の約6割がユン・ソンニョル候補に投票し、20代男女のジェンダー葛藤を加速化させた。

2010年代初頭は、SNSを通じた市民連帯がバラバラに存在していた「個」を社会変革の可能性へと導いたが、2020年代初頭のSNSは、様々な暴露とともに社会的な弱者を被害に導く事件が起こった。後者に対して市民社会がどのような力量を発揮できるのかが今後の課題といえる。

（福島みのり）

参考文献
玄武岩『韓国のデジタル・デモクラシー』集英社新書、2005年。
チョ・ファスン著／木村幹監修『ビッグデータから見える韓国――政治と既存メディア・SNSのダイナミズムが織りなす社会』白桃書房、2017年。

現代韓国を知るための参考文献・サイト

日本において、韓国に関する研究は、第2版刊行当時と比べても大いに増加した。もはや、個別的な分野についての研究まで追うこと自体が、その分野の専門研究者でなければむずかしいだろう。ここでは、ごく基本的な参考文献、サイトの紹介をしたい。

まず、言葉の辞典についてだが、『**小学館韓日辞典**』（2018）が最も優れている。これは定評のあった**小学館・金星出版社共同編集**『**朝鮮語辞典**』（1993、小学館）を25年ぶりに改訂したもので、以前のバージョンよりさらに使いやすくなった。文法については**韓国・国立国語院**『**標準韓国語文法辞典**』（2012、アルク）が網羅的にカバーしている。韓国で作られた文法書は、辞典式にカナダラ順で事項が並べられており、初歩の段階では便利ではないかもしれないが、学習が進むとこの程度の内容が必要になってくるはずである。テキストは数限りなくあるので、学習している場や事情に合わせて選択してほしい。

一般的な辞典類としてはまず、**伊藤亜人**『**韓国朝鮮を知る事典**』（平凡社、最新版は2014年3月）をあげておこう。歴史から政治、経済、社会、文化まで幅広くカバーした辞典で、1986年の初版発行以来、内容の増補を重ね、２０１４年には新版を出して今日に至っている。定評のある事典なので、どの時代を調べるのであれ、必須であろう。

人名事典としては**木村誠ほか編『朝鮮人物事典』**（１９９５、大和書房）がある。近代以降の人物が多く取り上げられている。また、**『岩波世界人名大辞典』**（２０１３）も朝鮮半島専門の辞典ではないが、朝鮮・韓国に関わる人名は相当数あり、利用価値が高い。**国際高麗学会日本支部『在日コリアン事典』**（２０１０、明石書店）も人名、事件名などで活用できるよい辞典である。この事典は２０２３年末現在、改訂作業中である。なお、**和田春樹・石坂浩一編『岩波小辞典　現代韓国・朝鮮』**（２００２、岩波書店）は現代を扱う貴重な辞典で、リニューアルできていないため残念ながら内容は古くなっているが、20世紀の出来事について小項目で引ける便利さはまだ有効であろう。

日本では、朝鮮半島に関する年鑑を出そうとする試みはあったが、続かなかった。韓国では、연합뉴스**（連合ニュース）**『연합연감**（連合年鑑）**』が韓国事情をよく整理した年鑑として刊行されている。

歴史・地理を網羅した本としては、韓国で出版された**韓国教員大学歴史教育科編『韓国歴史地図』**（２００６、平凡社）をあげておこう。ビジュアルな作りで文章だけではわからない歴史を読み取ることができる。古代から現代まで地図と共に、簡単な歴史解説が載っていて、これだけを読んでも勉強になる。カラーなのもありがたい。

歴史研究については、これまでの集大成として**李成市・宮嶋博史・糟谷憲一編『世界歴史体系　朝鮮史Ⅰ先史〜朝鮮王朝』『世界歴史体系　朝鮮史Ⅱ近現代』**（２０１７、山川出版社）が出ている。歴史研究の成果が盛り込まれており充実した内容である。この本が難しいと感じたなら、**朝鮮史研究会編『朝鮮史研究入門』**（２０１１、名古屋大学出版会）を参照してほしい。書名で入門をうたっているだけあって、「朝鮮史研究の手引き」という親切な案内も付いている。近現代はもちろん、在外朝鮮人研究についての紹介もあり、参考文献、年表も充実している。関連する学会としては朝鮮史研究会があり、『**朝鮮史研究会論文集**』が年1回発行されている。学会としてはこのほか、**現代韓国朝鮮学会**『**現代韓国朝鮮研究**』、**韓国・朝鮮文化研究会**『**韓国朝鮮の文化と社会**』が研究成果と最近の動向を伝えてくれる。朝鮮史研究会のホームページでは「**戦後日本における朝鮮史文献目録**」が掲載されているので活用できる。

統計については、新しいものを求めるとすればやはり韓国の関係官庁のサイトを参照しなくてはなるまい。基本的な統計を公開していて一番使うことが多いと思われるのは、統計庁であろう。

統計庁　http://kostat.go.kr/portal/korea/index.action

以上は朝鮮語が基本だが統計資料の言葉はむずかしくないし、英語表示もあるので、積極的に活用してほしい。本書の経済のパートではいろいろなサイトが紹介されているので、それも役立つ。

最後に韓国で発行されるニュースメディアの日本語版について簡単に紹介しておきたい。通信社である聯合ニュースは日本語のニュースを提供しており、ニュースの範囲が多様なので活用しやすい。韓国のニュースを知るにはこれが一番オーソドックスだろう。韓国の新聞の日本語版サイトは**朝鮮日報**、**中央日報**、**東亜日報**のほか、**ハ**の日本語版が登場して以前よりも多様な報道を見ることが可能になった。放送局についてもKBSは**KBSワールド**で日本語サービスを配信している。また、直接韓国のサイトにアクセスすれば、より多様なニュースに接することができる。リベラルなニュースサイト「Oh! My News」「**プレシアン**」「**ニュース打破**」なども簡単にアクセスできるので、のぞいてみると日本での報道とはちがう視点を目にすることができるだろう。

いずれにしろ、朝鮮語を学び知ることは、楽しみにもなるし、役に立つので、言葉にチャレンジしてほしい。

金元重（きむ・うぉんじゅん）［25, 26］
元千葉商科大学人間社会学部教授。
主要論文：「現代自動車労働組合の産別労組への転換が意味するもの——民主労総・金属産業連盟の産別労組建設運動の流れのなかで」（『国府台経済研究』第 18 巻第 3 号、2007）、「韓国——『開発独裁』と重化学工業建設政策」（法政大学比較経済研究所・粕谷信次編『東アジア工業化ダイナミズム』、1997）、「日本の『開発主義』的発展と『日本的労使関係』の形成——日本的経済システムの歴史的源流をめぐって」（同上）など。

中西 恭子（なかにし・きょうこ）［47］
京都女子大学文学部教授。
主要著書：『韓国語アップグレード——もぎたてのソウルマル』（明石書店、2004）、『ハングルの歴史』（〔翻訳〕白水社、2007）、『表現のための中級韓国語』（白水社、2010）など。

＊**福島 みのり**（ふくしま・みのり）［14, 15, 16, 19 〜 24, 60, 61］
編著者紹介参照。

古川美佳（ふるかわ・みか）［53］
朝鮮美術文化研究。女子美術大学非常勤講師。2021 年韓国の金復鎮賞受賞。
主要著書：『韓国の民衆美術——抵抗の美学と思想』（岩波書店、2018）、共著に『韓国・朝鮮の美を読む』（CUON、2021）『東アジアのヤスクニズム』（唯学書房、2016）、『光州「五月連作版画——夜明け」』（夜光社、2012）、『アート・検閲，そして天皇』（社会評論社、2011）『韓流ハンドブック』（新書館、2007）など。

山下 英愛（やました・よんえ）［48］
文教大学文学部教授。
主要著書：『新版 ナショナリズムの狭間から—「慰安婦」問題とフェミニズムの課題』（岩波書店、2022）、『女たちの韓流—韓国ドラマを読み解く』（岩波書店、2013）。翻訳書：『基地村の女たち—もう一つの韓国現代史』（金蓮子著、御茶の水書房、2012）、『韓国女性人権運動史』（韓国女性ホットライン連合編、明石書店、2004）など。

吉川 凪（よしかわ・なぎ）［57］
翻訳家。
主要著書：『최초의 모더니스트 정지용〔最初のモダニスト鄭芝溶〕』（韓国語、単著、ソウル：亦楽、2002）、『朝鮮最初のモダニスト鄭芝溶《チョンジヨン》』（単著、土曜美術出版販売、2007）、『京城のダダ、東京のダダ——高漢容《コハニョン》と仲間たち』（単著、平凡社、2014）など。

【執筆者紹介】（［　］は担当章、50 音順、＊は編著者）

＊**石坂 浩一**（いしざか・こういち）［1 ～ 12, 17, 18, 34 ～ 36, 49 ～ 52, 56, 59、参考文献・サイト］
編著者紹介参照。

大島 裕史（おおしま・ひろし）［54, 55］
フリージャーナリスト。
主要著書：『日韓キックオフ伝説』（単著、実業之日本社、1996 年、〔集英社文庫、2002 年〕、1996 年度ミズノ・スポーツライター賞受賞）、『韓国野球の源流――玄界灘のフィールド・オブ・ドリームス』（単著、新幹社、2006）、『魂の相克――在日スポーツ英雄列伝』（単著、講談社、2012）など。

大津健登（おおつ・けんと）［37 ～ 46］
九州国際大学現代ビジネス学部教授。
主要著書：『グローバリゼーション下の韓国資本主義』（単著、大月書店、2019）、『日本の国際協力 アジア編』（共著、ミネルヴァ書房、2021）、『アジア経済論』（共著、文眞堂、2022）、『貿易入門［第 2 版］』（共著、大月書店、2023）など。

小田切 督剛（おだぎり・まさたけ）［27, 28］
フェリス女学院大学非常勤講師。1993 ～ 2016 年川崎市役所職員。うち 1999 ～ 2000 年韓国・富川市庁派遣、2014 ～ 2015 年立教大学兼任講師。
主要著書：『躍動する韓国の社会教育・生涯学習――市民・地域・学び』（共著、エイデル研究所、2017）、『蓬勃向上的韓国終身教育』（中国語、共著、清華大学出版社、2022）
主要論文：「ヘイトスピーチをめぐり対話を深める日本・在日・韓国の高校生――地域に根差した平和学習交流 20 年」（『平和研究』第 52 号、日本平和学会、2019）、「『過去を変えるな、未来を変えよう！』平和を創る地域交流――川崎と富川《プチョン》の市民交流 32 年、高校生交流 23 年」（『東アジア社会教育研究』第 28 号、東京・沖縄・東アジア社会教育研究会、2023）など。

株本 千鶴（かぶもと・ちづる）［13, 29 ～ 33, 58］
椙山女学園大学人間関係学部（2024 年 4 月から情報社会学部）教授。
主要著書：『ホスピスで死にゆくということ――日韓比較からみる医療化現象』（単著、東京大学出版会、2017）など。
主要論文：「韓国／第 6 章 福祉と社会」上村泰裕編『新 世界の社会福祉⑦ 東アジア』（旬報社、2020）、「韓国の医療政策――保障性・公共性・持続可能性」（『社会保障研究』8（2）、2023）など。

【編著者紹介】

石坂浩一（いしざか・こういち）

1990 年以降、立教大学などで非常勤講師。2004 年から准教授。2021 年から同兼任講師。韓国社会論、韓国映画、日韓・日朝関係専攻。

著書に『トーキング・コリアンシネマ』（凱風社、2005）、『韓国と出会う本――暮らし、社会、歴史を知るブックガイド』（岩波ブックレット、2003）、編著に『北朝鮮を知るための 51 章』（明石書店、2006）、共著に和田春樹・伊藤成彦・柳相栄編『金大中と日韓関係――民主主義と平和の日韓現代史』（延世大学金大中図書館、2013）など。

福島みのり（ふくしま・みのり）

延世大学大学院社会学科博士課程修了（社会学博士）。名古屋外国語大学現代国際学部准教授。早稲田大学韓国学研究所招聘研究員。

著書に『ポスト 3.11 と日本の若者論』（韓国語）（教育共同体 '友'、近日刊行予定）。共著に『現代韓国の家族政策』（行路社、2010）、『〈日韓連帯〉の政治社会学』(青土社、2023) など。主要論文に「世代論から読み解く韓国若者論の変容――新世代・88 万ウォン世代・N 放世代を中心に」（『現代韓国朝鮮研究』第 20 号 2020 年 12 月）、「韓国の若者の『退社』現象に関する研究――トランジションの非線形化と自己のナラティブの観点から」（『韓国朝鮮の文化と社会』21 号 2022 年 10 月）など。

エリア・スタディーズ 6

現代韓国を知るための 61 章【第 3 版】

2000年 6 月30日　初　版 第 1 刷発行
2014年10月 5 日　第 2 版 第 1 刷発行
2024年 2 月 9 日　第 3 版 第 1 刷発行

編著者　石坂浩一
　　　　福島みのり
発行者　大江道雅
発行所　株式会社 明石書店
〒 101–0021 東京都千代田区外神田 6-9-5
電話 03（5818）1171
FAX 03（5818）1174
振替　00100-7-24505
https://www.akashi.co.jp/
組版／装丁　明石書店デザイン室
印刷／製本　日経印刷株式会社

（定価はカバーに表示してあります）　ISBN978-4-7503-5705-8

エリア・スタディーズ

1 現代アメリカ社会を知るための60章
明石紀雄、川島浩平 編著

2 イタリアを知るための62章【第2版】
村上義和 編著

3 イギリスを旅する35章
辻野功 編著

4 モンゴルを知るための65章【第2版】
金岡秀郎 著

5 パリ・フランスを知るための44章
梅本洋一、大里俊晴、木下長宏 編著

6 現代韓国を知るための61章【第3版】
石坂浩一、福島みのり 編著

7 オーストラリアを知るための58章【第3版】
越智道雄 著

8 現代中国を知るための52章【第6版】
藤野彰 編著

9 ネパールを知るための60章
日本ネパール協会 編

10 アメリカの歴史を知るための65章【第4版】
富田虎男、鵜月裕典、佐藤円 編著

11 現代フィリピンを知るための61章【第2版】
大野拓司、寺田勇文 編著

12 ポルトガルを知るための55章【第2版】
村上義和、池俊介 編著

13 北欧を知るための43章
武田龍夫 著

14 ブラジルを知るための56章【第2版】
アンジェロ・イシ 著

15 ドイツを知るための60章
早川東三、工藤幹巳 編著

16 ポーランドを知るための60章
渡辺克義 編著

17 シンガポールを知るための65章【第5版】
田村慶子 編著

18 現代ドイツを知るための67章【第3版】
浜本隆志、髙橋憲 編著

19 ウィーン・オーストリアを知るための57章【第2版】
広瀬佳一、今井顕 編著

20 ハンガリーを知るための60章【第2版】 ドナウの宝石
羽場久美子 編著

21 現代ロシアを知るための60章【第2版】
下斗米伸夫、島田博 編著

22 21世紀アメリカ社会を知るための67章
明石紀雄 監修 赤尾千波、大類久恵、小塩和人、
落合明子、川島浩平、高野泰 編

23 スペインを知るための60章
野々山真輝帆 著

24 キューバを知るための52章
後藤政子、樋口聡 編著

25 カナダを知るための60章
綾部恒雄、飯野正子 編著

26 中央アジアを知るための60章【第2版】
宇山智彦 編著

27 チェコとスロヴァキアを知るための56章【第2版】
薩摩秀登 編著

28 現代ドイツの社会・文化を知るための48章
田村光彰、村上和光、岩淵正明 編著

29 インドを知るための50章
重松伸司、三田昌彦 編著

30 タイを知るための72章【第2版】
綾部真雄 編著

31 パキスタンを知るための60章
広瀬崇子、山根聡、小田尚也 編著

32 バングラデシュを知るための66章【第3版】
大橋正明、村山真弓、日下部尚徳、安達淳哉 編著

33 イギリスを知るための65章【第2版】
近藤久雄、細川祐子、阿部美春 編著

34 現代台湾を知るための60章【第2版】
亜洲奈みづほ 著

35 ペルーを知るための66章【第2版】
細谷広美 編著

36 マラウィを知るための45章【第2版】
栗田和明 著

37 コスタリカを知るための60章【第2版】
国本伊代 編著

38 チベットを知るための50章
石濱裕美子 編著

39 現代ベトナムを知るための63章【第3版】
岩井美佐紀 編著

40 インドネシアを知るための50章
村井吉敬、佐伯奈津子 編著

41 エルサルバドル、ホンジュラス、ニカラグアを知るための45章
田中高 編著

エリア・スタディーズ

エリア・スタディーズ

エリア・スタディーズ

126 **カタルーニャを知るための50章**
立石博高、奥野良知 編著

127 **ホンジュラスを知るための60章**
桜井三枝子、中原篤史 編著

128 **スイスを知るための60章**
スイス文学研究会 編

129 **東南アジアを知るための50章**
今井昭夫 編集代表 東京外国語大学東南アジア課程 編

130 **メソアメリカを知るための58章**
井上幸孝 編著

131 **マドリードとカスティーリャを知るための60章**
川成洋、下山静香 編著

132 **ノルウェーを知るための60章**
大島美穂、岡本健志 編著

133 **現代モンゴルを知るための50章**
小長谷有紀、前川愛 編著

134 **カザフスタンを知るための60章**
宇山智彦、藤本透子 編著

135 **内モンゴルを知るための60章**
ボルジギン・ブレンサイン 編著 赤坂恒明 編集協力

136 **スコットランドを知るための65章**
木村正俊 編著

137 **セルビアを知るための60章**
柴宜弘、山崎信一 編著

138 **マリを知るための58章**
竹沢尚一郎 編著

139 **ASEANを知るための50章**
黒柳米司、金子芳樹、吉野文雄 編著

140 **アイスランド・グリーンランド・北極を知るための65章**
小澤実、中丸禎子、高橋美野梨 編著

141 **ナミビアを知るための53章**
水野一晴、永原陽子 編著

142 **香港を知るための60章**
吉川雅之、倉田徹 編著

143 **タスマニアを旅する60章**
宮本忠 著

144 **パレスチナを知るための60章**
臼杵陽、鈴木啓之 編著

145 **ラトヴィアを知るための47章**
志摩園子 編著

146 **ニカラグアを知るための55章**
田中高 編著

147 **台湾を知るための72章**【第2版】
赤松美和子、若松大祐 編著

148 **テュルクを知るための61章**
小松久男 編著

149 **アメリカ先住民を知るための62章**
阿部珠理 編著

150 **イギリスの歴史を知るための50章**
川成洋 編著

151 **ドイツの歴史を知るための50章**
森井裕一 編著

152 **ロシアの歴史を知るための50章**
下斗米伸夫 編著

153 **スペインの歴史を知るための50章**
立石博高、内村俊太 編著

154 **フィリピンを知るための64章**
大野拓司、鈴木伸隆、日下渉 編著

155 **バルト海を旅する40章** 7つの島の物語
小柏葉子 著

156 **カナダの歴史を知るための50章**
細川道久 編著

157 **カリブ海世界を知るための70章**
国本伊代 編著

158 **ベラルーシを知るための50章**
服部倫卓、越野剛 編著

159 **スロヴェニアを知るための60章**
柴宜弘、アンドレイ・ベケシュ、山崎信一 編著

160 **北京を知るための52章**
櫻井澄夫、人見豊、森田憲司 編著

161 **イタリアの歴史を知るための50章**
高橋進、村上義和 編著

162 **ケルトを知るための65章**
木村正俊 編著

163 **オマーンを知るための55章**
松尾昌樹 編著

164 **ウズベキスタンを知るための60章**
帯谷知可 編著

165 **アゼルバイジャンを知るための67章**
廣瀬陽子 編著

166 **済州島を知るための55章**
梁聖宗、金良淑、伊地知紀子 編著

167 **イギリス文学を旅する60章**
石原孝哉、市川仁 編著

エリア・スタディーズ

168 **フランス文学を旅する60章** 野崎歓 編著
169 **ウクライナを知るための65章** 服部倫卓、原田義也 編著
170 **クルド人を知るための55章** 山口昭彦 編著
171 **ルクセンブルクを知るための50章** 田原憲和、木戸紗織 編著
172 **地中海を旅する62章** 歴史と文化の都市探訪 松原康介 編著
173 **ボスニア・ヘルツェゴヴィナを知るための60章** 柴宜弘、山崎信一 編著
174 **チリを知るための60章** 細野昭雄、工藤章、桑山幹夫 編著
175 **ウェールズを知るための60章** 吉賀憲夫 編著
176 **太平洋諸島の歴史を知るための60章** 日本とのかかわり 石森大知、丹羽典生 編著
177 **リトアニアを知るための60章** 櫻井映子 編著
178 **現代ネパールを知るための60章** 公益社団法人 日本ネパール協会 編
179 **フランスの歴史を知るための50章** 中野隆生、加藤玄 編著
180 **ザンビアを知るための55章** 島田周平、大山修一 編著
181 **ポーランドの歴史を知るための55章** 渡辺克義 編著
182 **韓国文学を旅する60章** 波田野節子、斎藤真理子、きむ ふな 編著
183 **インドを旅する55章** 宮本久義、小西公大 編著
184 **現代アメリカ社会を知るための63章【2020年代】** 明石紀雄 監修 大類久恵、落合明子、赤尾千波 編著
185 **アフガニスタンを知るための70章** 前田耕作、山内和也 編著
186 **モルディブを知るための35章** 荒井悦代、今泉慎也 編著
187 **ブラジルの歴史を知るための50章** 伊藤秋仁、岸和田仁 編著
188 **現代ホンジュラスを知るための55章** 中原篤史 編著
189 **ウルグアイを知るための60章** 山口恵美子 編著
190 **ベルギーの歴史を知るための50章** 松尾秀哉 編著
191 **食文化からイギリスを知るための55章** 石原孝哉、市川仁、宇野毅 編著
192 **東南アジアのイスラームを知るための64章** 久志本裕子、野中葉 編著
193 **宗教からアメリカ社会を知るための48章** 上坂昇 著
194 **ベルリンを知るための52章** 浜本隆志、希代真理子 著
195 **NATO（北大西洋条約機構）を知るための71章** 広瀬佳一 編著
196 **華僑・華人を知るための52章** 山下清海 著
197 **カリブ海の旧イギリス領を知るための60章** 川分圭子、堀内真由美 編著
198 **ニュージーランドを旅する46章** 宮本忠、宮本由紀子 著
199 **マレーシアを知るための58章** 鳥居高 編著
200 **ラダックを知るための60章** 煎本孝、山田孝子 著
201 **スロヴァキアを知るための64章** 長與進、神原ゆうこ 編著

——以下続刊

◎各巻2000円（一部1800円）

〈価格は本体価格です〉